Knaur
D0755963

Über die Autorin:

Nicole Drawer, geboren 1965, ist Kriminaloberkommissarin. Sie war viele Jahre als verdeckte Ermittlerin tätig, absolvierte dann ein Studium der Kriminalistik und Psychologie, währenddessen sie sich intensiv mit der Psyche von Serienmördern auseinander setzte. 1999 wechselte sie zum Landeskriminalamt Hamburg, um sich mit Wirtschaftskriminalität zu befassen. Nicole Drawer lebt mit ihrer Familie in Hamburg.

Nicole Drawer

Allein mit deinem Mörder

Roman

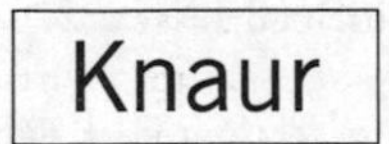

Besuchen Sie uns im Internet:
www.droemer-knaur.de

Originalausgabe 2003

Umschlaggestaltung: ZERO Werbeagentur, München
Umschlagabbildung: Getty Images, München
Satz: Ventura Publisher im Verlag
Druck und Bindung: Clausen & Bosse, Leck
Printed in Germany
ISBN 3-426-62322-6

2 4 5 3 1

Für Chris Kevin,
ohne den das Leben
nicht halb so schön wäre.

Dank

Ich danke meinem Agenten Dirk R. Meynecke, der mir mit seinem Optimismus zur Seite gestanden und immer darauf geachtet hat, dass alles in den richtigen Bahnen läuft, und natürlich meiner Lektorin, die unvergleichlichen Humor bei der Redaktion bewiesen hat.
Danke, Rita, für deine Kritik, die hart und sehr hilfreich war.
Meinen herzlichen Dank auch an meinen Dozenten, Prof. Eggers, der mir die Abgründe menschlichen Verhaltens näher gebracht hat.
Ich danke auch meiner Familie, die mich immer unterstützt hat – allen voran mein Sohn Chris Kevin, der unverdrossen die einzelnen Seiten des Manuskripts aus dem Drucker gezogen und sortiert hat. Ich liebe dich, mein Schatz.

1

Sie kannte kaum jemanden, der die Sonntage so hasste wie sie selbst. Besonders die nasskalten Sonntage im Herbst waren furchtbar. Das Nieselwetter in Hamburg schien untrennbar mit Sonntagen und Herbst verbunden zu sein; Bilder aus ihrer Kindheit kamen in ihr hoch, und sie sah sich wieder zusammen mit ihrem Bruder und ihrer Mutter, einer strengen, kühlen Frau. Und beinahe glaubte sie sogar ihren Blick im Rücken zu spüren. Sie fröstelte. Unwillkürlich legte sie die Arme fester um ihren Oberkörper.

An Tagen wie diesen konnte man nichts Vernünftiges anfangen, schon gar nicht, wenn man allein war. Sie warf einen wütenden Blick auf ihr riesiges Bett, in dem sie immer öfter alleine schlief. Stefan hatte gestern angerufen und gesagt, dass es ihm Leid täte, aber er könnte leider nicht kommen. Wichtige Geschäfte würden ihn zwingen, nach Köln zu fahren. Übers Wochenende, na klar.

Sie wusste genau, dass er wieder mit einer anderen Frau unterwegs war. Wenn er dann genug hatte, kam er wieder zu ihr zurück, und sie tat dann immer so, als wäre nichts gewesen. Sie wusste wirklich nicht, warum sie sich das antat, aber wahrscheinlich fehlte ihr einfach der Mut, endgültig mit ihm Schluss zu machen. Mut war noch nie ihre Stärke gewesen. Etwas zu beenden oder etwas neu zu beginnen, machte ihr Angst. Irgendwie schien sie immer nur stumm abzuwarten, was als Nächstes auf sie zukam, ohne die Kraft, allein eine Entscheidung zu fällen oder auch nur ablehnend den Kopf zu schütteln.

Sie spürte, wie ihre Gedanken abschweiften. Wenn sie etwas nicht wollte, dann über ihre Vergangenheit nachzudenken und ihre Schwächen zu analysieren. Sie starrte noch immer grimmig auf das zerwühlte Bett. Stefans Gesicht erschien vor ihrem geistigen Auge. Sie war nur heilfroh, dass sie nicht mit Stefan zusammenlebte und jeder seine eigene Wohnung hatte. Wahrscheinlich hätte sie ihn einfach nicht ertragen. Aber so ganz konnte sie sich doch noch nicht von ihm lösen, obwohl er ein verdammter Hurenbock war. Ihren Patienten hätte sie bestimmt geraten, sich aus dieser Situation zu befreien und alleine weiterzumachen oder einfach noch mal von vorn anzufangen.

Sie kam sich bei solchen Sitzungen immer wie ein Klugscheißer vor. Aber wahrscheinlich war genau dies die bestechendste Eigenschaft eines Psychologen, nämlich die Fähigkeit, in anderer Leute Leben eine gewisse Ordnung herzustellen. Für das eigene Leben blieb dann nicht mehr genug Kraft. Sie musste daran denken, dass viele Menschen – besonders diejenigen mit den meisten Vorurteilen – der Meinung waren, dass Psychologen selbst Hilfe am nötigsten hätten. Und sie hatten Recht.

Auch beruflich sah es nicht gerade rosig aus. Das, was sie »Patienten« nannte, waren nichts anderes, als mehr oder weniger gestrandete Polizisten, die sich verstohlen in ihr Büro schlichen, damit bloß keiner sah, wohin sie gingen. Polizisten, die tranken, Drogen nahmen oder einfach kurz vor dem Suizid standen.

Sie hatte schon gewusst, warum sie diesen Job nie machen wollte. Ihr fehlte einfach die Geduld für diese Art von Psychologie. Das war nicht ihre Welt. Aber es blieb keine andere Möglichkeit. Ihr fehlte der Mut, etwas Neues zu beginnen.

So stand sie denn fast jeden Sonntag an irgendeinem Fenster und bemitleidete sich selbst. Es gab schließlich immer noch die Hoffnung, dass man sie irgendwann um Hilfe bat, wenn es darum ging, einen Mörder zu fassen. Manchmal kam sie sich vor wie ein kleines Mädchen, das davon träumte, Ballerina zu werden. Träume, die Wunschträume blieben. Nur eines war klar: Es musste bald etwas geschehen, schließlich wurde sie nicht jünger, höchstens frustrierter.

Das war auch der Grund, warum sie Sonntage so hasste: Jede Woche aufs Neue ergriffen Frust, Wut und vor allen Dingen eine gehörige Portion Selbstmitleid Besitz von ihr, und sie hatte das Gefühl, sich nicht dagegen wehren zu können. Natürlich war das Unsinn, aber es war so einfach, die Schuld nicht bei sich selbst zu suchen, sondern stattdessen alle Welt für das eigene Unglück verantwortlich zu machen.

Sie presste die Stirn gegen die Scheibe und schwenkte dabei ihren Becher mit dem inzwischen lauwarmen Kaffee. Sie hatte nur ihr Schlafshirt an und merkte, wie die Kälte langsam an ihren Beinen hochkroch. Von draußen klatschte der Regen gegen die Scheibe, und sie versuchte einem der Tropfen mit dem Finger zu folgen. Aber schließlich verlor sie den Tropfen, und ihr Finger verharrte auf der Scheibe. Es war fünf Uhr morgens und eigentlich für einen Sonntag noch zu früh, aber es lohnte sich nicht, wieder ins Bett zu gehen. Dort würde sie ohnehin nur weiter grübeln. Und grübeln konnte sie auch im Wohnzimmer mit ihrer beinahe kalten Tasse Kaffee.

Das Klingeln des Telefons holte sie zurück aus ihren Depressionen. Sie zuckte erschrocken zusammen, so sehr war sie in Gedanken gewesen. Stirnrunzelnd warf sie einen Blick auf die Uhr. Für ihre Mutter war es zu früh, und Stefan würde doch wohl nicht die Frechheit besitzen, sie aus dem Bett einer anderen Frau anzurufen? Sie widerstand ihrem ersten Impuls, das Telefon klingeln zu lassen, und nahm den Hörer ab.

»Ja?«

»Johanna, hier ist Markus. Du musst sofort ins Polizeipräsidium kommen.«

»Was ist passiert?«

»Das sage ich dir, wenn du hier bist. Beeile dich einfach, okay?«
»Ja, gut. Gib mir 'ne Stunde. Geht das?«
Aber Markus hatte schon aufgelegt. Einen Moment blieb sie regungslos neben dem Telefon stehen. Sie runzelte skeptisch die Stirn. Es schien wirklich eilig zu sein. Irgendein Kollege, der drohte, von einem Hochhaus zu springen? Egal, jedenfalls brauchte man ihre Hilfe. Auch wenn sie sich insgeheim darüber freute, war sie verärgert. Es hätte ja auch sein können, dass sie nicht allein war. Sie hätte ja auch verreist sein können. Daüber hatte Markus bestimmt nicht nachgedacht. Doch so schnell, wie ihr Ärger gekommen war, verschwand er auch wieder. Markus kannte sie einfach zu lange, war zu gut mit ihr befreundet, als dass er darüber nachgedacht hätte.
Resigniert ließ sie die Schultern fallen und stellte ihren Kaffeebecher auf den kleinen Tisch, der neben ihr stand. Etwas von der dunklen, leicht öligen Flüssigkeit schwappte auf die polierte Tischplatte. Sie beobachtete einen Moment lang die kleine Pfütze, die sich zögernd ausbreitete. Es würde einen Rand geben. Sie fragte sich, was ihre Mutter wohl jetzt sagen würde.

Wenn sie geglaubt hatte, das Polizeipräsidium an einem Sonntagmorgen verlassen vorzufinden, hatte sie sich gründlich getäuscht.
Vor dem Eingang standen ein paar Übertragungswagen der lokalen Radio- und Fernsehsender, was eigentlich nur bedeuten konnte, dass es sich um etwas ziemlich Wichtiges handelte. Im Geiste verabschiedete sie sich von der Vorstellung, dass auf irgendeinem Hochhaus ein lebensmüder Polizist stand, der nur darauf wartete, mit einem spektakulären Sprung in die Tiefe in die Abendnachrichten zu kommen.
Über den Hintereingang gelangte sie ungesehen in das Innere des Gebäudes. Was mochte wohl passiert sein? Markus hatte

am Telefon nicht viel erzählt, aber es schien eine ziemlich eilige Sache zu sein, so viel konnte sie aus der Anwesenheit der Presse schließen.
Die Mordkommission befand sich im 7. Stock, und als sie aus dem Fahrstuhl trat, hatte sie das Gefühl, in einen Bienenstock geraten zu sein. Niemand kümmerte sich um ihre Anwesenheit, alle wuselten beschäftigt hin und her.
Markus' Büro war am Ende des Ganges, und als sie zaghaft an die offen stehende Tür klopfte, sprang er auf und eilte ihr entgegen.
»Gut, dass du da bist. Ich fürchte, wir haben ein Problem.« Markus wirkte müde, aber er schien trotz allem hoch konzentriert bei der Sache zu sein.
Einige Personen standen im Raum, vorwiegend Männer, und Johanna bemerkte leicht verärgert, dass sie verlegen wurde. Erst jetzt fiel ihr auf, dass sie direkt aus dem Bett kam. Ungeschminkt, in alten Jeans und einem verwaschenen Sweatshirt machte sie bestimmt nicht gerade den Eindruck, eine erfolgreiche Psychologin zu sein. Unsicher strich sie sich über ihre raspelkurzen Haare. Sei's drum, eine erfolgreiche Psychologin war sie einfach nicht, und auf einer Modenschau war sie hier schon gleich gar nicht. Etwas trotzig hob sie den Kopf und sah den Männern auffordernd entgegen.
»Was gibt's?« Es sollte sich gelangweilt anhören, aber irgendwie versagte ihr die Stimme. Sie war aufgeregt. Schließlich war es das erste Mal, dass man sie zu nachtschlafender Zeit anrief. Und zum Kaffeekochen hatte man sie vermutlich kaum aus dem Bett geholt.
Markus hatte sie schon am Arm gepackt und zog sie mit sich in einen Nebenraum.
»Hast du es schon gehört?«
»Was denn?«
»Wir haben wieder eine.«

»Eine was?« Verdammt, es war Sonntagmorgen und noch ziemlich früh für solche Frage-und-Antwort-Spiele.
Markus sah ihr in die Augen und redete geduldig weiter. »Eine weitere Leiche. Weiblich, 23 Jahre alt, schlank und sehr schön.«
»Das wäre dann Nummer drei.«
»Sehr richtig. Und das genau ist unser Problem.«
»Inwiefern?« Johanna bemerkte selbst, dass ihre Fragen Markus ungeduldig werden ließen, aber für sie war jeder Todesfall ein Problem. Nur bei Markus klang es, als gäbe erst diese Tote Grund zur Sorge.
»Mensch, Johanna, wir haben keinerlei Anhaltspunkte, und davon hat die Presse Wind bekommen. Die Journalisten bedrängen uns jetzt und fordern im Namen der Bürger mehr Sicherheit, schnellere Aufklärung und vor allem höhere Einschaltquoten.« Seine letzte Bemerkung klang ziemlich sarkastisch.
»Du brauchst meine Hilfe?« Vorsichtig war das richtige Wort, um den Tonfall ihrer letzten Frage zu beschreiben.
»Falsch. WIR brauchen deine Hilfe. Als Erstes steht eine Pressekonferenz an. Da macht sich ein Psychologe immer gut, aber dann, meine Liebe, wartet eine Menge Arbeit auf dich. Wir wissen gar nicht, wo wir anfangen sollen.«
»Eine was? Pressekonferenz? Du meinst, ihr wollt mich den Löwen zum Fraß vorwerfen, weil ihr mit eurem Latein am Ende seid? Ich habe mich doch mit den Morden bisher noch gar nicht befasst, ich weiß doch noch viel weniger als ihr!«
»Richtig, aber das wird sich ändern. Mein Chef ist der Meinung, dass ein Psychologe jetzt auch nicht schaden kann und wir es zumindest einmal probieren können.«
»Na, herzlichen Dank.« Da war sie endlich. Ihre Chance. Aber einen bitteren Beigeschmack hatte die ganze Sache doch. Es ging hier nicht um ihre Kompetenz, es ging hier lediglich darum, das Gesicht zu wahren und bei der Pressekonferenz eine gute Figur zu machen – viel schien man ihr auf jeden Fall

nicht zuzutrauen. Sie hatte nicht übel Lust, zurück nach Hause zu fahren, aber ihr Stolz verbot ihr diese Reaktion. Schließlich war sie Profi und konnte endlich das tun, weswegen sie studiert hatte.

Sie klatschte in die Hände. Ihre Handflächen waren feucht, so dass es sich anhörte, als sei sie mit dem Fuß in den Matsch getreten.

»Also schön, was habt ihr?«

»Von der dritten Leiche noch nicht sehr viel. Die Kollegen sind noch draußen und machen die Tatortarbeit, aber ich kann dich schon mal im Groben mit den anderen Fällen vertraut machen. Allerdings«, er blickte auf seine Uhr, »haben wir nicht mehr viel Zeit. In einer Stunde soll die Pressekonferenz stattfinden. Es wird also nur ein kurzer Überblick werden. Genug, damit du dich vor der Presse nicht blamierst. Das sind Hyänen da draußen.« Er deutete mit dem Kopf über seine linke Schulter, um ihr zu zeigen, wo seiner Meinung nach dic wilden Tiere auf sie warteten. Unwillkürlich folgte sie seiner Kopfbewegung und war fast ein wenig erstaunt, niemanden hinter sich zu sehen.

»Warum wollt ihr zu diesem Zeitpunkt die Presse informieren?«

»Schätzchen, wir brauchen die Presse nicht mehr zu informieren, sie ist es schon. Aber wir müssen versuchen, sie ruhig zu stellen, und damit ein wenig hinzuhalten. Wir brauchen mehr Zeit. Pass auf.« Er ging an einen Aktenschrank an der Wand und holte einen Ordner raus, in dem er blätterte. »Ich habe das Ganze mal grob zusammengeschrieben und versucht, einen Überblick zu bekommen. Die kompletten Ermittlungsakten gehen wir später durch. Erst einmal das hier.« Er setzte sich an einen Tisch, der direkt am Fenster stand, und winkte sie zu sich. »Komm setz dich.«

Die nächsten fünfundvierzig Minuten saßen sie sich gegenüber, und Johanna versuchte, Markus' Zusammenfassung zu folgen.

Er schien alles im Kopf zu haben und brauchte nicht einmal in die vor ihm liegenden Unterlagen zu blicken. Es ging um drei Frauen, die zwischen zweiundzwanzig und dreißig Jahren alt gewesen waren. Alle drei waren tot, und es gab keine erkennbaren Zeichen äußerlicher Gewalteinwirkung.

»Kann es nicht auch Zufall gewesen sein?« Sie merkte selbst, wie albern ihre Frage war. Markus blickte sie schief von der Seite an.

»Soll das ein Witz sein? Die Todesursache konnte bei allen drei Frauen bisher nicht geklärt werden, und die Leichen wurden so abgelegt, dass sie möglichst vor großem Publikum gefunden werden mussten. Aber du hast schon Recht. Zuerst dachten wir auch so wie du. Aber nach der dritten Leiche hört der Zufall auf.«

»Was meinst du mit großem Publikum?«

»Der Typ will Aufmerksamkeit erregen. Vielleicht glaubt er, eine Art Kunstwerk zu schaffen, jedenfalls waren die Leichen auf beinahe künstlerische Art drapiert worden. Eine saß auf einer Parkbank im Stadtpark. Am Sonntagmorgen. Die Zweite saß auf einer Kirchenbank in einer katholischen Kirche in Bergedorf, und die dritte wurde heute auf einem Kinderspielplatz auf einer Schaukel gefunden.«

»Fundort oder Tatort?«

»Gute Frage. Vermutlich hat die Tat woanders stattgefunden, und er hat sie dort nur abgelegt, aber sicher sind wir nicht. Wie gesagt, es gibt keine Zeichen von äußerer Gewalteinwirkung. Der Pathologe sagt, Herzstillstand.«

»Gift?«

»Das ist das Problem. Es gibt zu viele Giftarten, aber Tests auf die bekanntesten Gifte hat der Pathologe durchgeführt.« Markus' Telegrammstil und sein Blick auf die Uhr verrieten Johanna, dass sie nicht mehr viel Zeit hatten, bevor sie sich der Presse stellen mussten.

»Bist du auch gleich dabei?«
»Ja. Ich, mein Chef Sven Diekmann, der Staatsanwalt und du. Wirf den Löwen etwas zum Fraß vor. Irgendetwas. Denk dran, wir brauchen nur noch etwas mehr Zeit.«
»Kann ich mich irgendwo frisch machen? Ich fühle mich etwas übernächtigt.«
»Vergiss es. Das macht dich glaubwürdiger. Alle werden glauben, dass du dir ebenfalls die Nacht um die Ohren geschlagen hast.«
»Wir wären dann so weit.« Eine junge Polizistin steckte den Kopf zur Tür herein und nickte Johanna kurz zu. Johanna glaubte in den Augen der jungen Frau Skepsis zu lesen, aber das konnte natürlich auch Einbildung sein.
»Wir kommen.« Markus erhob sich schwerfällig von seinem Stuhl. Erst jetzt sah sie, wie übernächtigt er war, und sie fühlte ein wenig Mitleid mit ihm. Er seufzte. Tiefe Falten hatten sich um seinen Mund gegraben, und seine Augen blickten trübe. Er schien schon die ganze Nacht im Dienst zu sein. Johanna dachte plötzlich daran, dass auch Markus es nicht immer ganz einfach gehabt hatte im Leben und es trotzdem irgendwie geschafft hatte. Doch sie verscheuchte die Gedanken gleich wieder und erhob sich ebenfalls. Sie musste sich jetzt auf die vor ihr liegende Aufgabe konzentrieren.
»Was, zum Teufel, soll ich ihnen erzählen?«
»Sag irgendetwas. Am besten etwas, was sich wissenschaftlich anhört. Dir fällt schon was ein.«
Gemeinsam gingen sie zum Fahrstuhl und fuhren ins Erdgeschoss. Wenig später standen sie vor dem großen Saal, in dem auch Einsatzbesprechungen abgehalten wurden. Vor der Tür wurden sie bereits von Markus' Vorgesetztem Sven Diekmann erwartet, der sich, ohne Johanna zu beachten, gleich direkt an Markus wandte.
»Alles geklärt?«

Markus nickte.
»Sie sollten sich auf ein Minimum beschränken.« Er streifte Johanna nur mit einem kurzen Blick und blätterte dann weiter in seinen Unterlagen, die er anscheinend noch schnell vor der Pressekonferenz ordnen wollte.
»Ich habe noch nicht einmal ein Minimum.« Johanna merkte selbst, dass sie zickig klang. Ob es daran lag, dass sie unausgeschlafen war, dass Stefan das Wochenende mit einer anderen verbrachte oder dass sie einfach über Diekmanns Arroganz, der sie wie eine kleine Anfängerin behandelte, verärgert war, wusste sie nicht zu sagen. Sie merkte nur, dass sich ihre Stimmung immer weiter verschlechterte. Diekmann blickte auf und sah sie aus zusammengekniffenen Augen verärgert an.
»Sie wissen, was ich meine? Erzählen Sie irgendwas über die Seele des Mörders im Allgemeinen. Alles, was wir wollen, ist, die Meute ein wenig hinzuhalten und Panik zu vermeiden. Es gibt schon Anfragen im Senat, ob Bürgerwehren die Lösung aller Übel wären. Also seien Sie brav, gehen Sie da rein und machen eine gute Figur.«
Er drehte sich um und eilte in den Raum, in dem die Presse bereits ungeduldig wartete. Johanna kochte vor Wut. Er hatte sie wie ein kleines Mädchen abgekanzelt, und das war das Letzte, was sie jetzt brauchen konnte. Fast hatte sie erwartet, dass er ihr einen aufmunternden Klaps auf den Hintern gab. Sie spürte Markus' Hand auf ihrem Arm.
»Reg dich nicht auf. Er ist genauso überreizt wie wir alle.«
Er ging voran zum Podium, auf dem bereits der Staatsanwalt und Diekmann saßen. Sie setzte sich neben Markus ans äußere Ende des Podiums und faltete die Hände vor sich auf der Tischplatte. Langsam kehrte Ruhe im Saal ein, und Diekmann verlas eine vorbereitete Erklärung.
»In den frühen Morgenstunden des heutigen Tages wurde eine

weibliche Leiche auf einem Spielplatz im Stadtteil Rissen gefunden, die auf einer Schaukel festgebunden worden war. Aufgrund der näheren Umstände kann ein Zusammenhang mit den beiden Frauenleichen der jüngeren Vergangenheit nicht ausgeschlossen werden. Die Polizei geht von einem Gewaltverbrechen aus. Polizei und Staatsanwaltschaft haben die Ermittlungen aufgenommen.«

Kaum hatte Diekmann geendet, brach ein Sturm los. Der Staatsanwalt hob beschwichtigend beide Hände. »Bitte, lassen Sie uns diese Angelegenheit geordnet regeln. Ja, bitte?« Er deutete auf einen jungen Mann in der ersten Reihe, einem Vertreter der »Morgenpost«.

»Was meinen sie mit *näheren Umständen?*«

»Die Leiche wurde an einem öffentlich zugänglichen Platz gefunden und weist keine äußeren Verletzungen auf. Nach ersten Erkenntnissen scheint es sich auch hier nicht um ein Sexualdelikt zu handeln.«

»Woran ist sie gestorben?« Der Vertreter der »Bild« schoss gleich hinterher.

»Dazu können wir zum jetzigen Zeitpunkt noch nichts sagen. Die Todesursache wird eine Obduktion ergeben.«

»Wer ist die Tote?«

»Auch dazu können wir uns, auf Rücksicht auf die Angehörigen, nicht äußern. Bitte, haben Sie Verständnis.« Der Staatsanwalt führte die Veranstaltung mit ruhiger Hand, und die Erregung legte sich langsam. Das Blitzlichtgewitter ließ nach, und auch Johanna entspannte sich ein wenig. »Können Sie schon etwas zur Natur des Täters sagen?«

Diekmann beugte sich zu einem der Mikrofone.

»Hierzu wird Ihnen Frau Dr. Jensen, unsere Psychologin, mehr sagen können.« Damit hatte er Johanna den schwarzen Peter zugeschoben. Sie beugte sich nun ebenfalls vor und räusperte sich.

»Der Täter ist, wie Sie sicherlich wissen, noch nicht gefasst«, begann sie unsicher, und wurde sofort wieder unterbrochen.
»Da erzählen Sie uns nichts Neues! Aber wie sieht es mit einem Täterprofil aus. Haben Sie schon eines erarbeitet? Ist es ein Irrer?«
»Der Begriff ›Irrer‹ in diesem Zusammenhang ist unangebracht. Bei Serientätern handelt es sich nicht immer um Irre, wobei ich die Vokabel ›krank‹ bevorzugen würde.«
»Jetzt stellen Sie es so hin, als sei der Mörder das Opfer«, rief ein Journalist ungehalten dazwischen.
»Nein, aber in einigen Fällen ist das schon der Fall. Oft finden sich in der Kindheitsgeschichte solcher Täter gewalttätige Eltern oder möglicherweise sogar sexueller Missbrauch.«
Einige der Anwesenden sogen scharf die Luft ein. Johanna spürte einen Tritt von der Seite und sah aus den Augenwinkeln, wie Markus ihr ein Zeichen gab. Sie reagierte nicht.
»Und in den anderen Fällen?« Eine Frau aus der hinteren Reihe war aufgestanden und sah sie aus ernsten Augen interessiert an.
»Die Gründe für solche Taten sind vielschichtig. Aber fast immer steckt ein Streben nach Macht dahinter, das Gefühl, einen anderen Menschen beherrschen zu wollen und in einer solchen Situation auch beherrschen zu können.«
»Mit was für einem Typ haben wir es diesmal zu tun?« Die junge Frau konzentrierte sich weiterhin auf Johanna.
»Das kann ich zum jetzigen Zeitpunkt leider noch nicht sagen, wir arbeiten daran.«
Der Staatsanwalt stand auf. »Vielen Dank, meine Herrschaften. Ich bedanke mich bei Ihnen für Ihr Interesse. Mehr können wir bisher leider noch nicht sagen; sollten wir weitere wichtige Informationen gewinnen, werden wir Sie selbstverständlich umgehend informieren.« Ungeachtet des leisen Protestes aus den

Reihen der Journalisten, drehte er sich um und marschierte gefolgt von den anderen zum Ausgang.
Markus hatte Johanna etwas schmerzhaft am Arm gepackt.
»Bist du wahnsinnig?« Sie fühlte seinen Atem dicht an ihrem Ohr. Draußen wartete Diekmann auf sie. Er unterhielt sich noch mit dem Staatsanwalt und unterbrach nur kurz das Gespräch, als Markus und Johanna hinzutraten. Er warf Johanna einen eisigen Blick zu. »Ich möchte Sie, Frau Dr. Jensen, und dich, Markus, umgehend in meinem Büro sprechen.« Er sprach langsam und ein wenig verbissen, als habe er Mühe, die Beherrschung zu wahren. Markus zog Johanna mit sich fort zum Fahrstuhl.
»Ich kenne diesen Tonfall. Das hat nichts Gutes zu bedeuten.«
»Was soll der Aufstand?« Johanna schüttelte ärgerlich seinen Arm ab. »Ihr behandelt mich, als hätte ich eine Todsünde begangen.«
»Das hast du auch, meine Liebe. Was hast du vor? Willst du dich zur Verteidigerin des Mörders aufschwingen? Was sollte das Opfergeschwafel und so weiter?«
»Es ist die Wahrheit.« Trotzig hob sie den Kopf und sah Markus in die Augen.
»Das mag ja sein, aber alles hat seine Grenzen. Weißt du eigentlich, was morgen in den Zeitungen stehen wird? Nein? Ich kann es dir sagen. Man wird uns zerreißen. Verdammt noch mal, mit deinem Gerede gibst du diesem Kerl da draußen einen Freifahrtschein.« Mittlerweile waren sie wieder im 7. Stock angekommen und standen in Markus' Büro. »Der Alte wird dich zerfetzen, so viel ist klar.«
»Er ist ein Arschloch.«
»So, bin ich das? Ich mag ein Arschloch sein, aber den Bockmist da draußen, den haben Sie ganz allein gebaut. Herzlichen Glückwunsch, Frau Doktor.«
Plötzlich stand Diekmann hinter Johanna. Er klatschte demons-

trativ in die Hände, und sah sie grimmig lächelnd an. Dann trat er dicht an sie heran und fragte mit gefährlich leiser Stimme: »Vielleicht können Sie mir erklären, was der Scheiß da sollte?«
Johanna wich keinen Zentimeter zurück und antwortete ebenso ruhig, obwohl ihr die Haare vor Wut zu Berge standen.
»Ich sollte mich allgemein halten, und genau das habe ich getan.«
»Sie sollten aus dem Killer aber kein misshandeltes Kind machen. Dafür hat niemand Verständnis, am allerwenigsten die Angehörigen der toten Frauen. Haben Sie daran vielleicht mal gedacht?«
Johanna schluckte. Der Gedanke an die Angehörigen war ihr tatsächlich nicht in den Sinn gekommen. »Nein, habe ich nicht.«
Diekmann trat verwundert zurück und betrachtete sie skeptisch. Er schien zu überlegen, ob sie es ernst meinte. »Wenn Sie weiter an dem Fall mitarbeiten wollen, gebe ich Ihnen den guten Rat, in Zukunft mit ihren Äußerungen, besonders gegenüber der Presse, etwas vorsichtiger zu sein.«
Diekmann ging zu einem Tisch, auf dem eine Kaffeemaschine stand, und goss sich einen Kaffee ein, der gefährlich schwarz aussah und verbrannt roch.
»Noch jemand einen Kaffee? Übrigens, die Spurensicherung und die Mordbereitschaft vier sind wieder da. Und der Bericht müsste bald kommen. Sowie wir ihn haben, machen wir Feierabend und treffen uns am Nachmittag wieder. Bis dahin«, er wandte sich an Johanna, »haben Sie die anderen zwei Fälle verinnerlicht. Klar?«

Es war fast zehn Uhr, als sie ihre Haustür aufschloss. Der Herbst schien es mit sich zu bringen, dass es auch an diesem Tag nicht richtig hell werden wollte, aber auf einmal störte es sie nicht mehr. Der Fall war eine Herausforderung. Sie musste sich ein Bild von dem Mörder machen, seine Seele studieren, herausfinden, was ihn trieb, was er fühlte, was er erlebt hatte. Aber noch mehr musste sie über die Opfer in Erfahrung bringen. Denn wer das Opfer kennt, kennt auch den Mörder. Wer sich nur auf den Mörder konzentriert, kratzt nur an der Oberfläche. Fast alle Serienmörder suchen ihre Opfer nach bestimmten Kriterien aus. Entweder gibt es etwas, das sie an ihren Opfern anzieht, oder etwas, das sie abstößt.

Sie ließ die Akten auf ihr Sofa fallen und ging in die Küche, um etwas zu trinken. Aus dem Kühlschrank suchte sie sich alles für ein schnelles Frühstück heraus. Butter, Marmelade, Toast, das musste reichen. Mehr war ohnehin nicht da. Seufzend stellte sie fest, dass sie wieder einmal vergessen hatte, einzukaufen. Dabei ging ihr immer wieder Diekmann durch den Kopf. Sie wusste nicht viel über ihn. Er musste um die vierzig sein, und er sah sehr gut aus. Das dunkelbraune Haar war an den Schläfen bereits ein wenig ergraut und seine Figur noch immer sehr athletisch. Sein Körper schien nicht die üblichen Auflösungserscheinungen aufzuweisen, die so manch anderer Polizist in diesem Alter zeigte. Diekmann war geschieden und hatte eine halbwüchsige Tochter, die bei ihrer Mutter lebte. Dies war ein Teil seiner Biografie, den er mit vielen seiner Kollegen teilte.

Johanna nahm eine Brotscheibe aus dem Toaster und goss sich ein Glas Orangensaft ein. Dann balancierte sie ihren Imbiss auf einem Tablett ins Wohnzimmer. Diekmann hatte etwas Magisches an sich. Sie hatte schon viele Beamtinnen von ihm schwärmen hören. Es waren diese Augen, die einen festhielten. Und es waren genau diese Augen, die einen auch in Wut versetzen konnten. Johanna war Diekmann schon früher begegnet, aber sie hatte nie viel mit ihm zu tun gehabt. Er war so anders als Stefan. Ärgerlich schüttelte sie den Kopf. Romantische

Gedanken waren hier nun wirklich fehl am Platze. Sie hatte einen Job zu erledigen, und außerdem war Diekmanns Arroganz kaum zu überbieten. Sie würde noch öfter mit ihm aneinander geraten, so viel war klar. Für ihn schien nur eine Wahrheit Gültigkeit zu besitzen, und das war seine eigene.
Sie rieb sich mit beiden Händen kräftig übers Gesicht und sah dann auf die Uhr. Gegen fünfzehn Uhr wollten sie sich heute Nachmittag wieder treffen. Das bedeutete, dass sie sich noch in die Akten einlesen und sich einige Notizen machen musste. Zum Schlafen würde sie vermutlich nicht mehr kommen, aber daran sollte sie sich besser schon mal gewöhnen. Markus hatte die Vermutung geäußert, dass eine Sonderkommission eingerichtet werden würde, zu der auch sie gehören sollte. Das hieße dann, Freizeit ade. Zumindest für die nächsten Wochen. Sie seufzte wieder, und stellte ihr Glas auf den Tisch. Dabei fiel ihr der Becher wieder ein, den sie heute Morgen stehen gelassen hatte. Ein Blick auf das kleine Tischchen, das neben dem Fenster stand, zeigte ihr, dass die kleine Pfütze, die sich auf das Holz ergossen hatte, eingetrocknet war. Sie stand auf und hob den Becher, in dem sich ein fettig aussehender Rest befand, hoch und trug ihn in die Küche. Die Pfütze ließ sie, wie sie war. Zurück im Wohnzimmer ließ sie sich auf ihr Sofa fallen und begann zu arbeiten. Beim Öffnen der ersten Akte fielen ihr als Erstes die Tatortbilder in den Schoß. Obwohl darauf keine Verletzungen oder Blut zu sehen waren und die toten Augen der Frauen geschlossen waren, überkam sie ein leichter Schauer. Sie würde sich nie an so etwas gewöhnen können. Die zwei Jahre in den USA, in denen sie an einem Schulungsprogramm für FBI-Agenten teilgenommen hatte, hätten sie eigentlich abhärten müssen. Ihnen wurden damals echte Akten vorgelegt, anhand derer sie lernen sollten. Damals hatte sie einen ersten Eindruck davon bekommen, wozu Menschen fähig waren. Insofern war sie dankbar, dass ihre Arbeit in diesem Fall anschei-

nend kein so großer Horror werden würde. Sie legte die Bilder beiseite und las:
Claudia Beckmann, Alter: 22 Jahre, Größe: 165 cm, Gewicht: 52 Kilo. Haarfarbe: dunkel. Studentin. Sie wohnte noch zu Hause, hatte einen großen Freundeskreis, keinen festen Freund. Keine Auffälligkeiten. Sie galt als nett, hilfsbereit, und selbst ihre Neider waren sich einig darüber, dass sie sehr schön gewesen war.
Johanna beobachtete die Tatortbilder. Alles was sie sah, waren starre Gesichtszüge, die selbst in ihrer wächsernen Blässe seltsam friedlich wirkten. Die Haare waren stumpf. Das konnte aber auch an den Fotografien liegen, wie Johanna sehr wohl wusste. Der Bericht des Gerichtsmediziners gab nicht viel her. Er hatte beschrieben, in welchem gesundheitlichen Zustand sich die Frau vor ihrem Tod befunden hatte; über die Todesursache konnte er jedoch nichts sagen. Danach las sie die Aussagen der Eltern und Freunde. Keiner hatte einen Verdacht. Es gab die üblichen Streitigkeiten in der Familie und mit anderen Mädchen. Das war alles. Sie war nicht leichtsinnig gewesen oder flatterhaft. Ein Flirt dann und wann. Mehr nicht. Fundort der Leiche: die katholische Kirche in Bergedorf.

Sigrid Meinecke. Alter 25 Jahre, Größe: 172 cm, Gewicht: 55 Kilo. Haare: dunkel. Werbefachfrau, verlobt mit einem Bankkaufmann, allein lebend. Vater tot, Mutter wohnhaft in Berlin. Sigrid war ehrgeizig und sehr erfolgreich. Nach Auskunft ihres Verlobten hatten sie vorgehabt, Weihnachten zu heiraten. Keine Flirts, keine Skandale, großer Freundeskreis. Diese Frau hatte man auf einer Parkbank im Stadtpark gefunden. Auch hier die üblichen Beschreibungen über ihren körperlichen Gesundheitszustand vor der Tat. Todesursache unbekannt. Johanna klappte die Schnellhefter zu. Es war erschreckend, auf was ein Menschenleben zusammenschrumpfte. Ein paar Bil-

der, Berichte, trauernde Hinterbliebene, ein Plastiksack mit Kleidern. Und das, was übrig blieb, wurde durchwühlt, analysiert, zerfleddert. Es gab keine Geheimnisse, keine Pietät, keinen Frieden. Johanna kam sich vor wie ein Voyeur, und plötzlich kamen ihr die Bilder, die sie betrachtete, beinahe obszön vor. Das Leben ging weiter, und irgendwann würde auch der Plastiksack verschwinden. Es blieb nicht sehr viel übrig. Aber es half nichts, damit musste man arbeiten, und wenn man Glück hatte, sorgte man für ein wenig Gerechtigkeit.
Johanna breitete die Fotos auf dem Fußboden aus und ging mit der Lupe auf die Suche. Vielleicht versteckte sich irgendetwas auf den Bildern, etwas, das ihr einen Fingerzeig auf den Täter geben konnte. Schließlich gab es Täter, die verdeckte Hinweise zurückließen. Doch nach einer Stunde gab sie auf. Es hatte keinen Zweck, hier gab es nichts. Sie richtete sich auf. Müde massierte sie sich mit einer Hand den Nacken. Er war völlig verspannt. Als sie sich gerade dafür entschieden hatte, eine Dusche zu nehmen, klingelte das Telefon. Der Anrufbeantworter sprang an und Stefans schmeichelnde Stimme hallte durch das Wohnzimmer. Er sei wieder da, sagte er, wolle sie sehen, habe sie vermisst. Irgendwann gab er auf. Zum Teufel mit ihm! Zumindest für heute.

Man merkte Diekmann nicht an, dass er wenig Schlaf gehabt hatte. Frisch rasiert, in Jeans und Pulli sah er fabelhaft aus, wie Johanna neidvoll anerkennen musste. Sie selbst hatte mehr Schlaf bekommen als die meisten Anwesenden und fühlte sich, als sei sie durch den Fleischwolf gedreht worden. Diekmann schaltete den Tageslichtprojektor an und hielt einen präzisen Vortrag.
»Maike Behrens, Sekretärin, 24 Jahre alt, 180 cm groß, 60 Kilo schwer, Single, galt als ziemlich ausgeflippt. Nach Angaben ihrer Freundinnen«, er nahm sein Skript zu Hilfe, »flog sie

von Blüte zu Blüte. Todesursache unbekannt. Wie ihr alle wisst, saß sie auf einer Schaukel, festgebunden, auf einem Spielplatz im Stadtteil Rissen.« Er sah in die Runde. »Irgendwelche Fragen?«

Johanna blickte sich um. Keiner rührte sich. Sie alle schienen förmlich an seinen Lippen zu kleben. Sie verzog verächtlich den Mund und wandte sich wieder Diekmann zu. Dieser fuhr fort: »Wir richten heute eine Sonderkommission ein. Ich habe das Konzept bereits vorgelegt. Wir werden noch weitere Verstärkung bekommen, aber unser wertvollster Zuwachs ist zweifelsohne Frau Dr. Jensen.« Er deutete spöttisch lächelnd auf Johanna. »Vielleicht haben Sie in der Zwischenzeit schon weitere Erkenntnisse über den Täter gewonnen?«

Johanna überlegte, ob sie ihn treten oder ihm ganz einfach in seine überhebliche Visage schlagen sollte. Er war wirklich unausstehlich. Sie erhob sich langsam und ging nach vorne zu Diekmann. Reden war ihr eigentlich nie schwer gefallen, aber Diekmann an ihrer Seite und die skeptischen Blicke der Polizisten ringsherum hemmten sie. Es half nichts. Da musste sie durch.

»Zunächst möchte ich mich gerne vorstellen. Mein Name ist Johanna Jensen, und ich bin, wie vielleicht einigen von Ihnen bekannt sein dürfte, die Polizeipsychologin. Ich hatte bisher noch nicht viel Gelegenheit, mich mit den Fällen zu beschäftigen, aber ich denke, wir werden uns da gemeinsam durcharbeiten.« Sie holte tief Luft und sah kurz in die Runde. Skepsis schlug ihr aus den Gesichtern der Anwesenden entgegen.

»Soweit ich weiß, gibt es keine Gemeinsamkeiten zwischen den Toten, ausgenommen ihr überdurchschnittlich gutes Aussehen. Ich werde mich intensiv mit allen Fällen beschäftigen müssen, aber ich denke, etwas kann ich Ihnen bereits jetzt mit auf den Weg geben.« Sie merkte, wie die Unruhe allmählich aus ihrem Körper wich. Ihre Hände hörten auf zu zittern und sie bekam

ihre Stimme in den Griff. Langsam näherte sie sich ruhigeren Gewässern, Gewässern, die ihr vertraut waren.
»Der Täter ist zwischen fünfundzwanzig und fünfunddreißig Jahre alt. Die Taten waren kaltblütig geplant; er hat also keineswegs im Affekt gehandelt. Daraus, dass die Opfer weder sexuell misshandelt noch verstümmelt wurden, schließe ich, dass der Täter entweder alleine lebt oder aber in einer festen und intakten Beziehung. Zumindest hat er keine Beziehungsprobleme. Diese Tatsachen sprechen zumindest dafür, dass er die Taten nicht aus einer Art Machtstreben heraus begangen hat. Wir vermuten, dass er seine Opfer in irgendeiner Weise vergiftet hat, was darauf schließen lässt, dass er sich möglicherweise ihr Vertrauen erschlichen hat.«
Sie sah kurz auf und registrierte ein paar wohlwollende und interessierte Blicke.
»Die Opfer sind, wie gesagt, unversehrt und an einem öffentlichen Platz abgelegt worden. Hiermit will er uns vermutlich irgendetwas demonstrieren; auf jeden Fall will er jedoch, dass die Leichen gefunden werden. Der Täter ist intelligent, er führt ein normales, vielleicht sogar unscheinbares Leben und handelt überlegt und rational.« Sie holte tief Luft. »Es tut mir Leid, aber das ist alles, was ich Ihnen zum jetzigen Zeitpunkt sagen kann. Ich werde mich, wie schon gesagt, noch intensiver mit den Fällen beschäftigen und hoffe, Ihnen dann weiterhelfen zu können.«
Ein junger Polizist runzelte die Stirn und hob die Hand.
»Ja, bitte?« Johanna war irgendwie erleichtert, dass eine Nachfrage kam.
»Woher wissen Sie das mit den nicht vorhandenen Beziehungsproblemen?«
»Der Täter hat in regelmäßigen Abständen getötet, nämlich im Abstand von exakt drei Wochen. Bei Beziehungsproblemen oder bei Problemen mit Frauen tötet der Täter in den meisten

Fällen nach Bedarf, also etwa, wenn er einen Korb erhalten oder mit seiner Partnerin gestritten hat. Das kommt aber, wie Sie wahrscheinlich selber wissen, im Allgemeinen nicht so regelmäßig vor.« Sie sah in die Runde. Einige der Anwesenden lächelten. Wenigstens schien man sie nicht komplett abzulehnen, wenn man schon über ihre Witzchen lächelte. Ihr Galgenhumor hatte endlich wieder Oberhand gewonnen, stellte sie grimmig lächelnd fest.
»Weitere Fragen?« Einige blickten gleichgültig vor sich hin, andere schüttelten den Kopf. Johanna lächelte kurz, und trat dann zurück. Diekmann ergriff wieder das Wort.
»Ich fürchte, wir sind noch nicht ganz fertig, wir haben nämlich ein weiteres Problem. Heute Morgen wurde eine weitere, vierte Leiche, gefunden. Sie hat in Wedel auf einem Ponton an der Begrüßungsanlage ›Willkomm-Höft‹ gesessen. Da hierfür die Kollegen in Schleswig-Holstein zuständig sind, sind wir erst jetzt davon informiert worden. Den genauen Bericht habe ich noch nicht erhalten, aber auch hier scheint es keine äußeren Verletzungen zu geben. Auch hier ist das Opfer jung, weiblich und sehr gut aussehend. Wenn dieser Mord tatsächlich zu unserer Serie passt, stellt sich die Frage, warum der Täter auf einmal zwei Leichen präsentiert, Frau Dr. Jensen?« Er drehte sich leicht zu Johanna um und gab somit mit einer gewissen Genugtuung, wie sie verärgert registrierte, das Wort an sie zurück.
Er hatte sie voll ins offene Messer rennen lassen. Schließlich hätte er dies auch vor ihrem kurzen Erklärungsversuch sagen können. Sie rieb sich mit der Hand über die Stirn, als habe sie Kopfschmerzen.
»Schwer zu sagen. Es scheint aber dennoch genau ins Schema zu passen. Der Mörder versucht, unsere Aufmerksamkeit zu erregen. Egal wie.« Sie verschränkte beide Arme vor der Brust und sah stirnrunzelnd zu Diekmann. Natürlich klang das ziemlich lahm, aber sie musste Schadensbegrenzung betreiben,

wollte sie sich von Diekmann nicht lächerlich machen lassen. Sie bemerkte Diekmanns leises spöttisches Lächeln. Er schien sie vorführen zu wollen, und ein kurzer Blick in die Runde zeigte ihr, dass er auf dem besten Weg dazu war, sie als Stümperin abzustempeln. Auf einigen Gesichtern hatte sich wieder verstärkte Skepsis ausgebreitet, zumindest aber schien das Interesse zum Großteil wieder erloschen zu sein. Ein paar Kollegen lächelten sogar mit grimmiger Befriedigung. Das müssen Diekmanns glühende Verehrer sein, schoss es ihr durch den Kopf. Sie suchte Markus' Blick. Dieser lächelte ihr aufmunternd zu. Zumindest er schien nicht an ihr und ihrer Kompetenz zu zweifeln.

»Bisher hat die Presse nicht gerade erschöpfend über die beiden bisherigen Fälle berichtet. Ich fürchte, dass das dem Killer nicht genug war, weswegen er jetzt gleich zwei weitere Opfer hinterherschiebt.«

Diekmann überlegte kurz. »Könnte er es gewesen sein, der die Presse informiert hat, um so eine Pressekonferenz zu provozieren?«

Johanna nickte. »Durchaus möglich. Aber wir sollten erst einmal ausschließen, dass es ein Polizist war, der nebenher ein paar Mark verdienen wollte. Wir dürfen den Mörder zum jetzigen Zeitpunkt auf gar keinen Fall wichtiger machen, als er tatsächlich ist.«

»Was schlagen Sie vor?« Einer der älteren Polizisten wandte sich direkt an Johanna, versäumte es aber nicht, seinen Chef mit einem fragenden Blick zu streifen.

»Wenn ich es richtig sehe, haben wir im Höchstfall drei Wochen Zeit, bis er das nächste Mal zuschlägt, oder?« Johanna sah Diekmann fragend an.

»Stimmt.«

»Wir müssen sehen, dass wir die Zeit bestmöglichst nutzen. Wir sollten nochmals versuchen, Zeugen zu finden, um über

die letzten Tage der Opfer etwas herauszubringen und so weiter.«
»Das haben wir alles schon getan.« Diekmanns Interesse schien zu erlahmen. Seine Stimme klang gelangweilt.
»Mag sein, aber dann haben Sie etwas übersehen«, wandte Johanna trotzig ein, und wusste im gleichen Moment, dass es taktisch unklug war, ihm vor seinen eigenen Leuten Unvermögen zu unterstellen. Sie änderte ihre Taktik.
»Es muss etwas geben, vielleicht ist es nur ein winziger Hinweis, der bis jetzt übersehen wurde. Wir haben nicht sehr viel, und wenn wir uns nicht anstrengen, steckt uns der Killer bald in die Tasche. Erst wenn wir etwas mehr über die Opfer und damit über den Täter wissen, können wir von uns aus aktiv werden.«
Diekmann hob zweifelnd die Augenbrauen. Man konnte ihm ansehen, dass er das Ganze eigentlich für Zeitverschwendung hielt. Doch Johanna blieb geduldig, und fuhr fort, als ob sie mit einem verstockten Kind sprechen würde. »Wenn wir uns mit dem Charakter des Killers beschäftigen, können wir möglicherweise proaktive Techniken entwickeln und ihn aus seinem Versteck locken. Dann begeht er vielleicht, wenn wir Glück haben, endlich einen Fehler.«
Mittlerweile war es still geworden in dem Büro, und das Interesse an ihrer Person war wieder gestiegen.
»Was ist proaktiv?«, fragte eine junge Beamtin.
»Es bedeutet im Grunde nichts anderes, als dass wir von uns aktiv werden, vielleicht versuchen, dem Mörder die Züge aus der Hand zu nehmen. Möglicherweise schaffen wir es sogar, ihn aus dem Tritt zu bringen. Mit proaktiven Techniken versuchen wir, am besten im Zusammenspiel mit der Presse, den Täter so weit zu bekommen, dass er sich vorwagt, sich möglicherweise sogar öffentlich erklärt. Es wäre auch möglich, Falschmeldungen zu streuen. Das könnte ihn bei seiner Eitelkeit packen.

Aber wir müssen vorsichtig sein. Allzu sehr sollte man ihn nicht in Wut bringen, sonst könnte sich das Ganze ins Gegenteil verkehren. Aber zunächst müssen wir einfach mehr über ihn herausfinden.«

Diekmann wandte sich müde lächelnd an seine Mitarbeiter. »Sie sehen, meine Damen und Herren, ohne einen Psychologen wären wir nur halb so weit.« Er nahm das Gelächter mit einem selbstsicheren Lächeln entgegen und verabschiedete sich mit den Worten: »Wir sehen uns morgen.« Dann ordnete er seine Papiere, drehte sich um und verschwand.

Johanna war kurz in ihr Büro nach Alsterdorf gefahren, um dort einige Dinge zu regeln. Als Erstes musste sie ihren Patienten absagen und sie an einen Kollegen überweisen. Der Job in der Sonderkommission würde sie voll in Anspruch nehmen und würde ihr für andere Dinge kaum noch Zeit lassen. Während sie an ihrem Schreibtisch saß und ihren Terminkalender durchging, beruhigte sie sich ein wenig. Eines war klar, als Sieger hatte sie die Szene nicht verlassen. Diekmann hatte alles an sich gerissen und klar gemacht, was er von Psychologen hielt, nämlich nichts. Sie hatte es lediglich geschafft, den Kopf gerade eben noch aus der Schlinge zu ziehen. Plötzlich fiel ihr ihre Mutter ein, die Psychologie für brotlose Kunst hielt. Solange Johanna denken konnte, hatte ihre Mutter alles schlecht gemacht, was sie tat. Diekmann und ihre Mutter waren sich ähnlich, und wahrscheinlich war das der Grund, warum sie mit Diekmann schwer zurechtkam. Jeder Blick von ihm erinnerte sie an die Hilflosigkeit, die sie als Kind ihrer Mutter gegenüber empfunden hatte und die selbst jetzt immer noch vorhanden war. Diese kühle Ablehnung, der Spott, den sie von ihrer Mutter erfahren hatte. Dieses ständige Infragestellen ihrer Ansichten, ihrer Kompetenz. Sie spürte, wie Tränen der Wut und der Ohnmacht in ihre Augen stiegen. Ihre Jugend war von Trotz und Demut bestimmt gewesen. Sie hatte immer geglaubt, alles besser machen zu müssen als ihr Bruder, um dadurch die Anerkennung und Liebe ihrer Mutter zu erringen. Irgendwann war ihr dann klar geworden, dass es nichts auf dieser Welt gab, was Frau Jensen ihrer Tochter näher brachte. Jetzt sah sie die gleiche Ablehnung und den gleichen kalten Blick wieder in den Augen von jemandem, auf den sie gewissermaßen angewiesen war. Jemand, der sie abblitzen ließ und der sich weigerte, ihre Fähigkeiten anzuerkennen. Diekmann ließ sie dastehen wie jemand, der sich nur zur geistigen Selbstbefriedigung ins rechte Licht rücken will. Er wollte sie lächerlich machen und einen Vorwand finden, um sie loszuwerden. Große Fehler durfte sie sich also nicht leisten. Das hieß aber auch, dass sie in Zukunft auf der Hut sein musste, um ihm nicht in die Falle zu gehen. Wenn er sie in diesem Fall nicht dabeihaben wollte, konnte das nur bedeuten, dass sie gegen seinen Willen hinzugezogen worden war und die Anordnung ihrer Teilnahme von höherer Stelle kam. Sie drückte auf den Knopf der Gegensprechanlage.

»Jutta, würden Sie bitte einmal kommen?«

Jutta war von Anfang an ihre Sekretärin gewesen und war inzwischen so etwas wie eine Freundin. Sie war zehn Jahre älter als sie und hatte etwas Mütterliches an sich, das sie beruhigte. Jutta kam rein und setzte sich vor ihren Schreibtisch. Sie lächelte leicht. Ihre ruhige Art war Balsam für Johannas Seele.

»Ist alles in Ordnung?«

Johanna seufzte. »Ich denke schon. Ich ärgere mich nur.«

»Diekmann?«

»Ja, kennen Sie ihn etwa?« Johanna sah erstaunt auf.

»Nein, ich habe nur viel von ihm gehört. Er soll ein Querdenker sein, einer, der seine Meinung sagt, und er soll sehr gut sein, er scheint es aber auch zu wissen. Kein sehr einfacher Mensch. Als ich heute hörte, dass Sie mit ihm arbeiten werden, dachte ich mir schon, dass es wohl über kurz oder lang zu Spannungen kommen würde.«

»Über kurz oder lang ist gut.« Johanna lachte kurz auf. Es hörte sich mehr an wie ein wütendes Grunzen.

»Ja, diesmal hat er sich nicht viel Zeit gelassen, sich unbeliebt zu machen.« Jutta beugte sich vor und sah sie fast liebevoll an. »Lassen Sie sich bloß nicht ins Bockshorn jagen. Und wenn es Ihnen zu viel wird, dann kommen Sie her und schütten mir bei einer Tasse Kaffee Ihr Herz aus, okay?«

Johanna musste wider Willen lachen. Sie griff über den Tisch und tätschelte Juttas Hand.

»Okay.«

»So, und jetzt seien Sie ein gutes Kind und gehen nach Hause. Ich kümmere mich hier um alles Weitere.«

2

Johanna hatte, trotz aller Wut und Aufregung, tief und fest geschlafen. Als sie erwachte, tauchten zwar fast sofort wieder die Erinnerungen an die gestrigen Geschehnisse auf, aber sie fühlte sie wenigstens ausgeruht. Ihr war klar, dass die ganze Angelegenheit ruhig angegangen werden musste, ansonsten hatte sie keine Chance zu überleben. Sie hasste diese Zweifrontenkriege, vor allen Dingen, wenn man eigentlich auf der gleichen Seite kämpfen sollte.

Sie streckte sich und kuschelte sich noch für einen Moment in ihre Decke. Diese paar Minuten, die sie sich jeden Morgen zugestand, gehörten ihr ganz allein. Die einzige Zeit des Tages, die sie mit niemandem teilen musste. Es half ihr, viele Dinge klarer zu sehen. Probleme wirkten in diesem fahlen morgendlichen Licht nicht mehr ganz so bedrohlich, und die Stille sorgte dafür, dass sie sich treiben lassen und alles ein wenig rationeller betrachten konnte. Das war eine Angewohnheit aus ihrer Kindheit, die ihr immer geholfen hatte, Kraft zu sammeln. Nur dass sie damals, im Gegensatz zu heute, oft den Daumen im Mund gehabt hatte. Fast war sie versucht, diese alte Angewohnheit wieder aufleben zu lassen. Ihr Bruder hatte sie auf diesen Weg gebracht. Er war es auch, der ihr gesagt hatte, dass sie mehr Geduld aufbringen und das Beste aus allem machen sollte. Sie sah sein liebes Gesicht und sein gütiges Lächeln vor sich, wenn er auf ihrem Bett saß und sie versuchte zu trösten, und für einen Moment meinte sie seine Hand an ihrer Wange zu spüren. Schnell drehte sie sich auf die Seite und kniff die Augen fest zusammen. Sie wollte jetzt nicht an ihn denken.

Die allmorgendliche Entscheidung, was sie anziehen solle, fiel ihr heute nicht besonders schwer. Sie musste nicht unbedingt seriös wirken, schließlich empfing sie keine Patienten, und was Diekmann betraf, so war es egal, was sie anhatte. Sie würde ihn nicht mit einem perfekten Äußeren überzeugen können.
Er mochte zwar weibliche Schönheit zu schätzen wissen, war aber insgesamt nicht der Typ, der sich davon blenden ließ. Ein Blick auf die Uhr zeigte ihr, dass es höchste Zeit war, zu fahren. Sie griff nach den Schlüsseln, die auf der Flurgarderobe lagen, und verließ schleunigst die Wohnung. Der Verkehr war mörderisch, und als sie nach über einer Stunde im Präsidium ankam, war sie nervös. Unwillkürlich fuhr sie sich durch die Haare, bis ihr einfiel, dass es da nicht mehr viel zu ordnen gab. Vor ein paar Wochen hatte sie sich für einen radikalen Schnitt entschieden, der Kamm und Bürste fast überflüssig machte, sie aber dafür um einiges jünger wirken ließ. Zu ihrem Ärger nahmen die Leute sie jetzt noch weniger ernst als vorher. Sie hastete zu den Fahrstühlen und hätte auf dem Weg dorthin beinahe Markus über den Haufen gerannt.
»He, wohin so schnell?« Er lachte sie an und gab ihr einen Kuss auf die Wange.
»Ich wollte nicht als Letzte kommen. Ich will Diekmann keine Angriffsfläche mehr bieten.«
»Egal, wann du kommst, du kommst immer zu spät. Diekmann ist wieder als Erster hier gewesen: Der Mann scheint keinen Schlaf zu benötigen.« Seine Stimme klang fast bewundernd. Es schien ihr, als hege er für diesen Mann so etwas wie Hochachtung. Johanna sah ihn verwundert und auch ein wenig misstrauisch von der Seite an.
»Du scheinst ihn zu mögen?«
»Er war der Einzige, der mich damals gut behandelt hat und dem es egal war, was ich bin. Für ihn zählt Leistung, und

manchmal gibt es auch Menschen, die er mag.« Er sah sie schief lächelnd von der Seite an.
»Er ist kein Monster. Er weiß es zu schätzen, wenn Leute etwas von ihrem Job verstehen.« Jetzt hatte er beinahe Ähnlichkeit mit einem Priester, der seinen Schäfchen die Güte und Wahrheit Gottes näher zu bringen versuchte. Fast erwartete Johanna, dass Markus ein Kreuz schlagen und sie segnen würde.
Er schob sie vor sich her in den Fahrstuhl, der gerade seine Türen öffnete. Es war fast so etwas wie ein Kampf, den man führen musste, um im Aufzug einen Platz zu ergattern, und bei dem man seine Ellbogen einsetzen musste. Man durfte keinen Millimeter verschenken. Schließlich hatten sie es geschafft. Schweigend fuhren sie in die 7. Etage. Erst dann sprach Markus weiter. »Puh, ich hasse Fahrstühle, aber noch mehr hasse ich Treppen. Hast du schon gefrühstückt?«
»Ja, ein wenig. Ich hab nicht viel runterbekommen.« Das war nur die halbe Wahrheit. Sie hatte mal wieder vergessen einzukaufen, so dass der Kühlschrank heute Morgen nur Butter, verdorbene Marmelade und ein wenig Wurst, die sich an den Rändern bereits nach oben zu wellen begann, hergab.
»Soweit ich weiß, bekommst du hier oben ein eigenes Büro. Du sollst am Puls der Zeit bleiben und jederzeit verfügbar sein. Was hältst du davon, wenn wir uns etwas aus der Kantine kommen lassen und dein Büro bei einem Kaffee einweihen?«
»Klingt verlockend. Ich habe meine Angelegenheiten in Alsterdorf geregelt. Alles weitere übernimmt Jutta.« Sie dachte einen Moment nach. »Es war nicht Diekmanns Idee, mich zur SOKO zu bestellen, oder?«
Markus lachte amüsiert. »Wo denkst du hin? Diekmann hält nicht viel von Psychologen. Er ist der Meinung, das es sich dabei durchweg um Menschen handelt, die selbst Hilfe brauchen. Nein, der Chef des Landeskriminalamtes hat das angeordnet.

Er hat sich die letzten Wochen Bericht erstatten lassen und feststellen müssen, dass die Ermittlungen auf der Stelle treten.«
»Na toll, das ist fast so schön, als hätte ich mich in diesen Job per Gerichtsbeschluss reingeklagt.« Johanna war frustriert. Kein Wunder, dass man sie nicht unbedingt gern sah. Jeder musste das Gefühl haben, sie sei auf Beziehungen angewiesen und würde diese bei Bedarf auch nutzen. Und dann noch diese Vorurteile. Für Diekmann, wie für die meisten Menschen, war ein Psychologe nur ein Klotz am Bein. Jemand, den man bei Bedarf vorzeigen und danach wieder in der Versenkung verschwinden lassen konnte. Ihr fiel der Vergleich mit den »Quotenfrauen« bei der Polizei ein. Irgendwann einmal wurde entschieden, dass jede Dienststelle eine Frau aufnehmen musste, um Toleranz und Liberalität bei der Behörde zu beweisen. Es war eine harte Zeit für Frauen gewesen, doch die meisten hatten sich ihren Platz erkämpft und sich behauptet. Die Quotenregelung wurde schließlich aufgehoben und eine Frau in Uniform gehört nun zum Selbstverständnis der Polizei.
Johanna seufzte. Ihr Weg schien sehr lang zu werden. Markus blieb stehen und fasste sie an den Schultern.
»Komm schon, du kannst was. Zeig ihm, was in dir steckt. Lass dich nicht unterbuttern von ihm. Du bist doch sonst nicht so zaghaft. Was ist los mit dir?« Er sah ihr einen Moment in die Augen, und selbst wenn Johanna versuchte, seinem Blick ungerührt standzuhalten, musste sie sich doch irgendwie verraten haben. Markus verdrehte die Augen.
»Oh nein, nicht Stefan. Lass mich raten, er hat das Wochenende wieder mit einer anderen verbracht?«
»Er hat gesagt, er sei geschäftlich in Köln.« Sie konnte es nicht fassen. Da wiederholte sie doch dieselbe lahme Entschuldigung, die sie vor ein paar Tagen noch so in Wut gebracht hatte. Ihre Art der Loyalität grenzte schon beinahe an Selbstverleugnung.

Markus ließ sie los und schob die Hände in die Hosentaschen. »Du wirst auch nicht schlauer.« Er seufzte. »Dir ist wohl nicht mehr zu helfen. Aber was soll's, irgendwann merkst auch du es.« Er lächelte sie mitleidig an und tätschelte ihre Wange. »Wie wäre es, wenn du heute Abend zum Essen kommst? Flo vermisst dich und hat sich schon darüber beschwert, dass ihr euch so selten seht.«

»Das ist eine gute Idee.« Sie stimmte erleichtert zu. Sie hasste es, das Thema »Stefan« mit Markus zu besprechen und außerdem freute sie sich auf einen Abend mit Flo und Markus. Das würde eine willkommene Abwechslung sein.

»Schön, dass Sie uns auch schon beehren.« Kaum hatten sie Markus' Büro betreten, verpasste ihr Diekmann eine Breitseite. Er stand an der Stellwand, an der die Fotos der Opfer und der Tatorte befestigt waren, und machte sich nicht einmal die Mühe, sich ihr zuzuwenden. Wieder einmal kam sie sich vor, wie ein kleines Kind, das sich vor einem strengen Lehrer zu verantworten hatte. Sie straffte die Schultern und wollte gerade antworten, als ihr Diekmann zuvorkam.

»Hier ist der Bericht über die Leiche in Wedel.« Achtlos warf er die Akte auf den Schreibtisch. Markus nahm sie in die Hand und blätterte. Diekmann sah auf die Uhr. »In einer halben Stunde ist Einsatzbesprechung. Ach, übrigens, Markus, zeig ihr das neue Büro. Es ist am Ende des Flures. Du weißt schon, das alte Archiv.« Er drehte sich um, und verließ den Raum.

»Guten Morgen.« Johannas Stimme klang bissig, aber Diekmann schien sie nicht gehört zu haben, oder zumindest tat er so, als ob er sie nicht gehört hatte. Markus reichte ihr die Akte und griff nach dem Telefon.

»Brötchen?« Er hielt eine Hand über die Sprechmuschel und blickte Johanna fragend an. Sie nickte. Eigentlich hatte sie keinen großen Appetit, aber irgendetwas musste sie im Laufe des

Tages essen, da sie vermutlich den ganzen Tag nicht mehr aus dem Büro kommen würde.
»Ich zeig dir dein neues Zimmer.« Markus legte seine Hand leicht auf ihren Arm und führte sie zurück auf den Flur. Am Ende des Ganges öffnete er eine Tür und ließ sie als Erste eintreten.
»Voilà, hier ist dein neues Reich.«
Johanna schlenderte durch den Raum und sah sich um. Das Zimmer war ziemlich übersichtlich, aber es würde ihr reichen. Sie fuhr mit den Fingerspitzen leicht über die Tischplatte, als ob sie prüfen wollte, wann hier zuletzt Staub gewischt worden war. Sie hatte das Gefühl, als hätte man ihr hier die ausrangierten Möbel hereingestellt. Alles wirkte ein bisschen schäbig, aber schließlich sollte sie hier nur arbeiten, mehr nicht. Durch ein kleines Fenster fiel ein wenig Licht herein, genau so viel, dass man den Raum nicht mit einem düsteren Dachbodenverschlag verwechseln konnte. Mit einem lauten Seufzen ließ sie sich in einen quietschenden Schreibtischsessel fallen.
»Meinst du, du könntest mir Kopien aller Akten anfertigen lassen?« Johanna sah Markus fragend an.
»Ich denke schon. Ich werde mal den Schreibdienst darauf ansetzen. Was genau brauchst du denn?«
»Alles. Sämtliche Berichte, einschließlich der Bilder. Ich muss sie miteinander vergleichen, Unterschiede finden, Gemeinsamkeiten herausfiltern und so weiter.«
»Geht klar.« Markus machte auf dem Absatz kehrt und verließ das Zimmer. Johanna ließ sich erleichtert aufatmend in ihren Sessel zurücksinken und drehte sich zum Fenster. Sie hatte nicht gerade die beste Aussicht erwischt, aber zumindest dröhnte der Krach, der von der Kreuzung kam, an der sich das Gebäude befand, nicht zu ihr nach oben.
Der Verkehr wirkte, von hier oben betrachtet, wie eine lautlose Schar kleiner Ameisen, die ziellos umherirrten, ohne jemals ir-

gendwo anzukommen. Irgendwie vergleichbar mit ihrer Situation. Sie hatte jetzt endlich das, wovon sie geträumt hatte, aber sie gehörte nicht wirklich dazu, und wäre Markus nicht, hätte sie keinen Freund in dieser, wie es ihr schien, feindlichen Umgebung. Unwillig schüttelte sie den Kopf. Es war noch einiges zu erledigen, bevor sie anfangen konnte zu arbeiten. Sie war erstaunt, ein Telefon zu haben; eigentlich war sie davon ausgegangen, nicht einmal die kleinsten Errungenschaften der Technik vorzufinden, aber Diekmann hatte wohl beschlossen, ihr nicht die geringste Angriffsfläche zu bieten.
Es klopfte, und bevor sie »Herein« rufen konnte, betraten mehrere jüngere Polizisten den Raum. Die meisten kannte sie bereits vom Sehen aus der Besprechung, persönlichen Kontakt hatte sie jedoch noch nicht aufgenommen. Sie schleppten Teile eines Computerterminals herein.
»Wohin damit?« Hier schien wirklich keiner Wert auf Höflichkeit zu legen.
»Stellen Sie mir alles hier auf den Schreibtisch. Er ist groß genug.« Sie stand auf und ging um den Tisch herum.
»Brauchen Sie einen Internet-Zugang?« Die jungen Leute schienen Order von ihrem Chef bekommen zu haben, sich nicht weiter mit dieser Psychologin einzulassen, denn sie vermieden es, sie anzusehen. Selbst wenn sie splitterfasernackt gewesen wäre, hätte es vermutlich niemand bemerkt.
»Nein, ich denke, es reicht, wenn sie mir den Rechner startklar machen.«
Johanna hatte das Bedürfnis, ihnen etwas Unflätiges hinterherzurufen, unterließ es aber.
»So, das wäre geklärt.« Jetzt stand Markus wieder hinter ihr, ein wenig außer Atem. »Ich habe das mit dem Schreibdienst geklärt. In einer halben Stunde, also spätestens nach der Besprechung, hast du die Unterlagen auf deinem Tisch. Kann ich sonst noch etwas tun?«

Sie lächelte. »Nein, danke, du tust schon genug für mich. Wie wäre es jetzt mit einem Kaffee?«
Markus grinste. »Das Frühstück steht schon in meinem Büro. Lass die Jungs hier einfach werkeln.«
Die Beamten stellten das Gerät auf und schlossen es in aller Eile an. Einer der Polizisten startete einen Testlauf, fluchte, setzte sich auf den Stuhl vor dem Schreibtisch und drehte den Monitor so, dass er besser sehen konnte. Johanna verließ ihr Büro und warf sich auf einen der Besuchersessel in Markus' Zimmer.
»Wie fühlst du dich?« Markus sah sie prüfend an. Er packte die belegten Brötchen aus und verteilte sie auf Papptellern. Dann goss er dampfenden Kaffee in zwei Becher und setzte sich ihr gegenüber. Der Kaffee verbreitete ein angenehmes Aroma im Zimmer. Fast augenblicklich entspannte sich Johanna.
»Ich dachte nur gerade darüber nach, ob es in dieser Dienststelle irgendjemanden gibt, der mir nicht feindlich gesinnt ist.«
»Du solltest nicht so empfindlich sein. Es kennt dich schließlich niemand, und alle wissen, wie du hergekommen bist. Was erwartest du?«
»Eigentlich nichts.« Sie nahm den Becher, den er ihr reichte. Sie wusste wirklich nicht, was sie eigentlich erwartete. Jedenfalls konnte sie nicht darauf hoffen, dass man sie freudestrahlend begrüßte. Sie würde sich ihre Stellung genauso erarbeiten müssen wie alle anderen auch. Und doch kam sie sich wie eine Außenseiterin vor.
»Man hat fast das Gefühl, alle haben Angst, es sich mit Diekmann zu verderben, wenn sie ein bisschen höflich sind.«
»Hier herrscht ein anderer Umgangston als der, den du kennst. Daran musst du dich gewöhnen.« Markus beugte sich ein wenig vor. »Mach es dir nicht noch schwerer. Wir wollen einen Killer fangen, nicht Freundschaften fürs Leben schließen.«

Der Ton war freundlich, aber Johanna merkte, dass mit Markus nicht über Diekmann zu reden war. Sie gab es auf.
»Vielleicht hast du ja Recht.« Sie biss herzhaft in ein Brötchen und merkte, dass sie großen Hunger hatte.
»Ich hoffe, es schmeckt.« Die eisige Stimme Diekmanns ging ihr durch und durch. Fast glaubte sie, an ihrem Bissen ersticken zu müssen.
»Wessen Idee war es, den Schreibdienst mit der Anfertigung irgendwelcher Kopien zu belasten?« Diekmann füllte den Türrahmen fast aus. Sein Gesicht war verkniffen, die Lippen schmal zusammengepresst.
»Sie sind für mich«, sagte Johanna. Markus sah seinen Chef an, ohne ein Anzeichen von Nervosität oder Unsicherheit. Diekmann lächelte betont sanft. »Das ist mir schon klar. Aber Sie sollten wissen, dass jeder hier seine eigenen Sachen erledigen muss. Und wie ich sehe«, er warf einen bedeutungsvollen Blick auf den Teller mit den Brötchen, »haben Sie ja genug Zeit.«
»Ich habe dem Schreibdienst Bescheid gegeben.« Markus mischte sich mit ruhiger Stimme ein. »Ich denke nicht, dass das Kopieren von ein paar Akten die Damen vom Schreibdienst sehr belastet.«
Diekmann sah Markus finster an und knurrte dann wie ein bissiger Hund. »Das sollte nicht zur Gewohnheit werden. Divaallüren gibt es bei meinen Leuten nicht.«
Johanna war aufgesprungen und funkelte Diekmann an. Sie hasste es, wenn man über sie sprach, als wäre sie nicht anwesend. Aber noch viel mehr hasste sie es, gerade zum zweiten Mal an diesem Tag wie ein kleines Kind abgekanzelt zu werden. Das kannte sie zur Genüge.
»Ich gehöre nicht zu Ihren Leuten.«
»Zurzeit doch, und ich gebe Ihnen den guten Rat, immer daran zu denken.« Er starrte sie noch eine Weile mit gerunzelter Stirn an und verließ dann das Zimmer. Als er schon fast um die Ecke

verschwunden war, blieb er noch einmal stehen. »Wenn gnädige Frau sich jetzt vielleicht bequemen möchte. Ich gedenke mit der Besprechung anzufangen.« Er warf noch einen wütenden Blick in ihre Richtung und verließ dann den Raum.
Johanna blieb mit ihrer Wut hilflos zurück und bekam keinen Bissen mehr herunter. Nur mühsam kämpfte sie gegen die Tränen an. Dann warf sie das Brötchen zurück auf den Teller und stapfte wütend hinter Diekmann her.
Der Besprechungsraum lag gleich neben den Fahrstühlen, und als sie dort ankam, musste sie feststellen, dass sie und Markus die Letzten waren. Sie setzte sich auf den nächsten freien Stuhl in Nähe der Tür. Mit einem grimmigen Blick in Johannas Richtung begann Diekmann zu sprechen.
»Jetzt, da wir ja endlich alle vollzählig sind, können wir anfangen. Ich habe jetzt den Bericht der Kollegen aus Wedel vorliegen. Fangen wir von vorne an: Die Tote heißt Gudrun Spengler, 25 Jahre alt, verheiratet. Sie ist 165 cm groß, 50 Kilo schwer, Hausfrau. Sie hat keine Kinder, galt als ruhig und zurückhaltend, hatte nur wenige Freunde.«
Er warf die Akte auf den Tisch und stützte die Hände in die Hüften. »Hat irgendjemand eine Idee?« Er ließ seinen Blick durch den Raum schweifen. Die Anwesenden sahen genauso ratlos aus wie er. Keiner antwortete ihm, die meisten hoben nicht einmal den Blick. Diekmann fuhr sich durch die Haare. »Er will sich über uns lustig machen.«
»Falsch.« Johanna stand auf und sah ihn kühl an. »Sie sollten die Beurteilung des Täters Leuten überlassen, die etwas davon verstehen.« Sie spürte, dass sie eindeutig über das Ziel hinausgeschossen war, aber sie hatte das kindische Bedürfnis, sich für seine Art zu rächen. Diekmann schien sich jedoch nur zu amüsieren.
Er lächelte sie spöttisch an. »Vielleicht wollen Sie die Besprechung weiterführen?«

Sie merkte, wie einige der Polizisten sie ungläubig anstarrten. Sie lächelte Diekmann kühl an.
»Vielleicht sollte ich das.« Sie ging nach vorn und stellte sich neben ihn. »Ich denke nicht, dass der Täter uns verhöhnen will. Er hätte uns zumindest eine Nachricht hinterlassen. Ich weiß zwar noch nicht genau, was er will, aber das werden wir schon herausfinden. Wir fangen noch einmal von vorne an. Zuallererst sollten wir genau feststellen, wann man die Frauen zuletzt lebend gesehen hat.«
Diekmann stand neben ihr und wippte auf den Füßen vor und zurück. »Das haben wir bereits getan.« Er zog die Worte genüsslich in die Länge. Johanna wandte den Kopf leicht zu ihm und sprach geduldig auf ihn ein, wie mit einem störrischen Kind.
»Dann machen wir es eben noch einmal.« Sie fing an, an den Fingern abzuzählen. »Das wäre das Erste. Als Zweites sehen wir uns die Wohnungen der Opfer an. Sie werden noch einmal durchsucht, obwohl ich sicher bin, dass auch diese Aufgabe bereits erledigt wurde, nicht wahr?« Sie lächelte den vor ihr sitzenden Polizisten zu und erntete verhaltenes Gelächter. Diekmann verzog keine Miene. Er würde ihr wohl erst hinterher die Meinung sagen.
»Drittens gehen wir noch einmal alle Tatortfotos durch.«
»Wozu soll das gut sein?« Die mürrische Stimme kam irgendwo aus den hinteren Reihen.
Johanna ließ ihren Blick kurz durch den Raum schweifen und antwortete dann ins Blaue hinein: »Mitunter kommt es vor, dass Täter einen verdeckten Hinweis zurücklassen. Das kann ein geschriebener Hinweis auf einem Zettel sein, ein Souvenir, das er uns hinterlässt, oder ein Souvenir, das er mitnimmt. Alles ist möglich.«
»Also wissen wir gar nicht, wonach wir suchen?«, fragte dieselbe Stimme ungläubig.

»Richtig.« Johanna nickte. Sie setzte sich auf eine Ecke des Schreibtisches und sah erwartungsvoll in die Runde.

»Wo sollen wir dann anfangen?« Die Stimme kam aus der anderen Richtung des Zimmers und hatte einen verächtlichen Unterton. Johanna beschloss, diese destruktive Frage zu ignorieren.

»Wie ich bereits sagte: Wir müssen uns mit den Opfern beschäftigen. Und zwar nicht nur damit, was sie getan haben, sondern wir müssen auch herausfinden, wie sie in welcher Situation reagiert haben.« Sie legte die Fingerspitzen aneinander und schürzte die Lippen.

»Täter suchen sich meist einen bestimmten Typ aus. Oft haben sie alle etwas gemeinsam. Wenn wir wissen, was das ist, können wir auch den Täter, zumindest vom Typus her, näher bestimmen.« Sie breitete die Arme aus, als wolle sie den ganzen Raum umarmen.

»Wir wissen schon einiges. Erinnern Sie sich: Er ist intelligent, 25 – 35 Jahre alt. Er dürfte auch einen angesehenen Job haben oder zumindest erlernt haben.«

»Woher wissen Sie, dass er intelligent ist?« Eine junge Frau in der vorderen Reihe hob die Hand.

»Es gibt langjährige Studien beim FBI über Serientäter, die beweisen, dass Serienmörder einen hohen Intelligenzquotienten haben. Sie alle schaffen es, meist über einen langen Zeitraum hinweg, Morde zu begehen, ohne dabei erwischt zu werden.«

»Und das Alter?« Die Frage war eindeutig skeptisch und stammte von einem älteren Polizisten aus der hintersten Reihe.

»Das FBI hat Untersuchungen bei verurteilten Mördern angestellt. Im Allgemeinen rechnet man ausgehend vom Opfer plus/minus fünf Jahre. Das ist eine grobe Rechnung. Das jüngste Opfer in unserem Fall ist zwanzig Jahre alt. Hier passt diese Formel also nicht so recht. Man geht dann vom jüngsten Opfer

aus und rechnet beim ältesten Opfer noch einmal fünf Jahre hinzu. Ich weiß nicht«, sie hob abwehrend die Arme, »das hört sich jetzt für Sie alles sehr abstrakt an, aber glauben Sie mir, das alles hat eine wissenschaftliche Grundlage.« Sie stützte die Hände in die Hüften und überlegte kurz.
»Vielleicht brauchen Sie meine Hilfe, aber ganz bestimmt brauche ich Ihre Hilfe. Wir müssen mehr herausbekommen, und dafür brauche ich Sie. Sie können mir die Grundlagen liefern, mit denen ich dann arbeiten kann. Ich brauche mehr Hintergrundwissen, und das können nur Sie, die Ermittler, mir liefern. Manche Vorschläge mögen Ihnen überflüssig vorkommen, aber nur so haben wir eine Chance.« Sie sah ruhig in die Runde. Es würde sich möglicherweise jetzt und hier entscheiden, wer ihr helfen, wer sich auf ihre Seite schlagen würde, denn Diekmann würde ihr keine große Hilfe sein, so viel war klar. Aber sie wusste auch, dass niemand freiwillig zu ihr kommen würde. Der Berg kam nicht zum Propheten. Der Prophet musste sich schon bemühen. Sie war der Prophet.
»Ich denke, wir haben jetzt fürs Erste alles geklärt. Hat noch jemand Fragen?«
Sie hatte Diekmann beinahe vollständig vergessen und riskierte einen kurzen Seitenblick. Aus seinem Gesichtsausdruck war nichts zu lesen. Inwieweit er sich auf ihre Erklärungen eingelassen hatte, konnte sie nicht erkennen, aber ein Gefühl des Triumphes machte sich dennoch in ihr breit. Diesmal hatte sie die Schlacht gewonnen, nur der Krieg war deshalb noch lange nicht entschieden.
»Ihr habt sie gehört. Ich schlage vor, ihr macht euch wieder an die Arbeit.« Diekmann klatschte in die Hände. Das schien der Startschuss zu sein, denn alle erhoben sich und verließen unter leisem Gemurmel den Raum.
»Ich werde jetzt zum Ehemann der Toten fahren und ihm einige Fragen stellen. Ich gehe davon aus, dass Sie mitkommen

wollen.« Es war eine Feststellung, keine Frage, und Johanna merkte, dass es ihm lieber wäre, wenn sie ablehnte.
Sie straffte die Schultern und lächelte übertrieben freundlich.
»Sehr gern, ja.«
»Die Fragen stelle ich, Sie halten sich da raus. Ich vermute, es ist Ihre erste Befragung in so einem Verfahren?«
Er wusste ganz genau, dass das ihr erster Fall war.
»Sie vermuten richtig.«
»Gut. Wir werden dann in«, er sah flüchtig auf seine Armbanduhr, »zirka fünfzehn Minuten abfahren. Halten Sie sich bereit, ich komme Sie dann abholen.« Ohne sie noch eines Blickes zu würdigen, folgte er seinen Leuten.
Johanna blieb seufzend zurück und ließ sich auf einer Tischkante nieder. Ihr Nacken schmerzte, und sie merkte erst jetzt, wie verspannt sie war. Dieser Kleinkrieg, den sie hier ausfechten musste, machte sich bereits körperlich bemerkbar. Sie hatte keine Ahnung, wie das weitergehen sollte, auf jeden Fall aber würde sie nicht das Handtuch werfen. Sie würde nicht aufgeben. Dieses Mal nicht.

Die Fahrt raus nach Poppenbüttel verlief schweigsam.
Markus hatte sich mit Schreibarbeiten entschuldigt, die dringend zu erledigen waren. So blieb Johanna nichts anderes übrig, als mit Diekmann allein zu fahren. »Wir wissen bisher nicht sehr viel. Der Witwer war gestern nicht ansprechbar, so dass eine Befragung ausgeschlossen war. Ich fürchte, dass er heute unter starken Beruhigungsmitteln stehen wird, aber es lässt sich nicht ändern. Wir brauchen einige Angaben von ihm.«
Johanna war angesichts Diekmanns Redseligkeit so überrascht, dass sie nichts entgegnen konnte.
»Sie sollten wissen, was uns erwartet.« Diekmann schien ihre

Gedanken erraten zu haben. »Haben Sie irgendwelche Fragen an ihn?« Dies schien sein erstes Zugeständnis an sie zu sein.
»Nein, erst mal nicht. Das wird die Situation ergeben. Aber ich gebe Ihnen Recht, er steht möglicherweise noch unter Schock. Wir sollten also sehr behutsam vorgehen.« Ein bisschen Entgegenkommen konnte nicht schaden, es würde ihre Beziehung zumindest nicht noch weiter verschlechtern.
»Auch wenn Sie es nicht glauben, aber ich mache so etwas nicht zum ersten Mal.« Seine Stimme klang bissig. So viel zum Thema »Entgegenkommen«. Johanna biss sich auf die Lippen. Für den Rest des Weges entschied sie sich zu schweigen und auch Diekmann schien kein Interesse daran zu haben, die Konversation, und sei es nur aus Höflichkeit, aufrechtzuerhalten.
Sie hielten vor einem schmucken kleinen Reihenhaus, das noch sehr neu aussah. Johanna vermutete, dass es noch nicht abbezahlt war. Die Spenglers hatten sich ihre Zukunft bestimmt auch anders vorgestellt.
Diekmann ging mit festen Schritten auf die Haustür zu, Johanna dagegen hielt sich eher zurückhaltend in seinem Windschatten. Erst jetzt stellte sie fest, dass sie beruflich noch nie einer solchen Stresssituation ausgesetzt war. Noch nie hatte sie einem Menschen gegenübertreten müssen, der gerade einen Angehörigen verloren hatte. Ihr Magen fing an zu rebellieren. Als Diekmann klingelte, ging fast zeitgleich die Tür auf und ein blasser, junger Mann stand vor ihnen. Sein Haar war wirr, seine Augen gerötet und sein glasiger Blick zeigte, dass er noch immer unter Schock stand.
»Herr Spengler? Polizei. Mein Name ist Diekmann, das ist Frau Dr. Jensen, unsere Psychologin. Dürfen wir reinkommen?«
Der blasse Mann nickte und trat einen Schritt zur Seite. Er machte eine einladende Handbewegung. Im Haus war es dämmrig und es roch nach Zigarettenrauch. Von Spengler ging

unverkennbar eine leichte Alkoholfahne aus. Johanna und Diekmann warteten im Flur, bis Spengler die Tür geschlossen hatte, und folgten ihm dann ins Wohnzimmer. Er ging leicht gebückt, mit schleppenden Schritten.
Im Wohnzimmer ließ er sich, ohne auf seine Besucher zu achten, in den nächstbesten Sessel fallen. Mit leerem Blick starrte er auf den Boden, ohne jedoch etwas um sich herum wahrzunehmen. Die Jalousien im Zimmer waren heruntergelassen, der Aschenbecher auf dem Tisch quoll über, und auf dem Fußboden verteilt lagen Bilder, die eine Frau zeigten. Ohne näher hinsehen zu müssen, wusste Johanna, dass die Bilder die verstorbene Gudrun Spengler zeigten.
»Herr Spengler, sollen wir jemand benachrichtigen?«
Spengler zuckte leicht zusammen und sah Diekmann für einen Moment verwirrt an.
»Nein … nein, sie sind gerade alle weg.« Er fuhr mit der Hand über sein Gesicht, als wolle er einen Schleier von seinem Gesicht wischen.
»Setzen Sie sich, wenn sie Platz finden.« Er machte eine unbestimmte Handbewegung zur Couch hin und zündete sich mit zitternden Fingern eine Zigarette an. Ein Zigarettenstummel verglühte im Aschenbecher. Johanna kroch der penetrante Geruch von verbranntem Filter in die Nase.
»Herr Spengler, es tut mir Leid, aber wir müssen Ihnen einige Fragen stellen.« Spengler nickte leicht und betrachtete gleichzeitig die Zigarette in seiner Hand. Diekmann hatte es sich auf dem Sofa bequem gemacht und einen Arm über die Rückenlehne gelegt, Johanna saß auf der Sofakante und wagte kaum zu atmen.
»Herr Spengler, wann haben Sie Ihre Frau zuletzt lebend gesehen?« Diekmanns Stimme klang überraschend sanft, und Johanna sah ihn verblüfft an. Aus irgendeinem Grund hatte sie angenommen, dass er sich immer wie die Axt im Walde

benahm. Aber er schien doch so etwas wie Mitgefühl zu kennen.
Spengler lehnte sich zurück und holte tief Luft.
»Vorgestern Abend.« Sein Blick irrte ruhelos durch den Raum und streifte Diekmann kurz.
»Wann genau?«
Der blasse Mann drückte die halb gerauchte Zigarette im Aschenbecher aus und legte die Hände aneinander.
»Gegen 21.30 Uhr.«
»Was ist passiert?«
Spengler streifte Diekmann mit einem kurzen Blick und antwortete zögernd. »Wir waren eingeladen. Gegen 21.00 Uhr wollte meine Frau nach Hause, sie fühlte sich nicht wohl. Wir hatten einen kleinen Streit, und ich fuhr sie schließlich nach Hause.« Wieder ein nervöser Blick, diesmal in Johannas Richtung. »Ich setzte sie zu Hause ab und fuhr noch einmal los. Wir waren mit Freunden zu dieser Party gegangen, und ich hatte versprochen, sie auch wieder nach Hause zu fahren.« Seine Stimme klang etwas unsicher, sein Blick war fahrig. Er konnte weder Johanna noch Diekmann in die Augen schauen.
»Warum sind Sie nicht alle gleich zusammen gefahren?«
»Meine Frau wollte sofort los, und ich konnte unsere Freunde nicht gleich finden.«
Er rieb sich die Stirn und verbarg dann das Gesicht in seinen Händen. »Sie hatte gesagt, sie wolle gleich ins Bett. Aber als ich nach Hause kam, war sie nicht da.« Er schluchzte verhalten und sank dabei ein wenig nach vorn. Johanna fürchtete für einen Moment, er würde von seinem Sessel rutschen. Diekmann beugte sich vor und legte leicht seine Hand auf den Arm des Mannes.
»Bitte beruhigen Sie sich. Ich weiß, dass das schmerzlich ist; wir sind auch bestimmt gleich fertig.«
»Bitte entschuldigen Sie. Es geht schon wieder.« Spengler rich-

tete sich wieder auf und zwinkerte ein paarmal. Er rieb sich noch einmal über die Augen und sah Diekmann dann traurig an. Aber da war noch etwas in diesem Blick. Etwas, was weit über die Trauer, die dieser Mann empfinden musste, hinausging. Aber sie konnte nicht beschreiben, was es war.
»Haben Sie Ihre Frau ins Haus begleitet oder haben Sie sie draußen abgesetzt?«
»Ich glaube«, er stockte kurz. Seine Augen wanderten ruhelos durch das Zimmer, und er leckte sich die trockenen Lippen. »Nein, ich bin ganz sicher. Ich habe sie nur vor der Tür abgesetzt. Dann bin ich wieder zurückgefahren.«
»Haben Sie sich nicht gewundert, dass Ihre Frau nicht da war, als Sie nach Hause kamen?«
»Doch schon, aber ich dachte«, er stockte wieder, »vielleicht wollte sie raus, spazieren gehen, oder …« Er brach ab und versank für einen Moment in dumpfes Schweigen.
»Was war am nächsten Morgen?«
»Ich dachte, sie ist vielleicht bei einer Freundin.«
»Warum sollte sie das tun?«
»Ich … ich weiß nicht. Ich dachte …«
Diekmann lehnte sich vor und sprach mit leiser Stimme. »Sie lügen, Herr Spengler. Zumindest verheimlichen Sie uns etwas.«
Johanna hielt für ein paar Sekunden die Luft an. Sie konnte die Spannung im Raum fast mit Händen greifen. Für einen Moment war es totenstill, nur die antike Standuhr in der Ecke des Zimmers schien den Takt anzugeben. Spengler fing leicht zu zittern an und brach schließlich zusammen. Er zog die Knie bis zur Brust hoch und legte den Kopf auf die Beine. Er weinte und wiegte sich wie ein kleines Kind.
Diekmann ließ nicht locker.
»Herr Spengler, ich weiß nicht, ob Sie sich der Situation voll bewusst sind, aber Ihre Frau wurde ermordet, und wie es bis jetzt aussieht, können Sie uns nur sehr unklare Angaben machen.

Das spricht nicht gerade für Sie.« Diekmanns Stimme klang hart und unbarmherzig. Johanna verfluchte ihn. Es war wirklich nicht nötig, den armen Mann so hart anzufassen. Er war ein Unmensch.
Diekmann stand auf und schob, während er durch den Raum wanderte, die Hände in die Hosentasche. Er nahm ein Bild von der Anrichte und betrachtete es einen Augenblick.
»Ist das Ihre Frau?« Er war wirklich grausam. Johanna war aufgesprungen und wollte etwas sagen, aber Diekmanns eisiger Blick hinderte sie daran. Sie schloss ihren Mund und wandte sich für einen kurzen Moment ab.
»Herr Spengler?«
Spengler sprang plötzlich auf und war mit wenigen Schritten bei Diekmann. Er riss ihm den Bilderrahmen aus der Hand und stellte ihn liebevoll zurück auf die polierte Holzplatte.
»Fassen Sie das nicht an.« Er presste die Worte nur mühsam vor, so als drohe er an seinen eigenen Worten zu ersticken. Dann ließ er plötzlich die Arme sinken und schlurfte zurück zu seinem Sessel. Aber er setzte sich nicht, sondern blieb mit hängenden Armen davor stehen.
»Ich habe sie nicht nach Hause gebracht.«
»Weiter.«
»Wir hatten uns gestritten. Sie war eifersüchtig und machte mir eine fürchterliche Szene. Schließlich lief sie hinaus. Mir war das Ganze zu dumm, und ich ließ sie laufen. Danach habe ich sie nicht mehr gesehen. Sie hatte gedroht, mit einem Taxi nach Hause zu fahren. Wütend wie ich war, setzte ich mich ins Auto und fuhr in die nächste Kneipe.«
»Sie waren nicht allein?«
»Nein.« Spengler ließ seinen Kopf auf die Brust sinken und schloss die Augen. »Nein, ich war mit einer Bekannten unterwegs.«
»Der Stein, der Anstoß für Ihren Streit war?«

»Ja.« Der blasse Mann flüsterte jetzt nur noch. Er stand reglos da und versank in seinen Schuldgefühlen.

»Musste das sein?« Als sie wieder im Wagen saßen, konnte Johanna nur mit Mühe ihre Wut unterdrücken. Sie hatten Spengler völlig gebrochen zurückgelassen. Hatte er bis zu ihrer Ankunft noch erfolgreich seine Schuldgefühle zurückgedrängt, so waren sie jetzt voll ausgebrochen. Johanna würde sich nicht wundern, wenn er sich in dieser Situation das Leben nehmen würde.
»Was wollen Sie eigentlich von mir? Wir wissen jetzt zumindest die Wahrheit.«
»Ja, aber um welchen Preis? Der Mann ist völlig gebrochen. Er macht sich die größten Vorwürfe!«
»Vielleicht gar nicht mal schlecht, oder was meinen Sie? Schließlich hat er mit einer anderen Frau rumgevögelt, während seine eigene umgebracht wurde. Oder glauben Sie, dass er das zum ersten Mal gemacht hat?«
»Das steht doch hier gar nicht zur Debatte.« Sie schrie jetzt fast. »Wissen Sie, was Sie sind? Sie sind ein Schwein!«
Sie spuckte ihm den letzten Satz förmlich ins Gesicht.
Unversehens trat Diekmann auf die Bremse, so dass Johanna in ihrem Sitz mit voller Wucht nach vorne geschleudert wurde und um ein Haar mit dem Kopf gegen die Windschutzscheibe geknallt wäre.
»Und wissen Sie, was Sie sind?« Diekmanns Stimme klang gefährlich leise. »Eine vertrocknete, frustrierte Psychomieze, die mit einem Marlies-Möller-Haarschnitt und ihren Designerjeans daherkommt und Leute davon abhält, ihren Job zu machen. Sie bilden sich ein, dass wir nur auf Sie gewartet haben, eine Frau, die in Selbstmitleid ertrinkt und kaum in der Lage ist, mit sich selbst fertig zu werden. Haben Sie mal in der letzten Zeit in den Spiegel gesehen? Ihr ständig beleidigter Gesichtsausdruck, Ihre

nach unten gezogenen Mundwinkel machen mich krank. Dieser Fall ist für Sie doch nur eine Art Therapie, um sich von Ihren eigenen Komplexen zu befreien und geistig zu befriedigen. Wenn Leute wie Sie nicht wären, könnten Leute wie ich besser und effizienter arbeiten.«

3

Das Gesicht im Spiegel starrte dem wahren Gesicht entgegen. Endlich war sie da. Wie lange hatte es gedauert, bis sie kam! Es hatte unendlich viel Zeit und Arbeit gekostet, aber jetzt war sie da.

Die Lippen verzogen sich zu einem leichten Lächeln. Und all die Schönheiten erst. Da konnte man mal sehen, dass Schönheit zwar angenehm, aber zu nichts nutze war. Na ja, nicht ganz. Diesmal war Schönheit der Schlüssel zum Erfolg gewesen. Dieses eine Mal. Aber Schönheit rettete einen vor nichts, vor rein gar nichts. Im Gegenteil. Sie konnte zerstörerisch sein, mitunter sogar tödlich. Aber sie waren willig gewesen, so naiv, so sehr bereit dazu, sich in eine Falle zu begeben, dass es ein Kinderspiel gewesen war. Sie hatten es geschafft. All diese Schönheiten hatten es geschafft, das endlich diese eine Frau ins Spiel gebracht wurde, auf die man so lange gewartet hatte. Der Kopf im Spiegel legte sich schief. Sie würde jetzt zappeln wie ein Fisch an der Angel. Sie würde lange nicht wissen, um was es ging. Sie würde sich wundern, sie würde ratlos sein, und letztlich würde sie Angst bekommen. Aber dann würde es nichts mehr nützen, dann wäre das Spiel schon fast vorbei. Die Erkenntnis würde sie erschlagen, sie würde über sie hereinbrechen, wie das Unglück damals über andere hereingebrochen war. Sie hatte es nicht anders verdient. Es war das Blut, das in ihr floss. Es war schlecht. Man kann sein Blut nicht verleugnen, aber das würde sie erst lernen müssen, diese kleine unschuldige Schönheit. Der Kopf im Spiegel schüttelte sich. Nein, nicht unschuldig. Unschuldig war sie nie gewesen und würde es auch nie sein. Dafür würde man schon sorgen. Man wollte es genießen. Man wollte das Ende mit dem Bewusstsein der verlorenen Jahre genießen, so wie es andere nicht mehr konnten.

Man würde ihr noch Zeit geben, sie verfolgen, sie belauschen, ihr die Hoffnung Stück für Stück nehmen. Dann erst würde sie erkennen, dann würde sie bestraft werden. Wie war das noch in diesem Kinderreim? Das Gesicht im Spiegel runzelte die Stirn.

»Ach wie gut, dass niemand weiß, dass ich Rumpelstilzchen heiß.«
Es war so passend.
Das Gesicht im Spiegel wurde verdrossen. Was, wenn sie nicht bemerkte, um was es ging? Sollte alles umsonst gewesen sein? Der Kopf im Spiegel bewegte sich hin und her. Nein, so dumm war sie nicht. Sie würde es merken. War es nicht die Kunst der Psychologie? Die Lehre der Seele? War es nicht das, was Sylvia getötet hatte? War es nicht letztlich diese Frau, die Sylvia getötet hatte? Schluss mit diesen düsteren Gedanken. Das Spiegelbild entspannte sich. Es würde funktionieren. Noch ein bisschen Geduld, dann … bald …

▣

»Liebes, wie schön, dich zu sehen.« Ein Hauch von Parfüm und warme Arme umfingen Johanna und drückten sie an sich.
»Flo, wie schön. Ich freue mich wirklich.« Es war tröstlich. Für sie war Flo so etwas wie eine Oase in der Wüste. Zumindest nach diesem miesen Tag. Sie löste sich aus Flos Armen und schob ihn ein Stück von sich weg. Er war glatt rasiert und den nur leicht sichtbaren Bartansatz hatte er mit Make-up überschminkt. Auch seine Wimpern waren leicht getuscht. Flo hatte wunderschöne blonde Locken, um die ihn jede Frau beneidet hätte, und strahlte Johanna mit seinen blauen Augen an.
Die blauen Augen waren echt, das wusste Johanna, bei den Locken war sie sich nicht so sicher. Florian hatten einen Friseursalon, und so war es nahe liegend, dass er all seine Künste an sich selber ausprobierte. Er war wie immer elegant gekleidet. Das himmelblaue Seidengebilde musste ein Vermögen gekostet haben. Johanna sah verstohlen an ihren Jeans und ihrem karierten Flanellhemd herab. Mit einer zierlichen Geste winkte Flo ab. »Lass es, Liebes. Du siehst gut aus. Aber du weißt ja«, er legte eine Hand leicht auf seine Brust, »ich habe eine Schwäche für Seide. Markus schimpft schon ein wenig.« Flo warf einen koketten Seitenblick auf seinen Lebensgefährten. »Er sagt, dass

er bald korrupt werden müsse, wenn ich weiterhin so viel Geld für Klamotten ausgebe. Markus verdrehte die Augen und lachte.
»Du übertreibst, Liebling. Aber komm erst mal rein, Johanna.« Er nahm sie am Arm und führte sie ins Wohnzimmer. »Ich will dir erst einmal Flos neueste Errungenschaft zeigen. Wie wäre es mit einem Glas Wein?«
»Ja, sehr gern.« Johanna ließ sich in einen Sessel fallen und atmete das erste Mal an diesem Tag entspannt durch. Sie lehnte den Kopf zurück und schloss für einen Moment die Augen.
»Sieh es dir an.« Sie öffnete die Augen und sah sich an, was Markus ihr entgegenhielt.
»Was ist das?«
»Das habe ich Flo auch gefragt. Aber war so begeistert, dass ich das Thema nicht weiter verfolgt habe.« Markus lachte. Er hielt ihr zwei Skulpturen hin. Es schien sich um eine männliche und eine weibliche Figur zu handeln, wobei der Künstler auf die Ausbildung der betreffenden Geschlechtsmerkmale verzichtet hatte. Sie wirkten daher sehr ästhetisch, beinahe minimalistisch.
»Wo habt ihr die denn her?«
»Von einem Kunden.« Flos Stimme schallte aus der Küche. »Einer meiner Stammkunden ist Bildhauer, eigentlich nur so aus Spaß, in seiner Freizeit. Es ist sein Hobby. Aber ich finde ihn richtig gut. Sind sie nicht zauberhaft?«
Flo war in der Tür erschienen und seufzte versonnen bei dem Anblick der kleinen Kunstwerke.
»Kann ich dir helfen?« Johanna war aufgesprungen. Sie hatte ein schlechtes Gewissen, schließlich wollte sie sich nicht von Flo bedienen lassen.
»Nein, Liebes, du ruhst dich aus.« Flo zeigte mit einem zartrosa lackierten Fingernagel auf Johanna und verschwand wieder in der Küche.

Markus sah ihm liebevoll lächelnd hinterher.
»Wie lange seid ihr jetzt eigentlich zusammen?«
»Meinst du tatsächlich – oder seit meinem Outing?« Er lächelte sie an.
»Nein, insgesamt.«
»Acht Jahre.« Er nippte an seinem Wein.
Johanna konnte sich noch gut an den Mann erinnern, der damals zu ihr in die Sprechstunde gekommen war. Er hatte sich um sein Problem herumgedrückt und konnte so nicht mehr weiterleben, weshalb er Johanna aufgesucht hatte. Nach einer halben Stunde hatte sie sein Problem erkannt und konnte ihm helfen. Er war homosexuell und hatte Angst, sich zu outen. Im Kollegenkreis war bereits ein Verdacht aufgekommen, und keiner wollte mit ihm arbeiten, aus Angst, »angemacht« zu werden. Er wurde gemieden wie die Pest. Da er aus einem sehr konservativen Elternhaus stammte, hatte er sich nie getraut, seine Neigungen zuzugeben. Das wäre auch nicht weiter schlimm für ihn gewesen, wäre da nicht Florian gewesen, der eine Entscheidung von ihm verlangt hatte.
In langen Sitzungen hatte sie ihm klar gemacht, dass er sein Leben leben musste, egal, was andere dazu sagten, und schließlich hatte er den Sprung gewagt.
Er outete sich, wurde versetzt und landete bei der Mordkommission, bei Diekmann. Von da an ging es bergauf. Das war nun drei Jahre her, und seitdem waren sie die besten Freunde. Flo war sogar etwas wie Johannas » beste Freundin« geworden. Sie sprachen über alles, tauschten Modetipps aus, und Flo kümmerte sich auch um Johannas Haare, die seiner Meinung nach eher einem Vogelnest glichen als einem Haarschopf.
»Hörst du mir überhaupt zu?«
»Bitte?« Johanna blickte verwirrt auf. Sie war tatsächlich weit weg gewesen mit ihren Gedanken.

»Ich habe dir eben erzählt, dass Flo und ich heiraten wollen. Na ja, wir dachten uns«, Markus unterbrach sich verlegen, »du könntest vielleicht unsere Trauzeugin sein.«
»Das ist fantastisch.« Johanna freute sich wirklich. »Und es wird mir eine große Ehre sein, daran teilzuhaben.«
»Du machst es?« Flo stand vor ihr und lachte sie an.
»Natürlich.« Johanna stand auf und nahm abwechselnd Markus und Flo in den Arm.
»Wann ist es denn so weit?«
»Einen Termin haben wir noch nicht festgelegt.«
»Genau genommen«, Markus streifte Flo mit einem kurzen Seitenblick, »würde Flo gerne eine Doppelhochzeit feiern.«
Johanna blickte fragend von einem zum anderen, bis sie begriff.
»Oh nein, das könnt ihr euch abschminken. Ich denke ja gar nicht daran. Ich wüsste auch nicht, wen ich heiraten sollte.«
»Dann will ich mal den Tisch decken.« Flo verschwand wieder in der Küche und zog sich so aus der Affäre.
»Es duftet köstlich.« Johanna schnupperte. »Was ist das?
»Schweinefilet, überbacken. Du wirst es mögen.« Flo brachte die heißen Pfannen herein. Er stellte alles auf den Tisch und setzte sich.
»Nehmt Platz und lasst es euch schmecken.«
Eine Zeit lang aßen alle schweigend, bis Flo zwischen zwei Bissen das Gespräch wieder aufnahm.
»Was ist mit Stefan?«
Johanna ließ ihre Gabel sinken und griff nach dem Weinglas. Sie nippte an der hellen Flüssigkeit und versuchte so, ein wenig Zeit zu gewinnen. Dieses Thema war ihr unangenehm, fast so unangenehm wie ein Besuch beim Frauenarzt.
»Was soll mit ihm sein?« Sie wurde jedes Mal verlegen, aber unbarmherzig, wie Flo war, würde sie ihm dieses Mal wohl nicht entkommen.

»Du weißt genau, was ich meine. Meint er es ernst?« Flos blaue Augen sprühten kampfeslustig.
»Komm schon, ich habe nie etwas verlangt.«
»Nein, aber gewünscht. Oh, Liebes.« Flo beugte sich über den Tisch und legte Johanna leicht eine Hand auf den Arm. Dann änderte er seine Taktik. »Johanna, du willst doch eine Familie. Und außerdem, das darfst du nicht vergessen, wirst du auch nicht jünger. Also, wie steht es mit Stefan?«
Johanna stellte ihr Weinglas hin und drehte am Stiel.
»Beschissen.«
»Ach, doch so gut.« Markus versuchte die Stimmung etwas aufzulockern, verstummte jedoch sofort wieder, als er die ernsten Gesichter seiner Freunde sah. Er wandte sich Johanna zu.
»Warum tust du dir das bloß an?«
»Komm schon. Ihr tut gerade so, als würde ich mich verleugnen.« Johanna stocherte lustlos in ihrem Essen herum.
»Tust du das nicht?«
Flo hob die sorgfältig gezupften Augenbrauen.
»Können wir bitte das Thema wechseln?« Johanna beugte sich über ihren Teller und bemühte sich, hoch konzentriert zu wirken.
»Sicher. Du hattest Ärger mit Diekmann?«, fragte Markus trocken, und sie hätte ihn dafür ermorden können. Er wollte ihr wirklich nichts ersparen. Sie ließ die Gabel fallen und lehnte sich mit einem Aufstöhnen in ihrem Stuhl zurück.
»Du weißt es schon?«
»Was?« Flos blaue Augen weiteten sich neugierig. Johanna seufzte. Heute Abend hatte sie verloren. Das wusste sie. Zumindest Flo würde sie nicht mehr aus den Augen lassen.
»Wir hatten einen Disput.«
»Schlimm?«
»Sehr schlimm. Er ist ein Arschloch.«

»Das sagtest du bereits.« Markus konnte sich ein Lächeln nicht verkneifen.
»Ja, aber das ist zwei Tage her.« Sie nahm die Serviette und tupfte sich den Mund ab. Man musste wissen, wann man verloren hatte.
»Er hat den Mann von Gudrun Spengler behandelt wie ein Stück Dreck.«
»Du meinst den Witwer.«
»Macht das einen Unterschied?«
»Oh ja, er könnte genauso gut der Mörder sein.«
»Das glaubst du doch selber nicht. Er hat mir unterstellt, ich würde seine Arbeit behindern.«
»Seine Erfahrung mit Psychologen sind eben nicht gerade die besten. Du musst ihn schon auch verstehen. Er will einen Mord aufklären, den Mörder verhaften und kein Schonprogramm fahren.
»Das will ich auch nicht«, maulte Johanna.
»Das weiß er aber nicht.« Markus beugte sich vor, und redete eindringlich auf Johanna ein. »Du musst ihm zeigen, dass du am gleichen Strang ziehst wie er. Erst wenn er das kapiert hat, wird er dich akzeptieren.«
Johanna beugte sich wütend vor. »Darauf bin ich nicht angewiesen.« Da war er wieder, der Trotz in ihrer Stimme. Eine Eigenschaft, die sie jahrelang trainiert hatte, um der einzigen Person gegenübertreten zu können, die Macht über sie besaß.
»Doch, das bist du. Wenn du es nicht schaffst, fliegst du raus.«
»Na, reizend. Auf welcher Seite stehst du eigentlich?«
»Das ist eine sehr kindische Frage. Wir stehen alle auf derselben Seite.«
»Hört auf, euch zu streiten.« Flo legte besänftigend eine Hand auf Markus' Arm. »Sie hat es schon schwer genug. Hör auf, sie ständig zu kritisieren. Und du«, er wandte sich an Johanna, »solltest ein wenig darüber nachdenken, was Markus dir gesagt

hat. Du bist nun einmal derzeit auf Diekmann angewiesen. Wenn du dich jetzt mit ihm überwirfst, hast du kaum noch eine Chance, Fuß zu fassen und die gebührende Anerkennung für deine Arbeit zu bekommen. Also schluck deinen Stolz hinunter und lass ihn reden.«

Johanna seufzte. »Gegen euch beide habe ich einfach keine Chance. Was schlagt ihr also vor?«

»Mach das, was du für richtig hältst, aber geh Diekmann dabei aus dem Weg, das heißt im Klartext: Streite nicht ständig mit ihm.«

Johanna stocherte missmutig in ihrem Essen herum. »Mit diesem Menschen ist einfach nicht zu reden.« Ihr wurde bewusst, dass sie sich gerade wie ein kleines Kind benahm, das zu guter Letzt mit dem Fuß aufstampfte, um seinen Willen zu bekommen. Etwas, was sie als Kind nie getan hatte, weil sie nicht mutig genug gewesen war.

»Dann lass es. Mach deinen Job und lass es dabei bewenden. Aber spiel nicht die beleidigte Leberwurst. Und jetzt erzähl doch mal, wie es bei Spengler gelaufen ist?« Markus hatte sein Besteck wieder aufgenommen und widmete sich seinem Essen.

»Er hat seine Frau zuletzt auf der Party gesehen, auf der sie gemeinsam waren. Sie hatten Streit, sie ist allein weggegangen, und der liebende Ehemann ist mit einer anderen abgezogen.«

»Und?«

Johanna legte ihr Besteck beiseite. »Ich weiß nicht. Irgendwo auf dem Weg von der Party nach Hause ist sie dann verschwunden.«

»Ist sie denn wirklich nach Hause gegangen?«

»Ihr Mann sagt Ja. Aber eigentlich ist das egal.«

»Wieso?« Markus runzelte die Stirn und sah sie an, als könne er ihr nicht ganz folgen.

»Na ja, irgendwo ist sie ihrem Mörder begegnet. Dann verliert sich ihre Spur. Außerdem«, sie nahm einen Schluck aus ihrem Glas, »scheint sie ihn gekannt zu haben.«

»Wie kommst du denn darauf?«

»Erinnerst du dich nicht? Sie hatte keine äußeren Verletzungen. Keine Knebel- oder Fesselspuren, keine Würgemale, keine Anzeichen für den Gebrauch anderer Waffen. Es hat sie also niemand angegriffen und sie muss ihren Mörder somit entweder gekannt haben oder ihm aus einem anderen Grund vertraut haben.

»Wie war sie angezogen?« Flo zerschnitt das Stück Fleisch auf seinem Teller mit zierlichen Bewegungen und schob sich dann ein kleines Stück in den Mund. Der Käse auf dem Fleisch hatte lange Fäden gezogen, die Flo elegant durchtrennte. Er wickelte sie auf die Gabel und schob sie ebenfalls in den Mund. Markus lehnte sich in seinem Stuhl zurück. »Partykleidung. Du weißt schon, ein kurzes schwarzes Etuikleid, Pumps, eine Jacke darüber. Aber das bringt uns auch nicht weiter.«

»Und wie spät war es?«

»So zwischen 21.00 Uhr und 21.30 Uhr. Warum fragst du?«

»Sie muss doch irgendwie weggekommen sein. Es ist Herbst, und in diesem dünnen Partyfummel wäre sie normalerweise nicht weit gekommen. Außerdem wären ihre Schuhe bei dem Regen, den wir seit Wochen haben, vollkommen ruiniert gewesen.«

Johanna dämmerte langsam, worauf Flo hinauswollte. »Du meinst, sie hat ein Taxi genommen?«

»Das ist nur so ein Gedanke, aber ich glaube nicht, dass ich mich als Frau in solcher Kleidung um diese Uhrzeit in die U-Bahn oder den Bus getraut hätte.«

»Moment mal«, Markus beugte sich vor, »du willst doch wohl nicht sagen, dass wir unseren Killer unter Hamburgs Taxifahrern suchen müssen?«

»Warum nicht?«
Flo zuckte mit den Schultern. »Überleg doch mal. Die sicherste Art für eine Frau, abends nach Hause zu kommen, ist immer noch das Taxi. Einem Taxifahrer vertraut eine Frau garantiert.«
»Das erscheint mir doch etwas zu offensichtlich.« Markus lehnte sich wieder zurück und schüttelte den Kopf. Einen Moment lang herrschte Schweigen am Tisch, bis Johanna den Faden wieder aufgriff.
»Ich glaube, Flo hat Recht. Keine Frau würde sich unter normalen Umständen zu einem fremden Mann in den Wagen setzen. Bei einem Taxifahrer allerdings hat man keine Befürchtungen. Wir müssten allerdings überprüfen, ob die anderen Opfer auch mit dem Taxi gefahren sind.« Man merkte ihr an, dass sie fieberhaft nachdachte. Sie rutschte auf ihrem Stuhl herum und ihre Augen wanderten ruhelos auf dem Tischtuch umher. »Doch, ich finde, das ist eine gute Idee. Wir sollten das wirklich in Erwägung ziehen.«
Markus sah immer noch skeptisch von einem zum anderen.
»Selbst wenn das stimmt, haben wir kaum eine Chance. Es fahren doch so viel Taxis in der Stadt herum, dass sich bestimmt niemand an ein bestimmtes Fahrzeug erinnern kann, selbst wenn wir einen Zeugenaufruf in die Zeitung setzen würden. Obwohl«, er rieb sich nachdenklich das Kinn, »wir könnten es natürlich versuchen. Bei den Taxizentralen nachfragen, ob irgendjemand in der betreffenden Zeit eine Fahrt angemeldet hat. Johanna, hast du die Adresse von dieser Party, bei der die Spenglers waren?«
»Ja, warte mal.« Sie kramte in ihrer Tasche, die sie über die Stuhllehne gehängt hatte, und fischte einen kleinen zerknüllten Zettel hervor.
»Es ist im Eppendorfer Weg gewesen.« Sie reichte Markus den Zettel über den Tisch. Er betrachtete ihn eine Weile und steckte

ihn dann in seine Hosentasche. »Ich kümmere mich morgen darum.«

Sie hatten noch eine Weile zusammengesessen, bis Johanna müde wurde und nach Hause ging. Sie schloss ihre Wohnungstür auf und warf die Schlüssel auf einen kleinen Tisch im Flur. Ihre Gedanken kreisten beständig um diesen Fall, und jetzt erst bemerkte sie, dass sie nicht nur körperlich, sondern auch geistig erschöpft war. Der Anrufbeantworter blinkte rhythmisch. Im Vorbeigehen drückte sie auf den Wiedergabeknopf. Es war Stefan. Seine Stimme klang lange nicht mehr so schmeichelnd wie vor zwei Tagen. Sie meinte sogar einen leicht ungeduldigen Unterton in seiner Stimme zu hören und stellte erstaunt fest, dass sie Stefan während der vergangenen Tage fast völlig verdrängt hatte. Noch nie hatte er auf ihren Rückruf lange warten müssen. Jetzt hörte er sich an wie ein schmollendes Kind, das das gewünschte Spielzeug nicht erhalten hatte. Sie seufzte. Gut, ein kurzer Anruf würde sie nicht umbringen.
»Ja?« Seine Stimme klang gereizt. Sie ließ sich auf ihr Sofa fallen und legte den Kopf zurück.
»Ich bin's. Entschuldige, ich habe dich vergessen. Tut mir Leid.«
»Ich dachte schon, du würdest dich gar nicht mehr melden.« Da war es wieder, das enttäuschte Kind. Stefans Schmollmund erschien vor ihrem geistigen Auge. »Ich hatte viel zu tun.«
»Wollte sich wieder einer deiner Kollegen umbringen?« Es klang gelangweilt und desinteressiert.
»Es gibt noch ein paar andere Dinge, die in mein Ressort fallen.« Ärger stieg in ihr hoch. Er hatte sie und ihren Beruf noch nie ernst genommen. Das war wohl auch der Grund, warum er sich mit ihrer Mutter so gut verstand, dachte sie bissig.
»Ach. Ich kann dir sagen, es war ganz schön anstrengend in Köln, und ich ...«

»Bitte entschuldige, aber ich bin wirklich müde. Lass uns morgen weiterreden, ja?« Sie unterdrückte ein Gähnen. Das Schweigen am anderen Ende der Leitung zeigte ihr, dass er mit dieser Reaktion nicht gerechnet hatte. Wie sollte er auch? Bisher hatte sie sich immer all seine Geschichten geduldig angehört und ihn angemessen bemitleidet. So etwas wie ein schlechtes Gewissen stieg in ihr hoch, aber sie verdrängte es schnell wieder. Schluss damit, jetzt war sie mal dran. Außerdem war sie einfach zu müde, um sich um Stefans Seelenheil zu kümmern.
»Dann eben nicht. Schlaf gut.« Er legte unvermittelt auf, noch bevor sie antworten konnte. Sie starrte noch eine Weile, nachdem sie den Hörer aufgelegt hatte, das Telefon an, entschied sich dann aber dagegen, ihn noch einmal anzurufen und sich für ihre kurz angebundene Art zu entschuldigen.
Entschuldigen – es war ihr fast zur zweiten Natur geworden, sich ständig für alles zu entschuldigen. Allein bei diesem kurzen Telefonat hatte sie es zweimal getan. Sie rieb sich mit den Fingerspitzen über die Schläfen. Für heute musste jedenfalls Schluss damit sein.

»Hätten Sie etwas dagegen, wenn ich noch einmal mit den Angehörigen der Opfer spreche?« Johanna stand vor Diekmanns Schreibtisch und kam sich wie eine kleine Bittstellerin vor. Sie erinnerte sich an Flos Rat und versuchte, ihrer Stimme die Aggressivität zu nehmen.
Er sah kurz hoch und runzelte die Stirn.
»Wir haben bereits mit den Angehörigen gesprochen.«
»Das weiß ich, aber *ich* möchte noch einmal mit ihnen reden.« Sie *war* eine Bittstellerin.
»Und was versprechen Sie sich davon?« Er beugte sich wieder über seine Akten und schrieb weiter.
»Ich möchte etwas mehr über die Opfer herausfinden.« Sie ver-

suchte sich die in ihr aufkeimende Ungeduld nicht anmerken zu lassen.
»Wir suchen einen Mörder, die Opfer haben wir schon. Die Aussagen können Sie nachlesen. Ich sehe keinen Sinn darin, die Angehörigen unnötig weiter zu quälen.«
Johanna merkte, wie die Wut wieder in ihr aufstieg. Sie beugte sich vor und stützte sich mit beiden Händen auf der Tischplatte ab.
»Ich habe nicht vor, die Angehörigen zu quälen. Ich habe genau wie Sie vor, einen Mörder zu fangen. Ihre Methoden haben anscheinend bisher versagt, sonst hätten Sie den Killer ja schon gefasst, oder?« Sie sah sich demonstrativ im Zimmer um, so als wolle sie sehen, ob jemand hinter ihr stünde.
»Wenn Sie Erfolg gehabt hätten, wäre ich nicht hier. Es ist doch so, dass man mich Ihnen direkt vor die Nase gesetzt hat, nicht wahr? Glauben Sie mir, das passt mir genauso wenig wie Ihnen, aber ich fürchte, unsere Meinung ist hier nicht besonders gefragt. Oder hat man Sie etwa um Ihre Zustimmung gebeten? Ich hatte eigentlich nicht vor, Sie erst um Erlaubnis zu bitten. Ich denke nämlich nicht, dass ich das nötig habe, aber wir sollten vielleicht trotzdem unsere ja wohl durchaus unterschiedlichen Vorgehensweisen absprechen. Also, wie sieht es aus?«
Diekmann sah sie aus zusammengekniffenen Augen an. »Sie können froh sein, dass ich heute gute Laune habe und mir von allen möglichen Leuten Frechheiten bieten lasse, selbst einen so emotionalen und völlig unnötigen Ausbruch wie den Ihrigen. Also gut«, er warf den Kugelschreiber, den er in der Hand hielt, auf den Tisch und stand auf, »aber stehen Sie mir nicht im Weg und kommen Sie mir vor allen Dingen keinesfalls in die Quere. Sollte sich irgendjemand über Sie beschweren, werde ich dafür sorgen, dass Sie hier verschwinden. Haben wir uns verstanden?« Wütend funkelte er sie an und stand dabei so dicht vor

ihr, dass er ihr fast seinen Zeigefinger in die Brust bohrte, den er drohend erhoben hatte.
Johanna straffte die Schultern und trat einen Schritt zurück. Sie merkte, wie sie allmählich ruhiger wurde.
»Fein, dann sind ja zumindest die Fronten geklärt.« Sie drehte sich um und ging aufreizend langsam zur Tür. »Ich werde es Sie wissen lassen, wenn ich etwas herausgefunden habe.«
In ihrem Büro ließ sie sich in ihren Sessel fallen und atmete hörbar aus. Er würde sie erst einmal nicht mehr in ihrer Arbeit behindern, und sie würde erst wieder mit neuen Fakten an ihn herantreten. Somit hatte sie mehr oder weniger freie Bahn. Mit der Unterstützung seiner Leute würde sie, mit Ausnahme von Markus, nicht rechnen können. Man würde ihr höchstens einige Fragen beantworten. Aber das war jetzt nicht weiter wichtig.
»Ich habe die Sache etwas angeschoben.« Plötzlich lehnte Markus im Türrahmen und sah auf sie herab.
»Welche Sache?«
»Du weißt schon, die Sache mit den Taxifahrern. Viel verspreche ich mir nicht davon, aber vielleicht ist es wenigstens ein Anfang. Wie läuft es bei dir?« Er schlenderte ins Zimmer und setzte sich auf die Tischkante.
»Geht so, aber ich habe jetzt freie Hand. Zumindest vorerst.« Sie zuckte mit den Achseln. »Solange mich Diekmann nicht sieht, wird er mir auch nichts tun. Das ist jedenfalls das Fazit unsere netten kleinen Unterhaltung, die ich eben mit ihm geführt habe.« Sie lachte freudlos auf. »Er mag mich nicht.«
»Ich habe dir schon einmal gesagt, dass du das nicht persönlich nehmen sollst. Lass ihn einfach links liegen. Bei wem fängst du an?« Völlig unvermittelt hatte er das Thema gewechselt.
»Gute Frage.« Johanna blätterte die Akten durch. »Ich denke, bei den Eltern von Opfer Nummer eins, bei Familie Beckmann.«
»Soll ich mitkommen?«

»Nein, lass nur. Ich möchte nicht, dass ein Polizist dabei ist. Allein komme ich besser mit so einer Situation zurecht. Trotzdem danke.«
»Melde dich zwischendurch mal, ja? Das machen wir alle hier.«
Sie nickte. »Okay.«

Sie blieb noch einen Moment im Wagen sitzen und atmete tief durch. Claudia Beckmann war vor etwa sechs Wochen tot aufgefunden worden. Sie war die Erste, die zur falschen Zeit am falschen Ort gewesen war. Johanna stieg aus und ging zügig auf die Haustür des bescheidenen Einfamilienhauses zu. Ein Schild an der Pforte sollte ungebetene Gäste darauf hinweisen, dass hier ein Wachhund das Sagen hatte, ein niedriger Zaun trennte den kleinen gepflegten Vorgarten von der Straße.
Johanna hatte sich nicht angemeldet, aus Angst, dass man dann vielleicht nicht mit ihr sprechen wollte. Es war durchaus möglich, dass man ihr die Tür vor der Nase zuschlug. Schließlich hatten diese Menschen genug durchgemacht; sie hatten die Fragen der Polizei ertragen und waren schließlich mit ihrem Kummer allein gelassen worden. Wer würde es ihnen da verdenken, wenn sie nun nicht mehr an die Tragödie erinnert werden, keine Fragen mehr über sich ergehen lassen wollten?
Es dauerte geraume Zeit, bis Johanna die Tür geöffnet wurde. Sie war sich darüber im Klaren, dass sie durch ein Fenster im oberen Stockwerk beobachtet worden war. Aber dann öffnete eine korpulente Frau. Sie war schwarz gekleidet und hatte dunkle Ringe unter den Augen.
»Frau Beckmann?«
Die Frau nickte.
»Mein Name ist Johanna Jensen. Ich bin Polizeipsychologin und würde gern kurz mit Ihnen sprechen.« Die Frau zögerte und sah sie misstrauisch an.
»Warten Sie.« Johanna wühlte in ihrer Tasche und holte einen

Dienstausweis hervor. Es war das erste Mal, dass sie ihn benutzte.
»Hier ist mein Ausweis. Sie können sich auch gern bei meiner Dienststelle nach mir erkundigen, wenn sie wollen.«
Die Frau warf einen kurzen Blick auf den Ausweis und trat dann einen Schritt beiseite.
»Kommen Sie herein.«
So einfach wie das Haus von außen wirkte, war es auch innen eingerichtet. Die Möbel waren alt, die Teppiche abgetreten und schon etwas fadenscheinig, aber alles war penibel sauber. In der Luft hing ein Geruch, den ihre Mutter immer als »Arme Leute-Geruch« bezeichnet hatte. Eine Mischung auch Essigreiniger und Kochdünsten, die für Johanna Geborgenheit vermittelte, ein Geruch, der zeigte, dass hier Menschen lebten. Bei ihr zu Hause hatte es immer steril gerochen und nach dem schweren Parfüm ihrer Mutter. Ein Geruch, der ihr oft Übelkeit verursacht hatte.
»Bitte.« Frau Beckmann lud Johanna mit einer Handbewegung ein, auf dem Sofa Platz zu nehmen, sie selbst blieb stehen, und faltete abwartend die Hände vor dem Bauch.
»Ich möchte sie keineswegs quälen, aber es gibt noch einige Dinge, die ich wissen möchte.« Johanna rutschte nervös auf dem Sofa herum.
»Ja, bitte?« Frau Beckmann verkrampfte sich augenblicklich, und Johanna konnte sehen, dass sie mit den Tränen kämpfte. Johanna stand auf und ergriff die Hände der älteren Frau. Sie waren eiskalt. »Glauben Sie mir, ich will Ihnen helfen, aber dafür müssen Sie mir zunächst helfen, auch wenn es sehr schmerzlich für Sie sein muss.« Sie lächelte ihr aufmunternd zu. Die alte Frau schloss für einen Moment die Augen und nickte dann. Sie drückte Johannas Hand und löste sich dann sanft von ihr. Mit schweren Schritten ging sie zu einem Sessel und setzte sich.

»Es ist sehr schwer für uns, wissen Sie.« Die Stimme der trauernden Mutter klang leise und etwas unsicher. Johanna schob die Hände in ihre Jackentasche und biss sich auf die Lippen. Es war nicht einfach, irgendetwas zu sagen, sie wollte sich auch nicht in Allgemeinplätzen ergießen, also ließ sie es ganz.
»Was genau wollten Sie denn wissen?« Frau Beckmann sah zu ihr auf und versuchte tapfer zu lächeln. Johanna ließ sich auf einer Sofaecke nieder und sah der Mutter von Claudia Beckmann fest in die Augen.
»Erzählen Sie mir etwas über Ihre Tochter. Wie war sie? Was hat sie gemacht in ihrer Freizeit?«
»Sie war so ein liebes Mädchen und hat uns immer nur Freude gemacht. Vormittags hat sie Pädagogik studiert, nachmittags hat sie sich um behinderte Kinder in einem Sonderschulkindergarten hier in der Nähe gekümmert. Sie hat das umsonst gemacht, weil sie etwas lernen wollte und weil sie Kinder sehr mochte. Einen Freund gab es nicht, und sie hat noch zu Hause gewohnt.«
Frau Beckmann unterbrach sich und schnäuzte geräuschvoll in ihr Taschentuch. Sie knetete unablässig ihre Finger. Johanna merkte, dass die Frau in sich hineinhorchte. Die Erinnerung an ihre Tochter schien sie zu quälen, aber Johanna gewann den Eindruck, dass sie das erste Mal seit Wochen wieder von ihrer Tochter sprach, und das eigentlich auch brauchte, um besser mit ihrer Trauer fertig zu werden. Trauerarbeit nannte man das.
»Ging sie viel aus?«
»Nein.« Claudias Mutter schüttelte den Kopf. »Nein, sie war abends fast immer zu Hause. Mitunter traf sie sich mit einer Freundin, um ins Kino zu gehen, aber das war auch schon alles.«
»Was passierte an dem betreffenden Abend?«
»Ich weiß es nicht. Mein Mann und ich waren bei Freunden

eingeladen. Als wir nach Hause kamen, war sie nicht da. Sie hatte auch keine Nachricht hinterlassen, wie sie es sonst immer tat. Sie hat sie immer in die Küche auf den Tisch gelegt.«
Sie zeigte vage in eine Richtung, von der Johanna annahm, dass sich dort die Küche befand.«
»Wenn sie abends wegging, nahm sie dann den Bus oder die Bahn?«
»Mitunter nahm sie unseren Wagen. Sie hatte Angst, abends mit der Bahn zu fahren. Aber das kam nicht sehr oft vor. Sie war sehr verantwortungsbewusst, und wenn sie etwas trinken wollte, nahm sie ein Taxi. Wissen Sie, sie wäre nie gefahren, wenn sie Alkohol getrunken hatte.«
Johanna versteifte sich.
»Haben Sie mit ihren Freunden gesprochen?«
»Ja, aber man hat sie an jenem Abend nicht gesehen. Sie hat sich mit keinem von ihnen getroffen. Keiner wusste etwas.« Die Stimme von Claudias Mutter wurde brüchig. Sie nahm ein Taschentuch und tupfte sich die Nase. Sie schien immer mehr in sich zusammenzusinken. Im Hintergrund war das rhythmische Ticken einer Standuhr zu hören. Es durchbrach schmerzhaft die Stille.
Johanna machte sich im Kopf eine Notiz, die entsprechenden Aussagen zu lesen.
»Wann ist sie zuletzt mit dem Taxi gefahren?«
Frau Beckmann zuckte die Schultern. »Das ist bestimmt schon zwei oder drei Monate her. Es ist ja auch sehr teuer, und sie gab nur sehr ungern unnötig Geld aus. Sie war keine Kneipengängerin, saß lieber in ihrem Zimmer und las ein gutes Buch oder ging, wie gesagt, mal mit Freunden ins Kino. Ich kann Ihnen nicht sagen, was passiert ist.« Sie brach unvermittelt in Tränen aus und verbarg ihr Gesicht in den Händen.
Johanna legte ihr sanft eine Hand auf den Arm. Sie widerstand der Versuchung, die ältere Frau in den Arm zu nehmen.

Sie brauchte noch weitere Hinweise. »War sie ein ängstlicher Typ?«
»Nein, eigentlich nicht.«
»Wie, glauben Sie, hätte sie reagiert, wenn sie überfallen worden wäre?«
Die Frau sah sie verständnislos an.
»Ich meine, hätte sie geschrien, hätte sie sich gewehrt?«
»Ich denke … ich denke, sie hätte versucht, mit der Person zu reden. Sie war immer der Meinung, dass man über alles reden könne. Aber was soll das? Sie wurde doch überfallen, oder?«
»Nein, Frau Beckmann. Alles spricht dagegen, dass sie überfallen wurde.«
Die Augen von Claudias Mutter nahmen einen schmerzlichen Ausdruck an. Einer plötzlichen Eingebung folgend, versuchte Johanna ihr den Schmerz zu nehmen und sagte: »Ich glaube nicht, dass Ihre Tochter Angst hatte, und ich bin mir sicher, dass sie nicht gelitten hat.«

Bis zu diesem Zeitpunkt war es ihr noch nie so bewusst gewesen, wie schwer es war, Menschen Trost zu spenden, wo es keinen Trost gab. Unwillkürlich musste sie an ihren eigenen Bruder denken, der Trost gesucht und nicht gefunden hatte. Sie, als seine Schwester, wäre verpflichtet gewesen, ihm zu helfen, aber sie hatte versagt. Eigentlich hatte er auch gar keinen Trost gebraucht, eher Verständnis. Sie fragte sich, ob es damals anders weitergegangen wäre, wenn ihr Vater noch am Leben gewesen wäre. Das Leid dieser Frau, die um ihre Tochter trauerte, ging ihr näher, als sie gedacht hatte. Sie hatte nicht damit gerechnet, dass die alten Wunden wieder aufbrechen würden, aber nun war es geschehen. Sie blieb stehen, holte einmal tief Luft – und versuchte sich zu konzentrieren. Sie musste etwas unternehmen, um diesem Wahnsinn ein Ende zu bereiten. Sie legte den Kopf weit in den Nacken und starrte in den Himmel.

Weiße Wolken jagten vorbei und es sah aus, als würden sie davonlaufen.
Das Atmen fiel ihr schwer, so dass es einen Moment dauerte, bis sie sich wieder gesammelt hatte. Sie hatte einen Menschen in tiefer Verzweiflung zurückgelassen, und es gab nichts, was sie tun konnte. Zumindest hatte aber ihre Behauptung, dass Claudia wahrscheinlich nichts gemerkt hatte, ein wenig Leben und Zuversicht in die Augen der Mutter gezaubert. Vielleicht war das für diese gebrochene Frau ein Anfang.
Johanna merkte, dass sie sich nicht weiter in die Gefühlswelt der Angehörigen einlassen durfte, da ansonsten ihre eigene Seele Schaden nehmen würde. Schon jetzt erschienen Bilder vor ihrem geistigen Auge, die sie vermutlich nicht mehr schlafen lassen würden, und sie stand schließlich erst am Anfang ihrer Ermittlungen. Sie rieb sich kräftig über die Augen, bis sie schmerzten, um diese Bilder zu vertreiben, und stieg dann in ihren Wagen ein. Entschlossen startete sie den Motor. Sie hatte einen langen Weg vor sich, egal, wohin er führte.
Es war nicht einfach, in der Stadt einen Parkplatz zu finden, aber schließlich gelang es ihr, einen am Jungfernstieg zu ergattern. Sie ging die paar Schritte bis zum Ballindamm, wo der Verlobte von Sigrid Meinecke, Joachim Henschke, als Berater bei einer Bank tätig war. Sie war dankbar, ihn auf neutralem Boden treffen zu können; so würde er zumindest gefasster sein als Frau Beckmann. Die hübsche Blondine am Empfang musterte sie von oben bis unten, bis sie sich endlich bequemte, sie anzumelden. Wenn man einen Vergleich zwischen ihnen beiden anstellen würde, dann käme man vielleicht auf Claudia Schiffer und Angela Merkel. Grimmig registrierte Johanna, dass sie beim besten Willen nicht mit Claudias Schiffer zu verwechseln war.
»Frau Jensen?« Der junge Mann, der vor ihr stand, sah außergewöhnlich gut aus. Er schien nicht nur gefasst zu sein, er

wirkte jovial, beinahe heiter, zumindest lächelte er sie leicht an. Wohlwollend registrierte sie sein Aftershave, das ihn wie eine Wolke zu umgeben schien, und unwillkürlich verglich sie es mit dem von Diekmann. Ärgerlich schüttelte sie kurz den Kopf, um diese unliebsamen Gedanken zu vertreiben.
»Herr Henschke, nehme ich an.« Sie ging auf ihn zu und schüttelte ihm die Hand.
»Sie wollten mich sprechen?« Er rührte sich nicht vom Fleck, so als erwarte er, dass man die Angelegenheit zwischen Tür und Angel erledigen könne.
»Ja, das ist richtig. Es geht um Ihre Verlobte.«
Sein Gesicht wurde hart, aber er hatte sich schnell wieder im Griff.
»Hier entlang, bitte.« Er wies ihr, wieder lächelnd, den Weg in sein Büro.
Das Büro war teuer und sehr schlicht eingerichtet. Hier war kein überflüssiger Schnörkel zu finden. Das Zimmer wirkte genauso kühl und elegant wie Henschkes professionell unnahbarer Gesichtsausdruck.
»Nehmen Sie Platz.« Er ging um den Schreibtisch herum und setzte sich ihr mit gefalteten Händen gegenüber.
Sie war heilfroh, dass sie sich heute Morgen für ein Kostüm in dezenten Blautönen entschieden hatte. So wirkte sie wenigstens ansatzweise seriös.
»Bitte, was kann ich für Sie tun?« Seine Emotionslosigkeit machte sie wütend. *Die Frage ist, was ich für dich tun kann, du Lackaffe.*
»Ich habe noch einige Fragen, die Ihre Verlobte betreffen.«
»Ich habe doch bereits mit der Polizei gesprochen.« Er veränderte kaum merklich seine Haltung, indem er die Schultern ein wenig straffte und sich ein Stück zurückzog, so dass er nun beinahe abweisend wirkte.
Sie nickte. »Das ist mir bekannt, aber es gibt noch einige Dinge,

die für mich interessant sind. Ich bin Polizeipsychologin und ebenfalls mit diesem Fall betraut.«
»Ach so.« Er lehnte sich zurück und tippte leicht mit den Fingerspitzen auf die Tischplatte. »Sie wollen ein Täterprofil erstellen, oder so etwas Ähnliches?«
»Genau.« Johanna lächelte sanft.
»Nur zu. Fragen Sie.«
»Erzählen Sie mir etwas über Frau Meinecke.«
»Was wollen Sie hören?« Entweder wusste er nicht viel über seine verstorbene Beinahe-Ehefrau oder er wollte nur das Nötigste über sie erzählen.
»Wie war sie? Was tat sie in ihrer Freizeit? War sie ein ängstlicher Typ? Ging sie oft abends allein weg?«
»Verstehe. Ich dachte, Sie wollten ein Täterprofil erstellen. Sind hierfür Ihre Fragen wirklich der richtige Weg?« Sein Lächeln wirkte ein wenig albern.
»Viele Wege führen nach Rom, Herr Henschke.«
Er hob abwehrend die Hände. »Verzeihen Sie, ich habe natürlich keine Ahnung von Ihrem Metier. Also gut, sie spielte Tennis und ging gern in die Oper. Sie ging eigentlich nie abends allein weg, meistens waren wir zusammen unterwegs. Ängstlich war sie nicht, dafür war sie viel zu selbstbewusst, außerdem war sie Kampfsportlerin. Es ist mir deswegen unverständlich, wie man sie überfallen konnte.«
»Fuhr sie viel mit dem Taxi?«
»Wie bitte?« Henschke beugte sich wieder vor, und sah sie amüsiert an. »Ist das wichtig?«
»Alles kann wichtig sein. Ich will herausfinden, wie Frau Meinecke ihrem Mörder begegnete. Sehen Sie, es gibt neue Anhaltspunkte in diesem Fall.« Sie blickte ihn Rat suchend an. Ein Blick in das Gesicht ihres Gegenübers zeigte ihr, dass sie auf dem richtigen Weg war. Es nahm einen leicht überheblichen Ausdruck an.

»Sie fuhr sehr oft Taxi. Besonders wenn sie abends bei einem Geschäftsessen war.«
»Das ist interessant. Rief sie denn dann immer eine bestimmte Taxenzentrale an?«
»Das weiß ich nicht, aber ich nehme es an.«
»Was geschah an dem Abend, an dem sie verschwand?«
»Sie war beim Tennisspielen, war also mit ihrem eigenen Auto gefahren. Das Fahrzeug ist ja auch meines Wissens nach vor der Sporthalle gefunden worden. Sie selber war drei Tage verschwunden, bis man …« Er brach ab, es war das erste Mal, dass er etwas Gefühl zeigte. Ob es daran lag, dass er das Unaussprechliche nicht aussprechen konnte oder weil er nicht herzlos erscheinen wollte, konnte Johanna nicht sagen.
»Noch eine letzte Frage: Haben Sie auf der Beerdigung fotografiert?«
»Wie bitte?« Er schien nun wirklich entsetzt zu sein.
»Das ist nicht ganz unüblich, müssen sie wissen«, entschuldigte sich Johanna hastig. Wie konnte sie nur so trampelig fragen. »Manche Menschen möchten einfach ein letztes Andenken an den Verstorbenen haben und machen zum Beispiel Bilder vom Grab. Haben Sie solche Bilder gemacht?«
Er dachte kurz nach. »Ich persönlich nicht, aber ich glaube Sigrids Eltern. Mit ihnen sollten Sie reden.«
Sie stand auf und verabschiedete sich.
»Ich danke Ihnen. Sie haben mir sehr geholfen. Sollte ich zu einem späteren Zeitpunkt noch Fragen haben …«
»Rufen Sie vorher an. Dann vereinbaren wir einen Termin.«
Das könnte dir so passen. Einen Termin ausmachen und mich dann versetzen.
»Sicher.« Sie erwiderte sein Lächeln kühl, nickte ihm noch einmal kurz zu und verschwand.
Der Empfang war leer. Die Blondine puderte sich wohl gerade ihre Nase.

»Mit der Mutter von Claudia Beckmann und mit dem Verlobten von Sigrid Meinecke habe ich gesprochen, und bereits hier wird klar, dass der Mörder keinen bestimmten Typ im Auge hatte. Beide Frauen waren grundverschieden. Die eine zeichnete sich durch ihr soziales Engagement aus, die andere war eine Karrierefrau. Die eine meinte durch Gespräche die Welt verbessern zu können, die andere verließ sich lieber auf Handkantenschläge.« Johanna seufzte. Markus saß ihr in seinem Wohnzimmer gegenüber, die Hände locker auf die Oberschenkel gestützt.

»Was denkst du?«

»Keine Ahnung. Hier passt überhaupt nichts. Ich habe einfach keine Ahnung, wo ich anfangen soll.«

»Er muss alle vier gekannt haben.« Markus' Aussage war eine Feststellung.

»Nicht unbedingt. Er kann sie alle beobachtet und so kennen gelernt haben, aber sie müssen ihm nicht zwangsläufig begegnet sein.

»Hast du mit Diekmann gesprochen?«

»Soll das ein Witz sein? Mit dem Kerl ist nicht zu reden. Er betrachtet mich als einen Stümper und Seelenklempner.«

Markus seufzte und lächelte sie leicht an.

»Ich habe es dir doch erklärt, und ich gedenke nicht, mich zu wiederholen.«

»Trotzdem.« Johanna starrte stumpf vor sich hin. »Es gibt nichts Konkretes, was ich ihm an die Hand geben könnte.«

»Dann müssen wir noch einmal von vorne anfangen.« Markus beugte sich vor und sah sie an. »Aber du solltest dich vielleicht erst ein wenig hinlegen.«

»Du hast Recht.« Sie seufzte und erhob sich schwerfällig aus ihrem Sessel. »Ich gehe jetzt einmal nach Hause und denke nach. Vielleicht habe ich ja einen Geistesblitz. Wir sehen uns dann morgen.«

Eigentlich hatte sie gehofft, Flo zu sehen, aber der besuchte seinen Aerobic-Kurs.
Duschen wirkte meist Wunder bei ihr, und als sie aus der Wanne stieg, fühlte sie sich fast wie ein neuer Mensch. Ihre Gedanken wurden wieder ein wenig klarer, und sie fühlte sich nicht mehr so deprimiert wie noch vor wenigen Minuten. Man musste die Sache anders angehen. Markus hatte Recht, wenn er sagte, dass sie wieder von vorne beginnen mussten, obwohl sie ja zugegebenermaßen sowieso noch am Anfang stand. Sie verzichtete darauf, sich die Haare zu föhnen. Außerdem war da ja nicht mehr viel zu föhnen. Sie lächelte. Stefan hatte sich maßlos aufgeregt, als er ihre kurzen Haare sah. Er hatte behauptet, sie hätte nun gar nichts Weibliches mehr an sich, und auch ihre Mutter war entsetzt gewesen. Ihre Mutter vertrat die Ansicht, eine Frau habe weich und anschmiegsam zu sein, nicht nur charakterlich, sondern auch äußerlich. Ihrer Mutter zufolge waren die herausstechendsten Merkmale reiner Weiblichkeit lange, dauergewellte und kunstvoll frisierte Haare, ein perfektes Make-up und tadellose Kleidung. Dass dies nicht alles war, hatte sie noch nie verstanden. Johanna überlief eine Gänsehaut, wenn sie an die harte und unterkühlte Art ihrer Mutter dachte.
Ihr Vater war vor beinahe zwanzig Jahre an einem Herzinfarkt gestorben. Die Ärzte hatten von zu viel Stress gesprochen. Sie selbst war jedoch, genauso wie ihr Bruder, von jeher davon überzeugt gewesen, dass er letztendlich an gebrochenem Herzen gestorben war. Er hatte ihre Mutter geliebt und ihr, wie er immer scherzhaft gesagt hatte, die Sterne vom Himmel geholt. Aber sie hatte die Sterne nicht haben wollen.
Es gab Menschen in Johannas Leben, die ihr keine Luft zum Atmen ließen und sie ließ es sich auch noch gefallen – sie konnte nicht einmal sagen, warum sie es zuließ. Es wurde immer schwerer. Es gab Zeiten, in denen sie glaubte, ersticken zu

müssen, und trotzdem änderte sie nichts an ihrer Lage, obwohl sie wusste, das es so nicht weitergehen konnte. Wie lange sie diesen Zustand noch ertragen konnte, wusste sie nicht, und sie verdrängte die Gedanken daran auch meist erfolgreich. Sie war schon froh, wenn sie den kleinen Freiraum, den sie sich geschaffen hatte, behalten konnte. Daran zu arbeiten, ihn auszubauen, hatte sie aufgegeben.

Ihre Gedanken wurden vom Klingeln des Telefons unterbrochen. Sie zuckte zusammen. Ihr erster Impuls war, sich die Ohren zuzuhalten und so zu tun, als wäre sie nicht da. So wie ein kleines Kind, das sich die Decke über den Kopf zog und dadurch zumindest in seiner Fantasie unsichtbar wurde.

»Ja?« Sie hielt den Hörer mit einer nassen Hand, während sie versuchte, mit der anderen das Handtuch, das sie sich um den Körper geschlungen hatte, festzuhalten.

»Na, endlich! Bist du auch mal zu Hause?«

Johanna seufzte innerlich. Der harte Klang in der Stimme der Mutter hatte zwar den Schrecken ihrer Kindheit verloren, aber beileibe nicht seine Wirkung.

»Entschuldige, Mutter, aber ich habe viel zu tun.«

»Ja, ich weiß. So etwas hat Stefan schon angedeutet. Du hättest keine Zeit für ihn gehabt, weil du so beschäftigt seist.« Die Worte klangen fast ätzend. »Bist du sicher, dass das der richtige Weg ist?«

Die Stimme ihrer Mutter klang nicht nur beleidigt, sondern vor allem anklagend. Wie sehr sie das hasste.

»Ich kann nichts dafür, wenn ich zu arbeiten habe.«

»Wenn du so weitermachst, läuft er dir noch eines schönen Tages davon.« Jetzt klang ihre Stimme noch eine Spur bissiger.

»Auch Stefan hat oft keine Zeit für mich.« Es war kaum zu glauben, aber sie war schon wieder dabei, sich zu rechtfertigen.

»Das ist ja wohl etwas anderes. Als Mann hat er sich eine Stellung im Leben geschaffen, die es ihm irgendwann einmal erlauben wird, eine Familie zu ernähren.« Es schwang so etwas wie Stolz in der Stimme der älteren Frau. »Du hingegen solltest ihm doch etwas mehr Rückhalt bieten.«

»Mutter, bitte.«

»Schon gut, du musst natürlich selber wissen, was du tust.« Da war er wieder, der leicht beleidigte Tonfall in der Stimme ihrer Mutter. Und wieder stieg das schlechte Gewissen in Johanna hoch.

»Lass uns bitte das Thema wechseln.« Das war, wie immer, Johannas letzte Rettung. Nie hatte sie den Mut, zu sich selbst zu stehen. Immer wich sie einer direkten Konfrontation mit ihrer Mutter aus und gab nach. Nie gab sie ihrer Überzeugung Ausdruck, dass ihr Leben ganz allein ihre eigene Sache war. Dafür verachtete sie sich selbst.

»Du hast lange nichts mehr von dir hören lassen.« Ihre Mutter ließ keinen Zweifel daran, was sie vom Verhalten ihrer Tochter hielt, und Johanna wusste, dass ihre Mutter dieses Machtspielchen noch lange auskosten würde.

»Es wäre nett, wenn du wenigstens nächsten Sonntag zum Essen kämst.« Ihr Tonfall wurde nun wehleidig, und im selben Moment fiel es Johanna siedend heiß ein.

»Entschuldige bitte, aber ich habe unsere Verabredung am Sonntag völlig vergessen. Ich wurde am Sonntag zum Dienst gerufen, und …«

»Ist schon gut. Vergiss es nur nicht wieder.« Sie hatte es geschafft. Es schien fast, als könne ihre Mutter durch das Telefon hindurch das zerknirschte Gesicht ihrer Tochter sehen. Zumindest vermittelte der befriedigte Unterton in ihrer Stimme Johanna dieses Gefühl, und sie merkte, wie es sie heiß und kalt zugleich überlief. Mit einem erleichterten Seufzen legte sie den Hörer auf. Doch das Gefühl der Resignation, der Niederlage blieb.

4

Sie hatte tief und traumlos geschlafen, und als sie erwachte, fühlte sie sich zuversichtlich. Heute würde sie sich die Familien der anderen Opfer vornehmen. Sie hatte keine Meldepflicht bei Diekmann, so dass es reichen würde, Markus Bescheid zu sagen.
Nach einem ausgiebigen Frühstück nahm sie sich noch einmal die Akte von Maike Behrens vor. Von Maikes Familie wusste sie nur, dass sie einen Vater hatte, die Mutter war schon vor langer Zeit gestorben. Über Geschwister gab es keinen Hinweis. Sie ging die Treppe des Mehrfamilienhauses hoch und blieb vor einer Tür stehen, auf dem ein verschnörkeltes Messingschild darauf hinwies, das Familie Behrens hier wohnte. Sie klingelte und wartete einen Moment, bis sie schlurfende Schritte hinter der Tür hörte. Doch es dauerte noch lange, bis geöffnet wurde, so dass sie annahm, erst einmal durch den Spion abschätzend beobachtet zu werden. Schließlich knirschte es im Schloss.
»Ja?« Der Mann, der durch den schmalen Türspalt lugte, hatte ein hageres Gesicht und helle Augen. Er wirkte viel älter, als er den Akten zufolge tatsächlich war. Johanna zückte ihren Ausweis.
»Mein Name ist Johanna Jensen. Ich bin von der Polizei und hätte sie gern einen Moment gesprochen.«
Maikes Vater musterte sie einen Augenblick misstrauisch und öffnete dann die Tür. Er drehte sich um und ging wieder in die Wohnung zurück, so dass es an Johanna war, einzutreten und die Tür hinter sich zu schließen. Sie sah sich um. Hier fehlte eindeutig die ordnende Hand einer Hausfrau, trotzdem wirkte es gemütlich. Ein leicht modriger Geruch lag in der Luft.

»Ich habe der Polizei schon alles gesagt.« Die undeutliche Aussprache des Mannes ließ darauf schließen, dass er bereits mehr Alkohol getrunken hatte, als ihm gut tat.
»Ich weiß. Ich bin Psychologin und möchte mit Ihnen über Ihre Tochter sprechen.« Der Mann hatte ihr immer noch den Rücken zugewandt. Johanna stand abwartend da, die Hände in den Manteltaschen vergraben.
»Haben Sie das Schwein?«
»Nein, noch nicht.«
»Was machen Sie dann hier?« Er drehte sich plötzlich um und betrachtete sie feindselig. Sie hielt dem Blick stand, entgegnete aber nichts.
»Vergessen Sie es.« Der Mann drehte sich wieder um und ließ sich in seinen Sessel sinken, den er, wie man dem Müll drumherum entnehmen konnte, vermutlich schon seit Wochen nicht mehr verlassen hatte. Er machte eine vage Handbewegung. »Setzen Sie sich.«
Sie ließ sich auf die äußerste Kante eines Stuhls sinken und sah dem alten Mann fest in die Augen. Es war ein Versuch, seinen Blick festzuhalten, um so zu ihm durchzudringen.
»Herr Behrens, ich möchte mehr über Ihre Tochter wissen, um mir eine Vorstellung darüber zu machen, warum der Mörder sich gerade Ihre Tochter ausgesucht hat. Wenn ich mehr darüber weiß, haben wir eher eine Chance, ihn zu finden.«
»Sie war alles, was ich noch hatte.« Er schien sie überhaupt nicht gehört zu haben und griff mit unsicherer Hand nach einem Glas, das auf dem Tisch stand. Das Glas schien, wie alles andere in diesem Zimmer, seit langer Zeit nicht mehr gereinigt worden zu sein. Sein Lebensmittelpunkt schien sich auf diesen Raum zu beschränken.
»Herr Behrens?« Johanna senkte ihre Stimme. Es war klar, dass er sie gar nicht richtig wahrnahm. Der alte Mann schien nichts mehr wahrzunehmen. Er saß zusammengesunken in seinem

Sessel und starrte auf das Glas, das er in seiner Hand hielt. In ein paar Stunden würde er sich vielleicht nicht einmal mehr daran erinnern, dass sie überhaupt da gewesen war.

»Sie war sehr lebhaft, wissen Sie.« Er lächelte leicht vor sich hin, und sein ganzes Gesicht schien verändert. Wie auch schon bei Frau Beckmann hatte Johanna das Gefühl, als würde er nach innen sehen.

»Sie hatte viel Freunde und war überall beliebt. Die Jungs haben sich um sie gerissen.« Vaterstolz schwang in seiner Stimme.

»War sie ängstlich?«

»Meine Maike?« Er lachte trocken auf. »Nein, das war sie nicht. Sie war ein tolles Mädchen. Vor zwei Jahren wollte sie unbedingt ausziehen und ihr eigenes Leben leben. Sie sagte damals, dass sie anfangen müsse, für sich selbst zu sorgen, wissen Sie? Sie wollte mir nicht mehr am Jackenzipfel hängen und meinte, auch ich müsse endlich selbstständig werden.« Bei dem Gedanken kicherte er in sich hinein. Er wirkte vollkommen verstört, und als sein Lachen verebbt war, fing er zu schluchzen an.

»Hatte sie ein eigenes Auto?«

Der Alte nickte. »Ja. Sie war ganz stolz darauf. Sie hat ihn gehegt und gepflegt. Der Wagen war ihr ganzer Stolz. Wissen Sie, sie hatte ihn sich selbst zusammengespart. Als ich etwas beisteuern wollte, hat sie gesagt: ›Nein, Papa, das will ich ganz allein durchziehen, sonst ist es nicht meiner.‹« Er wischte sich mit der freien Hand über seine roten, ein wenig entzündeten Augen. Seine Gesichtshaut wirkte nun zerknittert und war dort gerötet, wo er mit der Hand stärker gerieben hatte. Für einen Moment brachte dies Farbe in sein aschfahles Gesicht. Dem Mann liefen Tränen über das Gesicht. Er weinte lautlos. Johanna merkte, dass sie den alten Mann mit weiteren Fragen nur quälen würde, und stand auf. Er rührte sich nicht.

»Vielen Dank, Herr Behrens. Ich finde selbst hinaus. Bitte bleiben Sie sitzen.« Ihre ausgestreckte Hand ignorierte er. Er sah sie nicht einmal.

Johanna warf sich erschöpft in ihren Schreibtischsessel und starrte für einen Moment aus dem Fenster. Der Ausblick aus dem alten Präsidium war um Klassen besser gewesen, aber dieses neue Gebäude war hochmodern. Die Wände waren allerdings immer noch sehr dünn. Sie hörte das Stimmengemurmel aus den angrenzenden Räumen. Es hörte sich wie ein Bienenschwarm an.

»Geht's?« Markus stand an ihrem Schreibtisch und stellte einen Becher Kaffee vor sie hin.

»Ich habe nicht gewusst, wie anstrengend es ist, mit Angehörigen zu sprechen. Du bist ein Feind. Sie hassen dich, und am liebsten wollen sie dich schlagen. Sie wollen keine Hilfe, verurteilen dich aber, wenn du dann nichts tun kannst.«

»Willkommen in der Realität.«

»Langsam frage ich mich, ob ich mit meinen gestörten Polizisten nicht besser fahre? Wer weiß denn schon, wo die reale Welt wirklich ist? Beginnt sie erst hier? Ist das nicht zu grausam? Ich kann nichts tun, nicht einmal Tränen trocknen oder Trost spenden.« Sie seufzte und begann, wie immer, wenn sie nervös war, an der Haut ihres rechten Daumens zu knabbern.

»Hör auf. Uns allen ist es zuerst so gegangen. Hast du denn etwas herausfinden können.«

»Nein. Wir sind auf dem falschen Dampfer. Irgendetwas ist merkwürdig. Ich kann aber nicht genau sagen, was. Trotzdem habe ich den Eindruck, als würden die Einzelteile in diesem Fall nicht zusammenpassen. Es ist, als würde ich ständig an ein richtiges Puzzleteil ein falsches anlegen.«

Das Knabbern an ihrem Daumen wurde heftiger.

»Das glaubt Diekmann auch. Er hat eine Besprechung anbe-

raumt. Unnötig zu sagen, dass du daran teilzunehmen hast. Ich schätze, er will, dass du die Hosen runterlässt.« Er lächelte sie spöttisch an, als er ihren wütenden Blick sah. »Komm schon, so schlimm wird es nicht werden. Er hat eine Theorie und will sie mit uns durchsprechen. Nicht mit uns allen, nur mit den Leitern der einzelnen Gruppen. Und mit dir.«
Sie richtete sich auf. »Mit *mir?* Was ist los mit ihm? Ist er über Nacht ein besserer Mensch geworden?«
»Ein noch besserer?« Diekmanns Stimme von der Tür her klang betont amüsiert.
»Oh, Scheiße.« Johanna stieß sich vom Tisch ab und schwang mit ihrem Sessel wieder zum Fenster herum. »Das ist nicht mein Tag.«
»Ich will mit Ihnen reden.«
Sie drehte sich um und sah gerade noch, wie Markus die Tür schloss.
»Ach?« Nicht gerade geistvoll, aber das war das Einzige, was ihr gerade einfiel.
»Ich habe mich über Sie erkundigt. Sie scheinen kein üblicher Seelenklempner zu sein.«
Spöttisch hob sie die Augenbrauen.
»Ich bin deswegen zwar nicht gerade ihr größter Fan, aber ich denke, zusammen könnten wir unter Umständen weiterkommen.« Er ließ keinen Zweifel daran, dass sich seine Meinung über sie nicht wesentlich geändert hatte.
»Was schlagen Sie vor?« Johanna hatte sich abwartend zurückgelehnt. Es machte ihr beinahe Spaß, zuzusehen, wie Diekmann vor ihrem Tisch stand und innerlich mit sich rang. Sollte er doch stehen bleiben. Sie zumindest würde ihm keinen Platz anbieten.
In dem Moment setzte sich Diekmann, als hätte er ihre Gedanken gelesen, und öffnete die Knöpfe seines Jacketts. Er wirkte entspannt und schien mit Befriedigung festzustellen, dass er sie

ein wenig aus der Fassung brachte. Johanna lehnte sich vor und faltete die Hände auf der Tischplatte, wobei sie sich bemühte, professionell zu wirken. Freiwillig würde er keine Zugeständnisse machen, so viel war klar.
»Wir sollen uns gegenseitig auf dem Laufenden halten. Vielleicht sollten wir auch einmal gemeinsam darüber nachdenken, welche Eigenschaften ein Mann haben muss, der abends rausgeht, um Frauen zu töten.«
»Gut.« Sie sprach gedehnt und schürzte ein wenig die Lippen. Damit hatte sie nicht gerechnet. Jetzt galt es, Zeit zu gewinnen. Für sie war die Kontroverse mit Diekmann nichts anderes als ein Kriegsschauspiel, das nach taktischen Gesichtspunkten organisiert werden musste. Sie würde jedenfalls nicht, wie Markus es formuliert hatte, »die Hosen runterlassen«. Sie würde sich, wenn nötig, so teuer wie möglich verkaufen.
»Also gut. Warum eigentlich nicht. Wann fangen wir an?«
»Lassen Sie uns mit den Spielchen aufhören. Ich denke, das wollen wir eigentlich beide nicht, oder?«
Er lächelte sie leicht an, seine Augen blieben jedoch kalt.
Johanna seufzte. Trotz allem hatte er Recht. Genau genommen saßen sie beide im selben Boot. Beide mussten sie die Anwesenheit des anderen ertragen. Ihm hatte man von oben die Pistole auf die Brust gesetzt, und ihr selbst hatte man eine Chance gegeben, die man ihr so schnell nicht wieder bieten würde, wenn sie sie jetzt nicht zu nutzen wusste. »Sie haben Recht. Was schlagen Sie also vor?«
»Ich denke, wir sollten uns zumindest einig sein. Wie wäre es, wenn wir demnächst eine Art Brainstorming veranstalten würden? Nur wir beide?«
Johanna lehnte sich, immer noch aufs Äußerste gespannt, zurück und legte die Hände flach vor sich auf den Tisch.
»Dann schießen Sie mal los. Was haben Sie bisher herausgefunden?« Sie war sich noch immer nicht im Klaren darüber, was er

tatsächlich von ihr wollte und spielte ihm den Ball zu. Diekmanns Gesicht wurde ernst.

»Wie Sie wissen, nicht sehr viel. Ich habe als Leiter der Mordkommission naturgemäß ständig mit Morden zu tun, aber ich muss gestehen, dass ich mit Serienmorden nicht sehr viel Erfahrung habe. Und gerade in diesem Fall scheint nichts normal zu sein.«

Er machte eine Pause und blickte sie unverwandt an.

»Bei Serienmorden ist nichts normal.« Sie stieß sich leicht vom Tisch ab und schwang mit dem Stuhl ein wenig zur Seite.

»Serienmörder sind Perfektionisten. Sie lernen mit jeder Tat und machen meist keinen Fehler zweimal. Sie sind von Tat zu Tat mehr und mehr von sich eingenommen. Irgendwann fangen einige sogar an, Spuren zu legen, in dem Glauben, dass man sie nie erwischen wird. Einige sind irgendwann der Meinung, sie seien Gott, und das ist dann der Zeitpunkt, an dem sie beginnen, in allem, was sie tun, eine göttliche Mission zu sehen.«

»Besteht Ihrer Meinung nach die Möglichkeit, dass Serienmorde nur als Mittel zum Zweck dienen und es somit genau genommen gar keine echten Serienmorde wären?« Er sah sie fest an. Beinahe schien es jetzt so, als würde er Johanna ernst nehmen und Wert auf ihre fachliche Meinung legen. Das machte sie noch misstrauischer.

»Sie denken an Spengler, habe ich Recht?« Johanna seufzte. Er hatte Recht, man musste alle Eventualitäten in Betracht ziehen. Sie musste den Faden weiterspinnen, zumindest vorerst.

»Schon möglich. Es gibt, wenn auch selten, Fälle, in denen viele Menschen umgebracht werden, um einen anderen Mord zu verschleiern. Den Mord, auf den es dem Mörder tatsächlich ankommt.«

»Frau Spenglers Lebensversicherung ist nicht ganz unerheblich.«

»Reicht es aus, um damit den Rest seines Lebens sorgenfrei zu leben?«
»Wenn man sparsam ist, vielleicht.« Wieder stahl sich ein leises Lächeln auf Diekmanns Gesicht.
»Wäre, wie gesagt, durchaus möglich. Der Täter müsste dann aber von außerordentlicher Intelligenz sein. Die ganze Sache ist bisher zu perfekt gelaufen. Ist Spengler das?«
Johanna sah ihr Gegenüber zweifelnd an.
»Das ist die Frage.« Diekmann stand auf und schob die Hände in die Hosentasche. »Hat die Auswertung der Tatortfotos Sie schon weitergebracht?«
»Nein«, die Psychologin schüttelte den Kopf, »unser Täter hat alles sehr schön konstruiert und kleine Kunstwerke geschaffen. Es gibt keine äußeren Verletzungen. Wäre Spengler da nicht anders vorgegangen? Hätte er die Opfer nicht einfach nur, sagen wir, abgeschlachtet? Um die Tat, als die Tat eines Irren darzustellen?« Johanna stand jetzt ebenfalls auf und wandte sich zum Fenster. Sie spürte seinen Blick in ihrem Rücken brennen.
»Kommt darauf an.« Er überlegte kurz. »Haben Sie die Bilder hier?«
»Nein, die liegen zu Hause. Aber ich kann sie morgen mitbringen.«
»Haben Sie etwas dagegen, wenn wir sie noch einmal gemeinsam durchgingen? Ich würde Ihnen ja gerne meine Abzüge zur Verfügung stellen, aber ich fürchte, dann müssen wir Aktenordner wälzen, sie sind nämlich alle schon in die Ermittlungsakte eingeklebt.«
Johanna drehte sich um. Er stand mitten im Raum und hielt den Kopf gesenkt. Dabei sah er sie von unten herauf an. Geballte Männlichkeit lag in seinem Blick, und diese Erkenntnis jagte ihr einen Schauder über den Rücken. Ihre Nackenhaare sträubten sich. Abwechselnd wurde ihr heiß und kalt. Schnell

wandte sie sich wieder um und starrte aus dem Fenster. Alles, nur nicht das.

▣

In seiner Wohnung angekommen, ging er sofort zum Kühlschrank. Noch ehe er sich die Jacke ausgezogen hatte, riss er fast wütend die Bierdose auf.
Ein ziemlich hässlicher Tag lag hinter ihm. Nicht nur, dass er vier ungeklärte Mordfälle auf dem Tisch hatte, es keine Spur eines Täters gab, dafür aber eine zickige Psychologin, nein, er hatte sich auch noch eine Gardinenpredigt vom Leiter des Landeskriminalamtes anhören müssen. Ein lächerlicher kleiner Kerl, der sich, um seine schwindende Haartracht zu verstecken, seine fast schulterlangen Haare in dünnen Strähnen über die aufkommende Glatze auf die linke Seite kämmte. Er war aufgeschwemmt, bleich und trug stets ein gezwungen joviales Lächeln zur Schau. Wenn er einmal anfing zu reden, kannte er keine Hemmungen mehr und sprach ohne Punkt und Komma. Diekmann nahm einen tiefen Schluck aus seiner Dose. Von diesem Fatzken hatte er sich Vorhaltungen machen lassen müssen über die Stimmung in der Öffentlichkeit, das Ansehen der Polizei im Allgemeinen und das der Mordkommission im Besonderen. Martens hatte Verständnis für Diekmanns Lage geheuchelt und hatte angefangen, von seiner Zeit als ermittelnder Polizist zu erzählen. Wenn Diekmann sich recht erinnerte, hatte Martens zwanzig Jahre lang Diebstähle bearbeitet und war dann durch verschiedene glückliche Umstände in die Vorstandsetage und schließlich zum Leiter des Landeskriminalamtes aufgestiegen – oder besser gesagt mutiert; sechs Jahre war das inzwischen her. Zum damaligen Zeitpunkt war es keine große Kunst gewesen, auf der Karriereleiter große Sprünge zu machen, zumal der frühere Chef das Handtuch geworfen hatte und sonst keiner den Posten

haben wollte, der allgemein als eine Art Schleudersitz betrachtet wurde.
Martens, den Mutter Natur in Sachen Schönheit und Intelligenz stark benachteiligt hatte, witterte seine große Chance, aufzusteigen. Und der Senat war letztlich froh gewesen, in Martens einen Dummen gefunden zu haben, der keine großen Forderungen stellte, dem es reichte, hin und wieder im Rampenlicht zu stehen, und der ansonsten versuchte, eine graue Eminenz zu werden und dies tunlichst auch zu bleiben. Was wollte man schon mehr?
Diekmann fluchte. Und dann hatte man ihm auch noch dieses Weib vor die Nase gesetzt. Martens hatte nicht versäumt, ihn daran zu erinnern, dass er sich mit ihr arrangieren müsse, da er andernfalls seinen Hut nehmen müsste. Diekmann wusste, was das bedeutete: Man würde ihm in so einem Fall einen warmen und trockenen Posten anbieten, der ebenfalls in der Vorstandsetage zu finden war. Weitab vom Geschehen und deshalb vollkommen realitätsfern. Mit Polizeiarbeit hatte das dann nur mehr wenig zu tun. Das wollte er auf keinen Fall, und Martens wusste das nur zu gut. Wenn er sich mit Johanna nicht arrangierte, würde er aus dem aktiven Dienst ausscheiden. Der Fall war also ganz einfach: Es blieb ihm nichts anderes übrig, als in den sauren Apfel zu beißen.
Er warf sich aufs Sofa, drückte den Wiedergabeknopf seines Anrufbeantworters und lockerte sich mit einem Ruck die Krawatte. Er zögerte kurz, doch dann riss er sie sich vom Hals. Ein leichtes Brennen im Nacken kündigte beginnende Kopfschmerzen an. Eigentlich würde sie gar nicht so schlecht aussehen, wenn da nicht die ständig herabgezogenen Mundwinkel wären. Sie wirkte verbittert und total frustriert. Und wenn er etwas hasste, dann waren es Menschen, die die Schuld ihres eigenen Unglücks bei anderen suchten. Ständig war sie kampfbereit, darauf programmiert, ihm Paroli zu bieten. Er hatte

schon überlegt, ob er es mit einer Männerhasserin oder gar mit einer Lesbe zu tun hatte.
Der lang gezogene Pfeifton bedeutete, dass keine weitere Nachricht auf seinem Anrufbeantworter war. Verdammt, er hatte überhaupt nicht zugehört. Er drückte den Knopf erneut und versuchte sich auf die Nachrichten zu konzentrieren.
Eine Nachricht kam von seinem Versicherungsagenten, der sich mit ihm über die neuesten Bestimmungen bei seiner Hausratversicherung unterhalten wollte, und sein Zahnarzt mahnte die überfällige Rechnung an. Eine freundliche und sehr sexy wirkende Telefonstimme wollte ihn dazu überreden, eine Zeitung zu abonnieren, und die maulige Stimme seiner Freundin erinnerte in daran, dass er vergessen hatte, sie anzurufen.
Er hatte keineswegs vor, die Ermittlungen dieser vermaledeiten Psychologin zu überlassen, auch nicht zur Hälfte, aber irgendwie musste er sie bei Laune halten. Er nahm den letzten Schluck aus der Bierdose und beschloss, sich noch eine zweite zu holen. Auf dem Weg in die Küche zog er das Jackett aus und warf es achtlos über die nächste Sessellehne. Wenn er ehrlich war, ging ihm diese Frau noch mehr auf die Nerven, als er gedacht hatte. Sie brachte den ganzen Laden durcheinander und hatte es anscheinend darauf abgesehen, seine Autorität bei seinen Mitarbeitern zu untergraben. Nur um zu demonstrieren, dass sie ihren Job beherrschte, hatte sie versucht, ihn bloßzustellen.
Er stritt ja gar nicht ab, dass sie in ihrem Beruf fähig war, aber eine Mordermittlung sollte nun einmal Kriminalbeamten vorbehalten bleiben. Verwundert schüttelte er den Kopf und blieb regungslos vor dem Kühlschrank stehen. Er konnte einfach nicht glauben, dass er selbst schon so dachte. Er hatte viel von Profiling gehört und wusste, dass dies oft eine Hilfe war, aber diese Frau schien ihm hierfür nicht die Richtige zu sein. Warum konnte er auch nicht sagen.

Zum Teufel damit. Er riss die Kühlschranktür auf und holte sich eine neue Dose heraus.

▣

Johanna lenkte an diesem Morgen eher unsicher ihre Schritte in ihr neues Büro. Der plötzliche Sinneswandel Diekmanns verunsicherte sie, aber sie gestand sich verschämt ein, dass sie sich heute mit ihrem Äußeren ein wenig mehr Mühe gegeben hatte. Sie trug zwar Jeans und T-Shirt, aber das Shirt lag eng an, und sie hatte etwas Schminke aufgetragen. Nicht viel, aber sie wusste, dass sie gut aussah.
Sie schlich, die Mappe mit den Tatortfotos eng an die Brust gedrückt, in ihr Büro. Irgendwie ahnte sie, dass mehr als Freundlichkeit und der Wunsch nach Harmonie hinter Diekmanns Sinnesänderung stecken, aber sie beschloss, keinen Gedanken mehr daran zu verschwenden. Sie würde versuchen, ihren Job so gut wie möglich zu machen, auch wenn er ihr weiterhin Steine in den Weg legte. Und dass er das nach wie vor tat, dessen war sie sich sicher, auch wenn er jetzt etwas subtiler zu Werke ging. Auch in ihren schönsten Wunschträumen konnte sie sich nicht vorstellen, dass er tatsächlich vorhaben könnte, eine Allianz mit ihr zu bilden. So etwas kam nur in den Büchern ihrer Lieblingsautorin vor. Trotz all ihrer Vorbehalte ermahnte sie sich, nicht ständig nach versteckten Angriffen seinerseits zu suchen. Sie wusste selbst, dass sie oft überempfindlich reagierte, und obwohl sie Psychologin war, war sie selten in der Lage, objektiv über Menschen, mit denen sie beruflich oder privat zu tun hatte, zu urteilen. Erst recht nicht, wenn es sich um Menschen wie Diekmann handelte.
In ihrem Büro legte sie ihre Jacke ab und schnappte sich die Kanne ihrer Kaffeemaschine, die sie sich aus ihrem eigenen Büro in der psychologischen Ambulanz mitgebracht hatte. Der

Gang über den Flur zur Teeküche ähnelte einem Spießrutenlauf. Sie kam an den offenen Büros vorbei. Die einen gaben vor, sie überhaupt nicht zu bemerken, die anderen starrten ihr dafür umso penetranter hinterher. Sie sah das Misstrauen, die Überheblichkeit in ihren Augen, aber keiner sprach sie an. Sie lächelte mal grüßend in diese Richtung, mal in jene, aber letztlich war sie froh, als sie mit der Kanne voller Wasser wieder in ihrem Reich angekommen war. Kaum hatte sie die Kaffeemaschine angestellt, klopfte es.

»Kann ich reinkommen?« Diekmann schob den Kopf durch den Türspalt und sah sie lächelnd an.

»Sicher. Nehmen Sie Platz.« Sie selber blieb unschlüssig in der Mitte des Zimmers stehen und hörte der Kaffeemaschine bei der Arbeit zu. Sie röhrte und stöhnte, als wäre sie ein Mensch, der in den letzten Zügen lag. Oder eine werdende Mutter in den Wehen. Sie machte sich im Geist eine Notiz, die Maschine beim nächsten Mal zu entkalken.

»Bekomme ich auch einen?« Er machte eine Kopfbewegung in Richtung der Maschine.

»Klar.«

Auf Johannas Schreibtisch herrschte Chaos. Mit klammen Fingern zog sie die Mappe mit den Bildern hervor.

»Hier sind sie.« Sie hielt sie ihm unschlüssig entgegen.

»Ich hole mir noch schnell meinen Kaffeebecher.« Diekmann verschwand wieder, und sie ließ die Mappe sinken. Da war es wieder, dieses Gefühl. Klamme Finger, ein dünner Schweißfilm auf der Stirn, zittrige Hände. Hinzu kam noch, dass sie sich kaum traute, ihm in die Augen zu sehen. Sie kam sich vor wie ein pubertierender Teenager, der den beliebtesten Jungen in der Schule anhimmelte.

»Sehen Sie nicht so grimmig in die Welt.« Er kam schneller zurück als gedacht. Johanna strich sich eine imaginäre Haarsträhne aus dem Gesicht und lächelte verlegen.

»Ich bin gar nicht grimmig, nur noch nicht ganz wach. Mit Milch?«

»Bitte?« Er runzelte die Brauen und sah sie verständnislos an.

»Der Kaffee. Trinken Sie ihn mit Milch?«

»Nein, danke. Ich trinke ihn schwarz.«

»Gut. Ich auch, deshalb habe ich auch keine Milch.« Sie hatte versucht, mit einem Witz ihre Verlegenheit zu überspielen. Gleichzeitig wollte sie Diekmann damit zeigen, dass sie auf sein gestriges Friedensangebot einging. Den Witz schien er jedoch nicht verstanden zu haben, zumindest ging er nicht näher darauf ein. Sie hätte sich selbst ohrfeigen können; warum legte sie nur diese Demut in ihr Verhalten?

»Dann lassen Sie mal sehen.« Er rieb die Handflächen aneinander und sah sie erwartungsvoll an.

Johanna reichte ihm einen Becher mit dampfendem Kaffee und nahm sich dann selbst einen. Sogleich fühlte sie sich eine Spur sicherer.

»Ich denke, wir breiten einfach alles auf dem Fußboden aus. Wenn die Fotos nebeneinander liegen, haben wir vielleicht eine Möglichkeit, Vergleiche anzustellen.«

Sie nahm den großen Umschlag, in dem sie die Bilder fein säuberlich verwahrt hatte und legte ihn auf den Boden. Sie selbst setzte sich im Schneidersitz davor.

»Wir sollten systematisch vorgehen. Die Bilder sind aus verschiedenen Perspektiven aufgenommen, und wir sollten uns vielleicht zuerst die Bilder genauer ansehen, die die Umgebung abdecken.«

Johanna suchte die entsprechenden Fotos heraus und legte sie alle der Reihe nach hin. Vier verschiedene Orte waren darauf zu sehen, alle im dunstigen Morgenlicht aufgenommen. Sie wirkten unwirklich, fast schon ein wenig gespenstisch.

»Fällt Ihnen etwas auf?« Sie wandte Diekmann den Blick zu; er hatte sich neben sie gehockt und stützte sein Kinn in eine

Hand. Von seinen Augen waren nur mehr kleine Schlitze zu sehen. Er dachte angestrengt nach.

»Nein, eigentlich nichts. Sollte es?«

»Ich weiß nicht. Ich habe es schon mit der Lupe versucht, aber es ist einfach nichts Auffallendes zu entdecken. Versuchen Sie es.« Sie reichte ihm die Lupe. Nach einiger Zeit ließ Diekmann diese wieder sinken und schüttelte den Kopf.

»Nichts. Aber das ist mir schon vor Ort aufgefallen. Keine Spuren. Die Reifen- oder Fußspuren, die noch da waren, waren durch die Feuchtigkeit unbrauchbar.« Er rieb sich das Kinn mit der Hand. Es schien, als versuche er sich die Szenerie, die sich ihm damals vor Ort geboten hatte, ins Gedächtnis zurückzurufen.

»Machen wir weiter.« Johanna sammelte die Bilder ein und ersetzte sie durch Aufnahmen, die den Fundort der Leichen zeigten. Die Leichen waren zum Glück nur teilweise sichtbar. Aus dieser Serie gab es viele Fotografien, die, sofern man sie in die richtige Reihenfolge brachte, fast so etwas wie ein Puzzle ergaben.

»Wie ist es hiermit?«

Diekmann nahm die Lupe wieder zur Hand. »Die Taschentücher und Zigarettenkippen, die wir hier gefunden haben, hatten nichts mit dem Fall zu tun. Sie lagen dort, laut Laboruntersuchungen, schon länger als die Leichen. Wir haben sie zwar eingesammelt und asserviert, als Spuren kommen sie aber nicht in Betracht.«

»Sehen sie.« Johanna deutete mit dem Zeigefinger auf verschiedene Stellen. »Es scheint nichts zu fehlen. Die Ringe sind noch an den Fingern, Ohrstecker sind auch noch vorhanden. Handtaschen, Rucksäcke, Ausweise, alles noch da. Er scheint also keine Souvenirs mitgenommen zu haben.« Sie hatte sich vornüber gebeugt. Das Shirt, das sie trug, war ein wenig hochgerutscht und ließ einen Streifen nackter Haut aufblitzen.

»Und das heißt?« Diekmann hob den Kopf und sah Johanna konzentriert an. »Die meisten Serienmörder behalten irgendwas zurück. Schlüpfer, Schmuck, Haarsträhnen, irgendetwas, das sie aufbewahren. Dadurch können sie ihre Tat immer und immer wieder durchleben. Der Kick kommt also bei Bedarf immer wieder – und unser Mann hier scheint diese Art von Kick anscheinend nicht zu brauchen.«

»Und um Sex oder Macht scheint es ihm auch nicht zu gehen. Worum geht es ihm also dann?« Diekmann ließ sich gegen die Wand sinken und faltete die Hände locker zwischen den Knien.

»Was, zum Henker, will er?«

»Sehen Sie weiter.« Johanna legte eifrig neue Fotos aus. Diekmann sah erstaunt, dass sich ihr Gesicht vollkommen verändert hatte. Ihre Wangen schimmerten rosig und ihre Mundwinkel zeigten nicht mehr, wie sonst, nach unten. Sie schien ganz in ihrem Element zu sein, als sie die Fotografien der Leichen betrachtete. Keine wies Spuren von Gewaltanwendung auf, keine, bis auf …

»Schauen Sie sich Maike Behrens an.« Johannas Stimme klang fast ein wenig triumphierend. »Sie weist Fesselungsspuren auf, die nach Auskunft der Gerichtsmedizin vor ihrem Tod entstanden sind.« Sie klopfte auf das Bild, als wolle sie diese Bemerkung noch unterstreichen.

»Stimmt.« Diekmann nickte zustimmend. »Das ist uns auch aufgefallen. Was bedeutet das Ihrer Meinung nach?«

»Wir müssten noch einmal klären, wann Maike genau verschwand. Ich vermute, dass der Mörder sie schon früher entführte und erst getötet hat, kurz bevor er die Leiche nach Rissen schaffte.«

»Aber warum?«

»Ich könnte mir vorstellen, dass er das Gefühl hatte, die Polizei reagiere nicht schnell genug und er folglich zwei Tote auf einmal präsentierten musste. Er könnte also eines seiner Opfer entführt und so lange am Leben gehalten haben, bis er sie brauchte.«

»Klingt plausibel. Aber damit wird das Motiv immer unklarer.«

»Es geht noch weiter.« Johanna legte die ersten Fotos wieder auf. Sie arbeitete zügig und rasch, so als hätte sie jeden Handgriff Hunderte von Malen geprobt.

»Irgendetwas muss Ihnen doch auffallen. Was sind das für Orte?« Ihre Stimme klang ungeduldig, so als könne sie seine Begriffsstutzigkeit nicht nachvollziehen.

»Nun.« Diekmann strich sich über das Kinn und sprach lang sam weiter, »ich habe mich bei den zuständigen Polizeirevieren erkundigt. Es sind alles Orte, an denen nachts nicht allzu viel Streife gefahren wird. Aus welchen Gründen auch immer.«

»Und tagsüber?« Sie betonte jedes Wort und sah ihm aufmunternd, fast beschwörend in die Augen. Er sah sie erst verständnislos an, dann schien der Groschen langsam zu fallen.

»Sie haben Recht, es sind alles Orte, die tagsüber stark frequentiert werden. Der Kinderspielplatz ist voller Mütter mit ihren Kindern, die Kirche voller Gläubiger, Stadtpark und ›Willkomm-Höft‹ überlaufen von Spaziergängern. Das kann kein Zufall sein, oder?« Ein Teil ihrer Aufregung hatte sich nun auch auf ihn übertragen.

»Nein, ich denke nicht.« Ihrem Blick war zu entnehmen, dass er richtig lag, und zum gleichen Ergebnis gekommen war wie sie.

»Was glauben Sie?«

»Schwer zu sagen, es ist nur eine Hypothese. Aber es sind alles, wie Sie schon sagten, Orte, an denen das Leben pulsiert. Vielleicht will er uns damit zeigen, dass diese Frauen plötzlich und ohne Vorwarnung mitten aus dem Leben gerissen wurden. Ich schätze, darin könnte die Botschaft stecken, die wir noch entschüsseln müssen.«

5

Das Gesicht im Spiegel lächelte zufrieden.
Die Meldung in der Zeitung über die vierte Frauenleiche war sehr amüsant gewesen. Die Köpfe würden rauchen, das Unverständnis wurde bestimmt immer größer. Sie alle wiegten sich in Sicherheit, waren der Meinung, die Morde geschahen nach einem speziellen Schema, aber nein, so einfach wollen wir es ihnen ja nicht machen. Die Augen verfolgten im Spiegel das Nicken des Kopfes. Ja, jetzt würden sie reagieren, jetzt müssten sie an die Öffentlichkeit gehen. Der Kopf neigte sich ein wenig zur Seite. Vor allen Dingen SIE. Sie, die Einzige, um die es ging.
Sie hatte ja sooo schön ausgesehen. Das Bild in der Zeitung war wirklich sehr hübsch, auch wenn sie darauf sehr ernst wirkte. Ja, oder vielleicht gerade deshalb. Also, hatten sie sie endlich geholt. Helfen sollte sie! Aber hatte sie jemals geholfen? Sollte sie nicht viel eher zerstören, so wie sie es schon einmal getan hatte?
Der Kopf im Spiegel drehte sich hin und her. Nein, das war jetzt egal. Doch plötzlich wurde das Gesicht bei dem Gedanken an das letzte Opfer ein wenig traurig. Das Opfer für Gerechtigkeit als Bild der ewigen Rache und Vergeltung.
Die Sache mit den gefesselten Händen war eigentlich sehr bedauerlich gewesen, aber als die Betäubung nachgelassen hatte, musste man doch sicher sein, dass sie keinen Blödsinn machte, oder? Und schließlich musste sie ja auch noch eine Weile am Leben bleiben, nicht wahr? Es hatte nun mal keine andere Möglichkeit gegeben. Punkt. Außerdem war sie gut versorgt worden. Einmal war sogar der Pizzaservice gekommen. Im Spiegel hob sich eine weiße Hand und legte sich über den Mund, um das Kichern zu ersticken. Aber, na ja. Die Schultern im Spiegel zuckten und das Lächeln wurde sanfter, verträumter.
In der ersten Reihe zu sitzen, war doch einfach wunderbar. Wie Marionet-

ten konnte man sie bewegen, ihnen einflüstern, was sie als Nächstes tun sollten. Und wenn sie nicht gehorchten, dann musste eben wieder eine her. Und das alles war IHRE Schuld. Das Lächeln wurde grimmiger, aber auch fröhlicher. Es machte ja so einen Spaß! Und nun war sie ja da, und das war alles, was zählte.
Die Arme im Spiegel breiteten sich aus, der Kopf sank in den Nacken.
Freiheit!
Freiheit im Denken, im Handeln.
In Freiheit leben!

▣

Sie war müde und zufrieden. Es war diese Art Müdigkeit, die sich einstellte, wenn man zwölf Stunden lang ohne Unterbrechung seine Wohnung renoviert hatte oder den ganzen Tag von einem Termin zum nächsten gehetzt wurde. Es war kein bleiernes Gefühl, sondern eher angenehm, man wusste, dass man einiges geleistet hatte. Der Gedanke an das Bett, einen heißen Kakao und ein gutes Buch vor dem Einschlafen waren wirklich verlockend. Sie war zufrieden mit sich. Es schien, als habe sie Diekmann zwar nicht überzeugen, doch sich ihm zumindest auf dienstlicher Ebene nähern können. Ihn zu überzeugen bedurfte wahrscheinlich mehr, als jeder normal Sterbliche leisten konnte. Wenn sie eine These aufgestellt hätte, rausgegangen wäre und den Täter in Handschellen gebracht hätte, hätte ihn das zwar nicht überzeugt, aber zumindest beeindruckt.
Es wurde Zeit, dass wieder mehr Humor Einzug in ihr Leben hielt. Die letzten zwei Jahre mit Stefan hatten Spuren hinterlassen. Zu Anfang war es okay gewesen, aber dann? Wann hatte es angefangen? Er hatte immer mehr abgehoben, und sie hatte sich immer mehr zurückgezogen. Es war eben auf einmal nicht mehr okay. Okay? War das der richtige Ausdruck für eine funktionierende Beziehung? Allein schon darüber nachzuden-

ken, war ja wohl alles andere als okay. Sie hatte ihn auf einer Party kennen gelernt, so einer Art Yuppieparty, die eine Freundin von Johanna gegeben hatte. Stefan war ein Bekannter ihrer Freundin gewesen, womit sie im selben Boot gesessen hatten – charmant war er gewesen, jungenhaft und sehr unterhaltsam. Alles andere ging irgendwie wie von selbst. Man lachte zusammen, man ging essen, man verliebte sich, man ging miteinander ins Bett. Nicht direkt in dieser Reihenfolge, aber immerhin. Eine Zeit lang ging alles gut, dann lachte man nicht mehr so häufig, gegessen wurde zu Hause, an Verliebtheit wurde kein Gedanke mehr verschwendet und der Sex wurde zur Routine, wie der Gang zur Toilette. Mitleid regte sich in ihr. Ausnahmsweise kein Selbstmitleid, eher ein leichtes Bedauern, weil sie davon ausging, dass es Stefan möglicherweise auch so ging. Sie hatte sicherlich auch Fehler gemacht, sie wusste zwar nicht so genau welche, aber irgendwo war auch bei ihr etwas schief gelaufen. Die letzten Treffen und Telefonate mit ihm waren ihr zunehmend auf die Nerven gegangen, und jedes Mal, wenn sie sich trennten, atmete sie erleichtert auf. Sie hatte das Gefühl, dass sie sich nicht mehr viel zu sagen hatten und wenn sie miteinander sprachen, dann redeten sie aneinander vorbei.

Vielleicht sollte sie ihn anrufen, mit ihm reden. Sie stand auf und suchte in den Schubladen nach Streichhölzern. Ein wenig Kerzenlicht könnte nicht schaden. Sie fand ein Feuerzeug mit einem »Herrmanns Aus- und Umzüge«-Aufdruck; die Nummer war bereits vom vielen Gebrauch unleserlich geworden. Schnell suchte sie ein paar Teelichter zusammen, die sie überall in ihrem Wohnzimmer verteilt hatte. Nachdem sie beinahe mal einen Zimmerbrand verursacht hatte, hatte sie festgestellt, dass diese Art der romantischen Beleuchtung nicht halb so lebensgefährlich war wie richtige Kerzen. Die Minikerzen ersoffen eher in flüssigem Wachs, als dass sie die Wohnungseinrichtung in Flammen aufgehen ließen.

Sie dimmte das Licht ein wenig und griff nach dem Telefon. Zu ihrer Schande musste sie sich eingestehen, dass sie Stefans Telefonnummer nicht mehr richtig zusammenbekam, da sie schon ewig gespeichert war. Sie drückte die Kurzwahl und lauschte den rasanten Wähltönen im Hörer. Schon nach dem zweiten Klingeln hob er ab.

»Hi, wie geht es dir?« Ihre Stimme klang so weich, wie frische Hundescheiße, in die sie heute getreten war. Dieser Vergleich brachte sie wieder zum Kichern.

»Was ist so lustig?« Stefans Stimme hörte sich teils belustigt, teils ein wenig beleidigt an.

»Schon gut, ich wollte nur mal wieder deine Stimme hören.«

»Gut. Ich dachte schon, du hättest mich vergessen. Zuletzt habe ich vor drei Tagen von dir gehört, und da warst du recht kurz angebunden.«

Es klang ausnahmsweise nicht vorwurfsvoll. Eher erstaunt.

»Tut mir Leid. Ist das wirklich schon so lange her? Meine Mutter hat uns am Sonntag zum Essen eingeladen, wie sieht's aus?«

»Warum nicht? Sehen wir uns vorher noch?«

»Wie wäre es mit morgen?«

»Abends? Soll ich zu dir kommen?«

»Ja, sicher. So gegen acht?«

»Okay. Bis dann.« Er hauchte einen Kuss durch das Telefon.

»Bis dann.« Sie hauchte zurück. »Ich liebe dich.« Es klang etwas hohl, so als hätte sie es nicht selbst gesagt, aber schließlich sagte sie das immer. So war es in ihrem Leben immer gewesen. Sie konnte sich kaum an eine Phase ihres Lebens erinnern, in der sie keine Kompromisse eingegangen war. Sie hatte gelernt, zurückzustecken vor einer Mutter, die ihr bis heute keinen vernünftigen Grund genannt hatte, warum sie überhaupt Kinder bekommen hatte. Johanna dachte wieder an die langen Tage, an denen ihr Vater nicht zu Hause gewesen, sondern irgendwo in der Welt herumgereist war, um Geschäfte zu tätigen. Diese

Tage waren erfüllt gewesen von Stille und von einer Kälte, die man kaum noch wahrnahm, weil man sie kannte, die aber trotz allem fast körperlich schmerzte. Ohne ihren Bruder wäre alles noch schlimmer gewesen. Sie dachte an die ewige Gegenwart ihrer Mutter; ihre Mutter, die sie auch heute noch zusammenzucken ließ, wenn sie wusste, dass irgendetwas das Missfallen dieser unnahbaren Frau erregte. Angesichts dieser starken Persönlichkeit blieb der eigene Wille auf der Strecke und verschmolz mit dem Wunsch nach Freiheit.
Aber es war schon okay.

»Hallo, meine Süße.« Markus hatte sie schon erwartet und drückte ihr einen feuchten Kuss auf die Wange. Das von Flo ausgesuchte Rasierwasser umwölkte ihn wie ein unsichtbarer Schal, und Johanna begann unwillkürlich in der Luft herumzuschnüffeln.
»Was ist los? Ich habe gehört, ihr habt euch gestern nicht zerfleischt, und das, obwohl ihr über eine Stunde allein in einem Raum wart? Hinter verschlossenen Türen, ohne Sekundanten?« Er lächelte sie spitzbübisch an.
»Was soll das?« Johanna blinzelte kampflustig in Markus' Richtung.
»Beruhige dich.« Markus lachte und drückte sie kurz. »Ich meine, es ist ein offenes Geheimnis, dass Diekmann ein freundliches Gesicht machte, als er nach einer Besprechung mit dir dein Büro verließ.«
»Ach, werde ich etwa abgehört? Oder sind Spitzel auf uns angesetzt? Werden hier Wetten abgeschlossen?« Sie lächelte. Der Tag hatte zwar gerade erst begonnen, aber für ein Lächeln war es eigentlich nie zu früh. »Jetzt mal im Ernst. Wie läuft es zwischen euch?« Markus sah ihr forschend in die Augen, so, als wolle er in ihrem Inneren lesen.
»Es war okay.« Langsam ging es ihr auf die Nerven. Es schien,

als wäre es ihr einziges Ziel im Leben, sich mit allem und jedem zu arrangieren.

»Ich meine«, sie räusperte sich ein wenig, »ich meine, wir scheinen uns zumindest auf dienstlich-sachlicher Ebene entgegenzukommen.«

Markus rümpfte ein wenig die Nase. »Das hört sich ziemlich klinisch an. Aber eigentlich wollte ich ja etwas anderes von dir. Flo lässt fragen, ob du Interesse an seinem ›Künstler‹ hast?« Er spuckte das Wort aus, als wäre es bitter, und verdrehte die Augen zur Decke.

»Künstler?« Johanna sah ihn verständnislos an.

»Du weißt schon, der Typ, der diese geschlechtslosen Figuren macht, die bei uns zu Hause rumstehen.«

Langsam dämmerte es Johanna. Diese beiden Dinger, die einem zu sagen schienen, dass Sex nichts mit dem Körper zu tun hatte.

»Nun, wenn ich ehrlich sein soll …, aber lass mal, ich will Flo nicht enttäuschen. Ich werde mir wenigstens ein paar ansehen.«

»Braves Kind.« Markus nickte zufrieden. Keiner wusste besser als er, wie schnell Flo eingeschnappt war, wenn etwas nach Kritik an seinem künstlerischen Urteil roch.

»Soviel ich weiß, wollte er morgen Abend mit einer Mustermappe vorbeikommen. Wie sieht es aus? Morgen – so eine kleine Vernissage für Arme? Bei einem Glas Wein?«

Johanna lächelte. »Hört sich gut an, zumindest der Teil, der den Wein betrifft.«

▣

Diekmann kam in den letzten Wochen wenig zum Schlafen. Er nahm sich zwar nicht mehr jeden Fall zu Herzen, dafür war er zu lange im Geschäft, aber er konnte sich auch nicht komplett lösen. Aber Fälle wie dieser ließen ihn überhaupt nicht mehr los, und er ließ sie nicht mehr los. Jedes Mal spürte er, wie ihm die Zeit durch die Finger glitt; keine Chance, sie festzuhalten. Und jedes Mal hatte er das Gefühl, dass der Mörder die Zeit anhalten oder zumindest den Lauf der Dinge beeinflussen konnte. Es lag dann eine Spannung in der Luft, die sich auch auf ihn übertrug und seinen ganzen Körper vibrieren ließ. Mitunter wurde er nachts wach, weil ihm eine Idee gekommen war, die er aufschrieb, um sie gleich am nächsten Tag umzusetzen.

Er hatte noch nie zuvor vor so einem großen Problem gestanden. Nun gab es in Hamburg auch nicht allzu viele Serienmorde, und wenn er ehrlich sein sollte, hatte er bisher nicht viel mit so etwas zu tun gehabt. Aber im Allgemeinen gab es wenigstens irgendeinen Hinweis, eine kleine Spur, irgendwas. Nur dieses Mal nicht. Dieses Mal wusste er tatsächlich nicht so recht weiter. Seine Putzfrau, die dreimal die Woche kam, behauptete, sie könne den Ermittlungsstand seiner Fälle am Zustand seiner Wohnung ablesen. Wenn er vor einem schwierigen Fall stand ohne einen Hinweis auf den Täter, so behauptete sie, würden überall volle Aschenbecher herumstehen und der Mülleimer von leeren Bierdosen überquellen. Sobald er einen Verdächtigen dingfest gemacht hatte, verschwand zumindest das Bier, und wenn er den Täter hatte, dann standen statt der Aschenbecher gefüllte Obstschalen auf dem Tisch. Als sie heute Morgen gekommen war, fragte sie nach einem grimmigen Blick in die Runde, ob dies möglicherweise ein ungelöster Fall bleiben würde, und drohte ihm, künftig zusätzlich zu ihrem Gehalt Schmerzensgeld zu verlangen.

Er musste trotz allem lächeln. Sie war eine wahre Perle, und er konnte sich darauf verlassen, dass sie ihm, wenn er nach Hause gekommen war, eine Kleinigkeit zu essen gemacht hatte. Das gab ihm wenigstens ein kleines bisschen das Gefühl, heimzukommen. Er dachte an die Zeit zurück, als er noch verheiratet war. Zuerst lief alles gut, auch als das Kind da war, aber seine

Frau konnte auf Dauer nicht damit leben, dass seine Gedanken auch zu Hause von Dingen eingenommen wurden, zu denen sie keinen Zugang hatte. Sie sagte einmal, sie habe das Gefühl, dass der jeweilige Fall immer zwischen ihnen im Bett lag. Wahrscheinlich hatte sie Recht, auch wenn er damals der Meinung gewesen war, dass sie unsachlich argumentierte. Er hatte seine Familie als Bastion gesehen. Als eine Art Bollwerk gegen das Leben, dass er »draußen« führte. Lange hatte er geglaubt, dass es genau das war, was das Leben ausmachte, und er hatte sich blind gestellt, als das Leben ihn auch zu Hause einholte. Wenn er im Nachhinein daran dachte, konnte er die Anzeichen erkennen, aber als er damals plötzlich ein leeres Haus betrat und nur eine Notiz auf dem Wohnzimmertisch vorfand, war er wie erschlagen gewesen. Die Notiz von seiner Frau war kurz. Eigentlich hatte nicht viel mehr darauf gestanden als die Telefonnummer ihres Scheidungsanwaltes. Anstatt zu versuchen, zu retten, was zu retten war oder zumindest ein Gespräch herbeizuführen, fühlte er sich verraten, so als habe sie ihn an einen unsichtbaren Feind ausgeliefert. Die Trauer wurde schnell von Bitterkeit abgelöst, und er weigerte sich jahrelang, mit seiner Exfrau auch nur am Telefon zu sprechen. Sie hatte es noch ein paarmal versucht, das wusste er jetzt, aber er hatte sich wie ein kleines, verstocktes Kind aufgeführt. Jetzt wusste er, dass sie ihm damals nur hatte drohen wollen, in der Hoffnung, er würde zur Besinnung kommen, aber genau das war nicht eingetreten. Sie beide hatten verloren, weil sie aneinander vorbeigelebt und nie wie zwei Erwachsene miteinander geredet hatten.
Er nahm einen kräftigen Schluck aus seiner halb leeren Bierdose und dachte über das gestrige Gespräch mit dieser Psychologin, mit dieser Jensen, nach. Unter anderen Voraussetzungen hätte er sie ganz attraktiv finden können. Sie war hübsch, und diese leicht rauchige Stimme ging einem durch Mark und Bein. Sie unterschied sich zumindest rein äußerlich sehr von den

Frauen, die bei der Polizei tätig waren. Viele hatten vergessen, dass sie überhaupt Frauen waren, und die anderen hatten nichts anderes im Kopf, als sich auf dem großen »Heiratsmarkt« Polizei einen Mann fürs Leben zu angeln. Als er sie das erste Mal hier gesehen hatte, hatte sie leicht schlampig gewirkt, sie war nicht geschminkt gewesen und schien auch selbst nicht recht zu wissen, was sie eigentlich anhatte, aber es ging etwas von ihr aus, das alles andere wieder wettmachte. Allerdings hatte sie auch das Talent, ihn mit ihrer Art in Rage zu bringen, und er fragte sich, ob das an ihr oder an ihm lag. Er konnte nicht von sich behaupten, ein Frauenhasser zu sein, dazu hatte er im Laufe der Jahre nach seiner Scheidung zu viele Affären gehabt, aber jedes Mal, wenn es ernst wurde, hatte er sich distanziert. Dieses Mal wurde es ernst, wenn auch nur auf beruflicher Ebene, aber hier war jemand, der ihm die Stirn bot, und wenn er ehrlich war, so hasste er dies wie die Pest. Außerdem war sie das, was man als »mädchenhaft« bezeichnet. Sie war schnell eingeschnappt und schien sich ständig beobachtet und kritisiert zu fühlen. Sie wusste, dass er, Diekmann, sie bei diesem Fall nicht haben wollte und er wusste, dass sie das wusste, und dennoch waren sie beide aufeinander angewiesen. Das machte die ganze Sache zwar nicht gerade leichter, aber vielleicht erträglicher. Gestern war sie zumindest ein wenig zugänglicher gewesen. Aber er musste zugeben, das auch er nicht ganz so unhöflich gewesen war wie in den ersten Tagen ihrer Zusammenarbeit. Und er musste sich eingestehen, das sie sich gut in die Fälle eingearbeitet hatte.
Er wusste, dass dieser Fall für sie so eine Art Bewährungsprobe war. Würde sie aufgeben oder gar versagen, würde sie immer und ewig suizidgefährdete Polizisten behandeln, und die Behörde würde zusätzlich einen Profiler anstellen. Auch wenn es bitter für sie war, und er wusste selbst, wie das war, wenn man auf dem Prüfstand stand, wollte und konnte er nicht zulassen,

dass sie Spielchen trieb, um ihre feministische Ader auszuleben. Immerhin ging es um Menschenleben, und wenn nicht bald etwas geschah, würde der Mörder wieder zuschlagen. Dieses Monster würde nicht aufgeben, jetzt nicht mehr, jetzt hatte er, egal aus welchem Beweggrund er den ersten Mord begangen hatte, Spaß an der ganzen Sache gefunden.
Diekmann merkte selbst, wie er sich in Rage brachte und der alten Abneigung wieder ein wenig Futter gab, aber er musste schließlich mit dieser Frau Jensen zusammenarbeiten, und er würde es nach seinen Spielregeln tun, zu seinen Bedingungen. Und wenn es nicht anders ging, würde er sie eben vor sich herschieben. Wenn es sein musste, als seinen Schutzschild.

▣

Johanna hatte den ganzen Vormittag konzentriert gearbeitet und war auch nicht gestört worden. Es war, als ob ein Schild mit der Aufschrift »Vorsicht, bissiger Hund« an ihrer Tür hängen würde, denn niemand, nicht einmal Markus oder Diekmann, hatten auch nur ein einziges Mal den Kopf zur Tür reingesteckt.
Sie war die Berichte der Gerichtsmediziner noch einmal durchgegangen, aber jedoch nichts Auffälliges finden können. Die Ärzte jedoch auch nicht. Bis auf einen Fall hatte es bei keiner Leiche äußerliche Verletzungen gegeben. Ihr Nacken machte sich mittlerweile schmerzhaft bemerkbar. Der Schmerz zog sich hinunter bis in ihre Pobacken, und sie merkte, wie verspannt sie war. Nicht nur das angespannte Sitzen, sondern auch der altersschwache Bürostuhl setzten ihr zu. Er ließ sich nicht einmal mehr verstellen, irgendjemand hatte den Hebel, der eigentlich die Lehne variabel halten sollte, abgebrochen. Sie versuchte sich trotzdem, so gut es ging, in diesem Stuhl zurückzulehnen, nahm die Brille ab und rieb sich mit Daumen und Zeigefinger

die Nasenwurzel. Das leise Klopfen hätte sie fast überhört und noch bevor sie den Kopf richtig gehoben hatte, streckte Diekmann den Kopf um die Ecke.
»Was ist los mit Ihnen? Wo waren Sie?«
»Ich?« Verblüfft starrte sie ihn an.
»Ja, Sie. Wir trinken jeden Morgen um neun Uhr im Aufenthaltsraum zusammen Kaffee. Alle waren da, nur Sie nicht.«
»Oh.« Dunkel konnte sie sich daran erinnern, dass Markus etwas Derartiges erwähnt hatte, aber sie hatte es tatsächlich vergessen. Außerdem hätte sie nicht geglaubt, dass es irgendjemandem, außer Markus vielleicht, auffallen würde, wenn sie nicht da war. Und sie konnte sich nicht vorstellen, dass ausgerechnet Diekmann Wert darauf legte.
»Ich fürchte, ich hab es vergessen. Tut mir Leid. Habe ich etwas verpasst?« Sie hatte sich aufrecht hingesetzt und sich die Brille wieder auf die Nase geschoben. Sie wollte eine Art von Geschäftigkeit an den Tag legen. Warum sie das wollte, wusste sie allerdings selbst nicht – wahrscheinlich hatte sie wieder mal ein schlechtes Gefühl.
»Nein, ich kann Ihnen die geistigen Ergüsse auch gleich beim Essen berichten, wenn Sie wollen. Kommen Sie mit? Wir haben hier in der Nähe einen fantastischen asiatischen Imbiss, und wenn wir uns beeilen, können wir sogar noch so etwas wie einen Sitzplatz ergattern.«
»Nun, ich …«
»Fein, ich hole mir nur noch kurz meine Jacke, und dann können wir auch schon los. Einverstanden?«
Bevor sie etwas erwidern konnte, war er schon wieder verschwunden. Es machte sie ganz nervös, dass er so freundlich war, und sie beschloss abzuwarten. Man sollte ihn nicht vor den Kopf stoßen, vielleicht brauchte sie ihn ja noch, aber auf eine Verbrüderung mit dem Feind wollte sie sich auch nicht einlassen. Zumindest noch nicht. Sie entschied sich mitzuge-

hen und die Lage zu sondieren, denn an eine plötzliche Sinnesänderung seitens Diekmann glaubte sie nicht. Dennoch, essen musste sie und Hunger hatte sie auch. Sie legte unwillkürlich eine Hand auf den knurrenden Magen. Ein kurzer Blick in den Spiegel, den sie hinter die Tür gehängt hatte, genügte. Sie war durchaus gesellschaftsfähig, noch ein wenig Lippenstift und es konnte losgehen. Innerlich straffte und rüstete sie sich, als ob sie in den Kampf zöge, und bevor sie einen Schlachtruf loswerden konnte, stand Diekmann wieder vor ihr.
»Fertig?« Er lächelte sie leicht an, und wieder musste sie zugeben, dass sie ihn unter anderen Voraussetzungen wahrscheinlich nicht von der Bettkante stoßen würde. Sein Gesicht wirkte, wenn er lächelte, jünger, und seine kurzen Haare hatten einen leichten Grauschimmer, der ihn interessant wirken ließ. Er hatte seine Hände in den Jackentaschen vergraben, und sie bemerkte wohlwollend, dass sein Bauch nicht über den Gürtel quoll.
»Ich denke schon. Das heißt, wenn Sie mich so mitnehmen?« Sie lächelte ihn leicht an. Es war besser, ihm keine Angriffsfläche zu bieten.
»Perfekt.«
Er nahm sie leicht am Arm. Gemeinsam gingen sie zu den Fahrstühlen. Johanna hatte das Gefühl, dass die Blicke der anderen ihr förmlich im Rücken brannten, aber als sie sich unauffällig umsah, konnte sie niemanden auf dem Flur erblicken. Auch wenn er ihren Arm nicht hart angefasst und schon längst wieder losgelassen hatte, bildete sie sich ein, dass die Stelle, an der er sie berührt hatte, brannte.
»Mögen Sie asiatisches Essen?«
»Es kommt darauf an. Nicht alles, was man in den chinesischen Restaurants bekommt, ist unbedingt mein Geschmack. Oft ist es mir zu sehr auf die europäischen Geschmacksnerven abgestimmt.«

»Dann werden Sie jetzt angenehm überrascht werden. Bei diesem Imbiss können Sie zusehen, wie Ihr Essen zubereitet wird, und sie können sogar selbst die Zutaten bestimmen.«
Auf dem Weg in die Eingangshalle grüßte Diekmann in verschiedene Richtungen. Er schien fast jeden Zweiten hier zu kennen, und einmal blieben sie sogar stehen, damit er mit einem hoch gewachsenen, korpulenten Mann ein paar Worte wechseln konnte.
»Entschuldigen Sie bitte. Das war der Leiter, der für die ballistischen Untersuchungen in der Kriminaltechnik zuständig ist. Diese Leute muss man sich warm halten.« Er lächelte sie leicht an. Sie musste sich zu ihrer Schande eingestehen, dass sie fast niemanden kannte, und die Leute, die ihr vom Sehen her bekannt waren, nickten ihr höflich zu, ohne dass sie sich auch nur im Entferntesten an die Namen erinnern konnte.
Als sie nach draußen auf die Treppe traten, zog Johanna unwillkürlich die Jacke enger um sich. Die Sonne schien zwar strahlend von einem beinahe wolkenlosen Himmel, aber der Wind war schneidend. Unverkennbar hatte der Sommer endgültig dem Herbst Platz gemacht, der sich nun von seiner schönsten Seite zeigte. An der viel befahrenen Hindenburgstraße bogen sie nach links ab und gingen dem Fahrstrom entgegen in Richtung Alsterdorfer Straße. Johanna spürte, wie sich unter der frischen Brise ihr Gesicht rötete, als ob tausend kleine Stecknadeln in ihre Wangen piksten.
Sie hatte das Präsidium beziehungsweise ihr Büro am anderen Ende des Polizeigeländes bisher tagsüber kaum verlassen. Sie ging morgens in ihr Büro und verließ es erst wieder, um nach Hause zu fahren. Mittags aß sie entweder eine mitgebrachte Kleinigkeit oder Jutta besorgte ihr etwas. Auch wenn ihr der Wind kräftig ins Gesicht pustete, genoss sie den kurzen Spaziergang zum Restaurant.
»Restaurant«, konnte man es eigentlich nicht nennen. Es war

ein winziger Laden, der mit zwei Tischen und jeweils vier Stühlen ausstaffiert war. Ansonsten gab es am Fenster eine lange Theke, an die man sich zum Essen anstellen konnte. Der Blick in die Küche war frei, und sie konnte einen Asiaten sehen, der dort die Speisen zubereitete. Eine ältere Asiatin stand am Verkaufstresen und nahm mit freundlichem, gelassenem Lächeln die Bestellungen entgegen.

»Wir haben Glück.« Diekmann steuerte auf einen der Tische zu, an dem noch zwei Plätze frei waren. Sie legten beide ihre Mäntel ab und gingen an die Theke, um sich ihr Essen zu bestellen. Ein paar Minuten später drängelten sie sich zurück und ließen sich mit einem Seufzer auf ihre Plätze fallen. Der Laden hatte sich zusehends gefüllt, und wären sie nur ein paar Minuten später gekommen, hätten sie keinen Sitzplatz mehr ergattert.

Eine Zeit lang aßen sie schweigend. Um sie herum brummte es wie in einem Bienenstock. Johanna musste zugeben, dass das Essen köstlich schmeckte. Sie schob sich gerade eine gehäufte Gabel mit Reis, Morcheln und ein wenig Sauce in den Mund, als Diekmann zu reden begann.

»Wie lange sind Sie schon bei der Behörde?«

Sie schluckte erst, und sah ihm dann ins Gesicht. »Neun Jahre. Ich habe schon meine Praktika während des Studiums bei der Polizei gemacht. Der damalige Leiter des psychologischen Dienstes, Dr. Trautmann, war ein Freund meines Vaters. Nach seiner Pensionierung übernahm ich seinen Posten.«

Diekmann gab ein paar Spritzer Sojasauce auf seine gebratene Ente.

»Warum haben Sie nicht versucht, in der freien Wirtschaft Fuß zu fassen?« Er vermengte den Reis mit der scharfen Sauce und häufte sich das Ganze auf die Gabel.

»Mich interessiert die menschliche Seele, aber ich fürchte, ich habe nicht die Geduld für die Art Psychologie, die Sie meinen.

Obwohl ich derzeit eigentlich auch nichts anderes mache.« Der letzte Satz ließ ihre Frustration erkennen.
»Was genau machen Sie?« Er balancierte den kunstvoll aufgetürmten Haufen vorsichtig zum Mund.
»Ich höre Leuten zu, die nicht mehr weiterwissen. Leute, die trinken, Drogen nehmen oder einfach nur Ärger mit dem Ehepartner haben. Also nicht unbedingt das, was man sich unter dem Arbeitsfeld einer Polizeipsychologin vorstellt. Aber die Polizisten, die professionelle Hilfe brauchen, gehen lieber zu einem Psychologen im eigenen Haus als nach ›draußen‹. Sie alle haben Angst, dass man sie als verrückt bezeichnen könnte, aber das fällt ihnen merkwürdigerweise wesentlich leichter, wenn es nur innerhalb der Behörde passiert.« Frustriert dachte sie an die Blicke, die ihr ihre Patienten zuwarfen. Wenn sie sich selbst schon wie Freier in ihre Praxis schlichen, dann bedachten sie sie bestimmt wie eine Art dazugehörige Puffmutter.
Es sah sie erstaunt an. »Was war dann die Motivation, Psychologin zu werden?«
»Mich interessierten schon immer die Abgründe der Menschheit. Die Gründe, warum Menschen das tun, was sie tun. Unter Trautmann nahm das Ganze auch Formen an. Er war zwar schon zu alt, um sich komplett umzustellen, aber er sah die Zukunft im Profiling. Er setzte durch, dass wir bei Vernehmungen dabei waren und erstellte Gutachten, die vor Gericht anerkannt wurden. Er war es auch, der veranlasste, dass ich zum FBI zu einem Ausbildungsprogramm in die USA geschickt wurde. Meine ersten Gutachten verfasste ich unter seiner Anleitung.«
»Was waren das für Fälle?« Er hatte die Augenbrauen zusammengezogen und sah sie konzentriert an. Für einen Moment hatte Johanna das Gefühl, er interessiere sich wirklich für sie. Dabei schob er sich ein zartes Stück von der gebratenen Ente in den Mund.

Johanna legte Messer und Gabel beiseite und stützte ihre Ellbogen auf den Tisch.
»Bei meinem ersten Fall handelte es sich um einen Mann, der seine ganze Familie ausgelöscht hatte. Ehefrau, Kinder, Schwiegermutter. Wir sprachen mit ihm und fanden tatsächlich Zugang zu seinem Innersten. Er hatte extreme psychische Probleme und hatte unbemerkt angefangen, Drogen zu nehmen. Irgendwann dann, im Drogenrausch, ist er durchgedreht.
Der zweite Fall, an den ich mich erinnere, war eine junge Frau, die zwei Männer bestialisch umgebracht hat. Sie lernte die beiden in einer Kneipe kennen, ging mit ihnen nach Hause und schnitt ihnen dann bei vollem Bewusstsein Hoden und Penis ab. Die beiden sind daran verblutet. Zu ihr haben wir nie Zugang gefunden. Sie war eine hübsche, zierliche Person. Niemand hätte ihr so etwas zugetraut.«
Johanna nahm ihr Besteck wieder auf und aß weiter.
»Welche Gründe hatte sie?« Es war unverkennbar, dass er mit Schaudern an die Männer dachte, die auf diese brutale Weise sterben mussten. Sie bemerkte amüsiert, dass Diekmann unwillkürlich die Beine unter dem Tisch übereinander schlug.
»Keine Ahnung, wir konnten, wie gesagt, nie zu ihr durchdringen. Sie sprach einfach nicht. Das heißt, sie sprach schon, aber nicht über die Dinge, die für uns von Wichtigkeit gewesen wären. Sie hatte eine Art, die auf mich beinahe manipulativ wirkte. Ich gewann den Eindruck, dass sie nicht das geringste Unrechtsbewusstsein besaß. Ansonsten gab es keine Auffälligkeiten. Sie lebte bis zu ihren Taten zurückgezogen und völlig unauffällig. Es ging irgendwann das Gerücht um, dass sie lesbisch war. Bestätigt wurde das allerdings nie. Im Prozess kam nicht viel Neues heraus, und schließlich wurde sie zu zehn Jahren Haft verurteilt. Das ist jetzt ungefähr vier Jahre her.«
Johanna schob ihren leeren Teller von sich, und lehnte sich in ihrem Stuhl zurück.

»Sie hatten Recht, das war wirklich gut. Kommen Sie öfter her?«
Diekmann nickte. »Ziemlich oft. Wollen wir?« Er hatte einen Rest auf seinem Teller zurückgelassen. Johanna vermutete, dass ihm der Appetit nach der Schilderung der an den beiden Männern verübten Morde gründlich vergangen war.
Johanna nickte. »Ich hoffe, dass ich mich noch bewegen kann. Im Allgemeinen esse ich nicht so viel.« Sie standen beide auf und schoben sich an den anderen Gästen vorbei. Es war ein heilloses Gedränge, und Johanna achtete darauf, niemanden mehr als unnötig anzurempeln. Ihre Bewegungen wirkten geradezu grotesk, aber schließlich standen beide wohlbehalten wieder auf der Straße. Sie schlenderten zurück in Richtung Präsidium. Dick in ihre Jacke eingemummelt, fühlte sich Johanna fast wohl, auch wenn sie das Gefühl hatte, dass ihr Hosenbund dem verstärkten Druck nicht lange würde gewachsen sein.
»Warum sind Sie Polizist geworden?« Es war zwar nur ein Versuch, weiterhin Konversation zu betreiben, aber wenn sie ehrlich war, interessierte es sie wirklich.
»Mein Vater war schon Polizist und mein Großvater lief auch schon mit einer Pickelhaube herum. Ich weiß nicht«, er zuckte mit den Achseln, »ich konnte mir nie etwas anderes vorstellen.«
»Also das Prinzip der vererbten Talente?«
Er zog die Augenbrauen hoch. »Wie meinen Sie das?«
»Seit Ende des vorigen Jahrhunderts findet sich bei fortschrittlichen Pädagogen die Vermutung, dass ein Kind, egal welche Talente es tatsächlich besitzt, einer Art Vererbung anheim fällt. Stellen Sie sich einfach mal die Frage, ob ein Millionärssohn, der eigentlich keinen Grund dazu hat, zu arbeiten, sein wahres Talent entdecken und, sagen wir mal, Maler werden würde oder ob er Maler geworden wäre, was sehr wahrscheinlich scheint, wenn er aus einer Künstlerfamilie stammte.«

»Sie meinen also, ich könnte so etwas wie ein Picasso sein?« Diekmann sah sie amüsiert an. Johanna schüttelte den Kopf. »Nein, das meine ich nicht. Ich frage mich nur, ob Sie Polizist geworden wären, wenn sie aus einer Familie stammen, die Generationen von Kaufleuten gestellt hätte.«
»Interessant. Ich muss gestehen, darüber habe ich mir noch nie Gedanken gemacht. Was ist mit Ihnen?«
Johanna zuckte die Schultern. »Mein Vater hat mich immer im dem Bestreben gestärkt, das zu tun, von dem ich glaubte, dass es das Richtige sei. Er hat mich gelehrt, in mich hineinzuhorchen, um herauszufinden, was meine Berufung ist. Haben Sie es jemals bereut? Ich meine, dass sie Polizist geworden sind?«
»Ich bin mir nicht ganz sicher, aber ich glaube, im Großen und Ganzen würde ich es immer wieder tun.«
Den Rest des Weges legten sie schweigend zurück, und erst in der Eingangshalle des großen neuen Polizeigebäudes begann Diekmann wieder zu reden.
»Wie sieht es aus? Bekomme ich bei Ihnen einen Kaffee? Ich wollte mit Ihnen noch einmal über den Fall reden.«
»Gute Idee.« Johanna nickte. »Ich bin gerade dabei, einen vorläufigen Bericht zu schreiben. Den könnten wir gemeinsam durchgehen.«
Am Fahrstuhl trennten sie sich. Diekmann wollte in den Keller, um, wie er sagte, ein paar Beweismittel zu holen, und Johanna fuhr nach oben.
Der Flur schien wie ausgestorben, die meisten Kollegen waren zum Essen gegangen. Nur ganz vereinzelt konnte sie Leute in ihren Büros sehen. Über allem schien müde Stille zu lasten. Markus kam ihr entgegen und grinste breit.
»Na, und wann ist die Verlobung?«
Sie lächelte zurück. »Das sage ich dir nicht, aber keine Angst, du bist der Erste, der es erfährt.«

Markus legte den Arm um sie, und gemeinsam gingen sie auf Johannas Büro zu. »Ich habe dir ja gleich gesagt, dass er nicht so schlimm ist und dass man gut mit ihm leben kann.« Johanna nickte zustimmend. Sie verzichtete darauf, ihm zu sagen, dass sie Diekmann nicht über den Weg traute. Das Essen mit ihm war zwar angenehm gewesen, und sie hatte sich auch ein wenig entspannt, aber sie hatten nicht über den Fall geredet. Außerdem hatten sie keinen Grund, sich persönlich anzufeinden. Dazu kannten sie sich einfach zu wenig. Aber wie gesagt, das war etwas, was Markus nicht zu wissen brauchte, er würde ihr wahrscheinlich nur Verfolgungswahn unterstellen.
»Wart ihr essen?«
»Ja. Und es war wirklich lecker. Wolltest du was von mir?«
»Nein, eigentlich nicht. Ich wollte mir nur noch die letzten Ergebnisse der Autopsie besorgen.«
»Von Gudrun Spengler?«
»Richtig. Ich glaube zwar nicht, dass die Ergebnisse von denen der anderen Leichen abweichen, aber du weißt, ich bin ein unverbesserlicher Optimist. Was machst du?«
»Du wirst es nicht glauben, aber ich verbringe einen Teil des Nachmittags mit Diekmann.«
»Hört, hört.« Markus' Augen blitzten vor Vergnügen.
»Ist es denn die Möglichkeit.«
Johanna hob abwehrend die Hände, konnte sich aber ebenfalls ein Lächeln nicht verkneifen. »Nein, nein, keine falschen Verdächtigungen, es ist ein dienstliches Treffen. Wir wollen sehen, was wir haben, beziehungsweise, was wir nicht haben.«
Markus wurde ernst. »Was meinst du, haben wir eine Chance?« Sie wusste, dass er auf den Täter anspielte. Dieser Mann war einfach zu gut. Beim derzeitigen Stand der Dinge hatte sie keine große Hoffnung. Wenn nicht ein Wunder geschah, hatte sie keine Ahnung, wie es weitergehen sollte. Trotz allem gab sie sich optimistisch.

»Keine Bange, es ist noch nicht aller Tage Abend.«
Markus nickte ein wenig mit dem Kopf und lächelte leicht. Sie konnte sehen, dass er genauso dachte wie sie, aber er nahm ihre gespielte Zuversicht gerne auf.
»Hoffentlich geht heute alles gut.«
Sie wusste, was er meinte. Eine weitere Leiche war das Letzte, was sie brauchten, und vor allen Dingen, das Letzte, was sie wollten.

Es dauerte nicht lange, bis es an ihrer Tür klopfte. Sie hatte sich wieder ihrem Bericht zugewandt und versuchte, alle Fakten mit Theorien, die sie entwickelt hatte, zu verknüpfen. Es war erst ein Entwurf, aber immerhin ein Anfang, ein Faden, mit dem man weiterspinnen konnte. Denn genau genommen, hatten sie nichts.
»Herein.« Sie nahm ihre Brille ab und drehte sich in ihrem Stuhl zur Tür. »Tut mir Leid. Das hat länger gedauert, als ich dachte. Da unten herrscht das reine Chaos. Das Präsidium ist kaum ein Jahr alt und schon zu klein. Die Asservatenkammer ist derart überfüllt, dass ein Teil der Sachen schon in der Schleuse stehen. Können Sie sich das vorstellen?«
Die »Schleuse« war ein Zugang im Keller im Abschnitt C des Gebäudes. Hier wurde von der Transportkolonne Beweismittel angeliefert, die aufgrund ihrer Größe oder ihres Umfanges nicht so einfach in einem Dienstwagen transportiert werden konnten. Dieser Zugang hatte eine direkte Verbindung zur Asservatenkammer. Der ganze Bereich war videoüberwacht, so dass im Gegensatz zum alten Präsidium niemand diesen Abschnitt unbeobachtet betreten konnte. Überhaupt war das neue Gebäude ein Musterbeispiel an Sicherheit, aber das änderte nichts an der Tatsache, dass mit Beweismitteln umgegangen wurde, als handele es sich um ausrangierte Möbelstücke.

Der äußere Teil der »Schleuse« wurde nur durch ein Dach vor Wind und Wetter geschützt. Von diesem Teil sprach Diekmann.
»Ein Teil der Sachen ist feucht, die Kartons, in denen sie lagern, sind vollkommen durchgeweicht«, schimpfte er weiter.
»Kaffee?« Johanna war aufgestanden und schwenkte nun die Kaffeekanne in der Luft.
»Das wäre wunderbar.« Er legte die feuchten Sachen auf den Boden und zog sich die Jacke aus. Johanna ging über den Flur zur Teeküche. Noch immer herrschte auf dem Gang absolute Ruhe. Nur hier und da vernahm sie Gelächter aus den Räumen. Sie begegnete nur einem Mitarbeiter der Mordkommission, und der lächelte ihr freundlich zu. Es war, als hätte man weniger Vorbehalte, schließlich war der Chef mit dieser Psychologin essen gegangen. Aber schließlich verbannte sie diese Gedanken und schalt sich selbst paranoid. Wahrscheinlich übertrieb sie maßlos, und niemand nahm auch nur Notiz von solchen Kleinigkeiten.
Sie spülte die Kanne sorgfältig aus und füllte sie dann mit Wasser. Als sie in ihr Zimmer zurückkam, war Diekmann dabei, einzelne Sachen aus den mitgebrachten Kartons zu fischen.
»Gott sei Dank hatten wir die einzelnen Dinge in Plastik verpackt, bevor wir sie in die Kartons legten«, murmelte er.
»Was ist das?« Sie blickte fragend auf die am Boden liegenden Teile und wandte sich dann um, um das Wasser in die Kaffeemaschine zu füllen. »Das sind die Gegenstände, die die Frauen bei sich trugen, als sie gefunden wurden. Ohrringe, Rucksäcke, Handtasche, eben solche Sachen. All diese Dinge sind von den Angehörigen identifiziert worden. Es scheint nichts zu fehlen, aber ganz sicher können wir nicht sein, schließlich können die Angehörigen nicht genau sagen, was die Frauen an dem Tag alles bei sich hatten.«

»Was ist mit der Kleidung?« Sie setzte eben den Filter ein und schaltete die Kaffeemaschine ein.

»Wir haben Spuren an allen möglichen Spurenträgern gesichert, und bis auf die Kleidung von Gudrun Spengler haben wir alles an die Familien ausgehändigt.« Sie stellte sich neben ihn an den Tisch und betrachtete die Sachen. Sie stand so dicht neben ihm, dass sie den herben Duft seines Aftershave einsog. Welche Marke das war, konnte sie nicht sagen. Sie hatte kein Geschick in solchen Dingen, und außerdem ließ sie kaum jemanden so nahe an sich heran, dass sie auch nur eine Chance gehabt hätte, die einzelnen Männerdüfte voneinander zu unterscheiden. Es war auch nicht so wichtig.

»Wir sollten uns das alles noch einmal genau ansehen, vielleicht können wir ja irgendetwas sichern, was als Beweismittel dienen könnte. Ich bin mir nicht ganz sicher.« Entnervt ließ er sich auf den Besucherstuhl vor ihrem Schreibtisch fallen. Er rieb sich mit einer Hand das Kinn und starrte auf den Fußboden.

»Haben Sie eine Idee?«

Johanna ging langsam um ihren Schreibtisch herum und strich dabei mit den Fingerspitzen über die zerkratzte Tischplatte, als wolle sie prüfen, wann hier zuletzt Staub gewischt worden war. Schließlich setzte auch sie sich und sah Diekmann nachdenklich an.

»Ich muss gestehen, wir wissen tatsächlich nicht sehr viel. Wir müssen wohl versuchen, uns langsam ranzuarbeiten.«

»Haben wir es hier mit einem Irren zu tun?«

»Sie wissen, wie ich zu dem Begriff ›Irrer‹ stehe.«

»Ja, daran kann ich mich nur zu gut erinnern.« Er lächelte grimmig. »Aber was ist das für ein Mann? Hat der Probleme mit Frauen?«

»Meinen Sie die Geschichte: oft zurückgewiesen, impotent, und so weiter?«

Diekmann nickte.
»Wohl kaum. In so einem Fall hätte er die Opfer verstümmelt. Der Torso würde erhebliche Verletzungen aufweisen. Ich denke, in so einem Fall hätte sich der Täter in einer Art Raserei befunden. Sein Angriff hätte jeder Frau gegolten.«
»Gibt es da Unterschiede?« Diekmanns Blick konzentrierte sich jetzt auf Johanna.
»Ja.« Sie nickte, »aber vergessen Sie nicht, das alles ist immer nur ein grober, keineswegs dogmatischer Leitfaden. Also«, sie faltete die Hände vor sich auf dem Schreibtisch und schürzte die Lippen, »nehmen wir einmal an, der Typ hätte schlechte Erfahrungen mit Frauen gemacht und wäre mit einer dominanten Mutter, vielleicht sogar ohne Vater aufgewachsen, misshandelt worden und so weiter, dann hätte er die Frauen mit großer Wahrscheinlichkeit bestialisch zugerichtet. Er hätte sich vermutlich auf ihr Gesicht konzentriert. Bei jedem Hieb, bei jedem Schlag hätte er die Person gesehen, gegen die sich der Schlag eigentlich richtet. Würde es sich um Hass auf Frauen im Allgemeinen handeln, so hätte er das Gesicht außer Acht gelassen. Er hätte seine Opfer also nicht personifiziert. In solchen Fällen kann es schon einmal sein, dass er das Gesicht sogar abdeckt. Sie müssen sich vorstellen, dass ein Mörder sehr wohl in der Lage ist, Mitleid mit dem Opfer zu empfinden. Auch das kann ein Grund sein, ein Opfer zu entpersonalisieren. In den Fällen der Entpersonalisierung hätte er vielleicht auf den Körper der Frauen eingestochen.«
»Warum?« Diekmann hatte sich entspannt zurückgelehnt und die Hände vor dem Bauch gefaltet. Er sah Johanna mit gerunzelter Stirn an. Jetzt erst merkte sie die tiefen Falten um seinen Mund. Er sah müde aus.
»Er will sich an keiner bestimmten Frau rächen. In seinem Kopf ist kein Bild einer bestimmten Person, lediglich eine Wut auf Frauen im Allgemeinen. Ich bezweifle allerdings bei beiden

Varianten, dass er seine Opfer so akkurat und ohne Spuren zu hinterlassen abgelegt hätte. Vielleicht aber hätte er ein Souvenir mitgenommen. Sie dürfen nicht vergessen, dass er den Kick sucht. Die Tat ist zuallererst eine Art Erleichterung für ihn. Oft setzt dann eine Zeit lang eine Art schlechtes Gewissen ein. Aber er hat auf jeden Fall einen Moment Ruhe gefunden. Cool-off-Phase nennt man das. Aber er braucht den Kick, und um sich regelmäßig an den Kick zu erinnern, um ihn nachzuerleben, braucht er eben dieses Souvenir. Bei Bedarf holt er es heraus und erlebt die Tat noch einmal. Nur die Auswahl der Frauen wäre vermutlich anders gelaufen.«

»Wie?«

»Nehmen wir mal an, wir haben es hier mit einem impotenten Mann zu tun, und diese Impotenz ist vielleicht auf Misshandlung in der Kindheit zurückzuführen. Egal wie, es ist auf jeden Fall ein Mann, der »es« nicht mehr bringt. Solche Männer gehen irgendwann zu Prostituierten, um sich zu beweisen, dass sie »es« doch noch können. Lassen Sie nur irgendeine dieser Frauen falsch reagieren, dann würde sich sein Hass zwar grundsätzlich gegen seine Mutter richten, aber als Opfer würde er sich dann immer – oder sagen wir, fast immer – Prostituierte suchen. Außerdem sind das Opfer, an die man am leichtesten herankommt.«

»Was gibt es noch?« Diekmann hatte sich vorgebeugt.

»Zum Beispiel Wahnvorstellungen.« Es war Johanna gar nicht bewusst, dass sie sich im selben Moment, in dem er sich vorgebeugt hatte, zurücklehnte. »Scheint mir hier aber nicht in Betracht zu kommen. Bei Wahnvorstellungen ist der Betreffende zu einer Überzeugung, welcher Art auch immer, gekommen, an der er dann starr festhält. Die beiden gängigsten Arten von wahnorientierem Mord wären Verfolgungswahn und körperbezogener Wahn. Beim Verfolgungswahn hat die betreffende Person das Gefühl, ständig ausspioniert zu werden, überall vermutet sie

eine tödliche Gefahr oder eine Intrige. Hier kann jeder, auch der unschuldige Passant auf der Straße, zum Opfer werden. Der Betroffene würde jeden umbringen, von dem er glaubt, er wolle ihn töten. Diese Morde geschehen in Panik. Der Täter ist verzweifelt, verliert immer mehr den Kontakt zur Realität. Wahrscheinlich hätten Sie ihn bereits, wenn er es mit so einem Fall zu tun hätte. Die Taten würden nämlich eher in seinem eigenen Umfeld passieren, denke ich, und vor allen Dingen in kürzeren Abständen. Man hätte das Gefühl, dass er um sich schlagen würde – aber das Wichtigste ist«, Johanna hob einen Zeigefinger, um auf den folgenden Punkt besonders hinzuweisen, »dass er sich bestimmt nicht immer nur einen Typ Frau suchen würde. Vergessen Sie nicht, so ein Mensch handelt in Panik.«
Sie machte eine Pause und starrte einen Moment lang Diekmann an, als versuche sie in seinem Gesicht die Lösung zu finden. Sie legte die Fingerspitzen an die Stirn und fuhr fort.
»Beim körperbezogenen Wahn können die Taten bizarre Formen annehmen. Ich werde Ihnen das anhand eines Beispiels aufzeigen. Mitte der Siebzigerjahre wurden innerhalb von vier Tagen fünf Menschen ermordet. Täter war ein Mann mit dem Namen Richard Trenton Chase. Er war der felsenfesten Überzeugung, von seiner Umwelt vergiftet zu werden Er glaubte, sein Herz würde schrumpfen und sein Magen verfaulen. Zuerst spritzte er sich Kaninchenblut in die Venen, später brachte er dann Menschen um, um ihr Blut zu trinken. Er war davon überzeugt, das er nur mit dem Blut dieser Menschen überleben würde. Aber Sie sehen, auch hier wurden in unglaublich kurzer Zeit viele Morde begangen, und der Täter war schnell zu fassen. Und auch in diesem Fall, ich kann es nur immer wieder betonen, suchte er nicht einen bestimmten Typ Mensch. Er nahm jeden, der ihm über den Weg lief.«
»Was bleibt dann noch übrig?« Diekmanns Stimme klang fast

ein wenig resigniert, was Johanna überraschte. Sie wäre nie auf den Gedanken gekommen, dass er verzweifelt sein könnte.
»Zugegeben, wir haben nicht sehr viel. Entweder handelt es sich um einen Psychopathen oder einen eiskalten Killer«, sie zeichnete Anführungszeichen mit den Fingern in die Luft, »der, um einen Mord zu verschleiern, mehrere Morde begeht. Ich halte das allerdings eher für unwahrscheinlich.«
»Wieso?«
»Ich denke, der Aufwand wäre zu groß. Schließlich hat unser Täter die Frauen erst entführt und dann ermordet. Erschießen, erwürgen oder etwas anderes in die Richtung wäre einfacher gewesen.«
»Ja, aber so fällt kein Verdacht auf ihn, oder?«
»Sie denken immer noch an Spengler?«
»Ja. Er ist mir nicht ganz geheuer. Meines Erachtens spielt er nur den Trauernden.«
»Nein, das denke ich nicht«, widersprach Johanna, »ich glaube, dass er wirklich entsetzt ist. Ich glaube auch, dass ihn sein schlechtes Gewissen erschlägt, denn er hat seine Frau ja wohl allem Anschein nach betrogen, und so wie ich das sehe, sicher nicht zum ersten Mal. Nur *dieses* eine Mal musste er das Gefühl haben, unmittelbar an ihrem Tod schuld zu sein. Sie wissen schon, nach dem Motto *›wäre ich da gewesen, wäre nichts passiert‹*.«
Der Tonfall, in dem sie das sagte, zeigte ganz deutlich, dass sie sich in gewisser Weise bestätigt fühlte, was ihre Vorurteile gegenüber untreuen Männern anging. Diekmann sah auf. Auch er schien diese Schwingung in ihrer Stimme bemerkt zu haben.
»Sie scheinen ihm das schlechte Gewissen zu gönnen.«
Sie sah schnell zu ihm hin und senkte dann wieder den Blick. Als sie weitersprach, ließ nichts erkennen, dass sie seine Bemerkung gehört hatte.
»Ich habe versucht, den Bericht des Gerichtsmediziners zu lesen, aber ich muss ehrlich gestehen, dass ich nicht sehr viel ver-

standen habe. Ich glaube, ich würde mich noch einmal gern selbst mit ihm unterhalten.«
»Das wird schwer sein. Er hat meistens keine Zeit. Aber wenn es Ihnen recht ist, rufe ich ihn an und mache einen Termin für Sie aus. So von Mediziner zu Mediziner. Vielleicht klappt es ja.«
»Ja, danke.« Sie dachte kurz nach. »Warum tun Sie das? Warum unterstützen Sie mich plötzlich? Sie hatten doch Angst, dass ich Ihnen in die Quere komme. Was ist los?«
Er stand auf und sah sie einen Moment nachdenklich an.
»Wir beide sitzen im selben Boot und haben beide eine Menge zu verlieren. Reicht das als Begründung?«
Johanna nickte.
»Ich rufe jetzt im Institut an. Wäre Ihnen ein Termin morgen früh recht?«
»Ja, sicher. Vielen Dank.«
Diekmann drehte sich um und verließ das Zimmer. Johanna setzte ihre Brille auf und widmete sich wieder ihrem Bericht.
»Ach, da ist noch etwas.« Diekmann hatte sich umgedreht und hielt die Türklinke mit einer Hand fest. »Werden Sie das, was Sie mir eben erzählt haben, auch so in Ihrem Bericht schreiben?«
»Ja. Ich werde schreiben, was meiner Meinung nach infrage beziehungsweise nicht infrage kommt. Warum?«
»Nur so, der Vollständigkeit halber. Außerdem braucht der Staatsanwalt etwas, woran er sich halten kann, sollte es mal zu einer Festnahme kommen.« Er nickte ihr kurz zu und verschwand dann endgültig aus ihrem Zimmer.

Johanna versuchte sich auf das bereits Geschriebene zu konzentrieren, um wieder in ihren Rhythmus zu kommen, aber es klappte einfach nicht. Dabei fiel ihr auf, dass der Kaffee längst fertig war, sie aber vergessen hatte, sich selbst und Diekmann

eine Tasse einzuschenken. Das Klingeln des Telefons riss sie aus ihren Gedanken. Sie nahm den Hörer ab.
»Jensen.«
»Diekmann. Ich habe für morgen einen Termin bei Prof. Dr. Reuschel ausgemacht. Wir haben elf Uhr festgehalten. Passt Ihnen das?«
»Ja, sicher.«
»Ich denke, Sie wissen, wo das ist?«
»Der Eingang ist Butenfeld, richtig?«
»Richtig. Sie melden sich bitte am Empfang. Reuschel wird dort persönlich auf Sie warten.«
»Danke.«
»Gern geschehen.« Damit legte er auf.

▣

Diekmann musste sich selbst eingestehen, dass er schlecht gelaunt war. Und das, obwohl alles nach Plan lief. Das Essen mit dieser Psychologin war wirklich angenehm gewesen, doch in seinem Hinterkopf spukte immer noch herum, warum sie überhaupt hier war. Und das ließ ihm keine Ruhe. Er verschränkte die Hände hinter dem Kopf, schwang in seinem Stuhl herum und starrte aus dem Fenster. Das Einzige, was er sah, war der gegenüberliegende Gebäudeteil. Es war zum Auswachsen. Im alten Präsidium hatte man einen wunderschönen Blick über Hamburg gehabt. Vor allen Dingen abends war der Blick atemberaubend gewesen. Hier konnte man nur in die Fenster anderer Kollegen sehen und sie dabei beobachten, wie sie in der Nase bohrten. In einem Anflug von grimmigem Humor überlegte er, wie lange es wohl dauern werde, bis sich der erste Kollege aufgrund der deprimierenden Umgebung voller Verzweiflung aus dem Fenster stürzte.
Er würde den Bericht dieser Jensen dazu nutzen, seine weitere

Vorgehensweise zu begründen. Er wusste, dass das zu Ärger mit ihr führen würde, aber selbst wenn sich sein Verdacht nicht erhärtete, hatte er dann zumindest das getan, was sie als »proaktive Technik« verkauft hatte. Trotzdem zögerte er. Das, was sie ihm eben erzählt hatte, hatte einleuchtend geklungen, und wieder einmal hatte er bemerkt, dass sie von dem, was sie erzählte, Ahnung hatte. Die Unsicherheit und die Abneigung, die sie ihm entgegengebracht hatte, waren wie weggeblasen gewesen, und irritiert musste er sich eingestehen, dass er ihr gern zugehört hatte. Er hatte mal davon gehört, dass sich Leute, die sich zu ähnlich waren, einfach nicht verstanden. Möglich, dass es das war, was ihn und die Jensen immer wieder aneinander geraten ließ. Er hatte etwas gegen Frauen wie sie, und sie schien mit Männern ein Problem zu haben, obwohl er das nicht einmal genau begründen konnte. Er konnte auch nicht genau definieren, was genau ihm an ihr nicht gefiel. Ganz allgemein war er es jedoch nicht gewohnt, dass man gegen ihn opponierte, und schon gar nicht, wenn es aus Trotz geschah. Und dass Johanna Jensen sich wie ein trotziges kleines Kind benehmen konnte, hatte er schon zur Genüge erfahren. Er seufzte und drehte sich zurück zu seinem Schreibtisch. Er beschloss, erst einmal abzuwarten, ob sich irgendetwas Neues ergab. Die Psychologin hatte noch eine Woche Zeit. Doch dann mussten Taten folgen.

6

Johanna hatte wirklich versucht, sich zu konzentrieren, aber schließlich gab sie auf. Ihr normaler Arbeitsrhythmus wollte sich nicht mehr einstellen, und irgendwie fühlte sie sich müde und abgespannt. Ein Blick auf die Uhr verriet ihr, dass sie sich sputen musste, wenn sie noch zum Einkaufen kommen wollte. Sie hatte vor, an diesem Abend für sich und Stefan zu kochen. Vielleicht trug das ja dazu bei, die Stimmung aufzulockern. In letzter Zeit waren sie meist auswärts essen gegangen, denn in der anonymen Umgebung eines schicken Restaurants waren sie der Verpflichtung enthoben gewesen, sich zu unterhalten oder sich gar mit sich und ihren Problemen befassen zu müssen.
Wenn Johanna ehrlich war, musste sie sich eingestehen, dass sie keinen blassen Schimmer hatte, worüber sie sich mit Stefan unterhalten sollte, und fast bereute sie es ein bisschen, sich mit ihm für heute Abend verabredet zu haben.
Sie seufzte. Es stellte sich die Frage, ob sich die Kluft zwischen ihnen noch ausgleichen ließ oder ob es besser war, gleich reinen Tisch zu machen.
Als es an der Tür klopfte, zuckte sie zusammen. Im Türrahmen stand eine Frau der Putzkolonne. Sie war groß und sah südländisch aus. Sie hatte wirres dunkles, mit grauen Strähnen durchzogenes Haar, trug ein Kopftuch und unter ihrem Kittel einen Rock, an dem sich der Saum löste, sowie Strumpfhosen und dicke Socken. Gekrönt wurde das Ganze von ausgelatschten Sandalen. Sie zog einen kleinen Wagen mit Putzmitteln hinter sich her, neben ihr stand ein Industriestaubsauger. In der Hand hielt sie einen feuchten und allem Anschein nach schmutzigen Lappen, den sie in die Luft hielt. Sie machte kreisende Bewegungen und sagte: »Wieschen, wieschen?«

»Oh, warten Sie. Ja, ja, sofort.« Johanna nahm das als Zeichen zu verschwinden, und stand auf.
»Saugen Staub?« Die Frau zeigte auf ihren Staubsauger und machte mit der Hand eine Bewegung, als würde sie mit dem Gerät den Fußboden reinigen. »Ja, ja. Machen Sie. Ich bin gleich weg.«
Die Frau grunzte zufrieden und wartete, bis Johanna mit Jacke und Aktentasche in der Hand an ihr vorbei aus dem Zimmer geflitzt war. Sie blickte auf die Uhr und stellte fest, dass es fast Dienstschluss war. Die meisten Zimmer auf dem Flur waren verschlossen. Auf dem Weg zum Treppenhaus begegnete sie einer Besichtigungsgruppe, die wie sie auf dem Weg zum Fahrstuhl war. Während sie gemeinsam auf den Fahrstuhl warteten, zupfte sie jemand am Ärmel. Sie drehte sich um und sah in das Gesicht eines älteren Mannes.
»Junge Frau, können Sie mir sagen, wo hier die nächste Toilette ist?« Johanna sah sich hilflos um. Auch sie kannte sich hier noch nicht besonders gut aus, um genau Auskunft erteilen zu können. Bei dem Blick in die Runde fiel ihr Blick auf den Leiter der Gruppe, der augenscheinlich genervt war, denn er hatte arge Probleme, sich in dieser Gruppe, die aus allen Altersschichten bestand, Gehör zu verschaffen.
Johanna schüttelte den Kopf und murmelte ein: »Nein, tut mir Leid.« Zu ihrer Erleichterung kam der Fahrstuhl, und bevor sich die Gruppe endgültig entscheiden konnte, in welche Richtung sie denn nun wollte, war Johanna hineingeschlüpft und drückte die Taste, die die Türen ein wenig schneller schloss.
Erst als diese geschlossen waren, lehnte sie sich mit einem Seufzer der Erleichterung gegen die verspiegelte Kabinenwand. Ihre Einkäufe waren relativ schnell erledigt, und als sie nach Hause kam, stellte sie fest, dass sie noch reichlich Zeit hatte. Sie öffnete eine Flasche Weißwein und goss sich ein Glas ein, wan-

derte damit zu ihrem Kleiderschrank im Schlafzimmer. Der Schrank stand grundsätzlich offen, obwohl es dadurch in ihrem Schlafzimmer immer ein wenig unordentlich aussah. Sie entschied sich für etwas Bequemes. Ein weites T-Shirt, eine zerrissene Schlabberjeans, barfuß – das war Gammellook ganz nach ihrem Geschmack.
Sie schnappte sich ihr Weinglas und ging zurück ins Wohnzimmer, um das Radio anzustellen. Dann ließ sie sich in einen Sessel fallen und lehnte den Kopf in die Polster zurück. Da ihre CD-Sammlung nicht gerade berauschend war, hatte sie ihren Lieblingssender eingestellt. Schließlich raffte sie sich auf, schenkte sich noch einen kräftigen Schluck aus der Weinflasche nach und war bereit, den Kampf mit dem Herd aufzunehmen.
Im Wesentlichen wusste sie, was alles in ihr Hühnerfrikassee hineinkam, aber es war besser, noch einmal zu kontrollieren, ob auch nichts fehlte. Dann wusch sie das Hähnchen, putzte das Gemüse und suchte die entsprechenden Gewürze heraus. Ihre Laune hob sich zusehends, ob das am Wein lag, an der Musik oder einfach daran, dass sie zu Hause war, konnte sie nicht sagen. Als es plötzlich klingelte, fuhr sie erschrocken auf und blickte an sich hinunter. Verdammt! Stefan hasste es, wenn sie so aussah.
Sie wischte sich die Hände an einem schon leicht schmuddeligen Handtuch ab und eilte zur Tür.
»Wie siehst du denn aus?« Stefans anfängliches Lächeln verflüchtigte sich sofort wieder, als Johanna die Tür öffnete. Er musterte sie demonstrativ von oben bis unten und verzog das Gesicht. So wie er die Nase rümpfte, konnte man beinahe glauben, von Johanna ging ein Ekel erregender Geruch aus. Stefan beugte sich vor und küsste sie leicht auf die Wange. Mit einem »du hast ja getrunken« schob er sich an ihr vorbei in die Wohnung. Johanna schloss für einen Augenblick die Augen und

versuchte sich zu sammeln. Dann drehte sie sich mit einem entschuldigenden Lächeln um und sagte versöhnlich: »Es tut mir Leid, aber ich bin noch nicht lange zu Hause. Das Essen ist gleich fertig. Ich spring nur mal eben unter die Dusche. Bin gleich wieder da.« Den letzten Satz rief sie ihm zu, denn sie war bereits in ihrem Badezimmer verschwunden und warf schwungvoll die Tür hinter sich zu. Sie stützte die Hände auf den Rand des Waschbeckens und zählte innerlich leise bis Hundert. Wenn das kein gelungener Start für einen romantischen Abend zu zweit war.

Trotzdem beeilte sie sich und stand nach kurzer Zeit wieder vor Stefan. Diesmal in weißer Leinenhose und Seidenbluse.

»Du hättest ruhig schon mal den Tisch decken können.«

»Was ist bloß los mit dir? Du bist doch sonst nicht so nachlässig.« Der Ärger in Stefans Stimme war unverkennbar. Er stand in der Mitte des Raumes, die Hände in die Hosentaschen vergraben. Er hatte immer noch seinen Anzug an, den er vermutlich schon den ganzen Tag getragen hatte. Erst in diesem Moment fiel es Johanna auf, dass sie Stefan eigentlich noch nie salopp gekleidet gesehen hatte. Tagsüber musste er einen seriösen Eindruck machen, schließlich hatte er als Anwalt für Patentrecht einen entsprechenden Mandantenkreis, aber dennoch fiel es Johanna plötzlich schwer, sich Stefan in Jeans und Turnschuhen vorzustellen.

»Ich sagte doch schon, dass ich erst relativ kurz zu Hause bin. Auch ich arbeite dann und wann und kann nicht so ohne weiteres früher gehen.« Sie spürte Ärger in sich aufwallen. Hier stand sie in ihrer eigenen Wohnung und war dabei, sich für etwas zu rechtfertigen, für was es genau genommen keiner Rechtfertigung bedurfte.

»Meinst du nicht, dass du es inzwischen ein wenig übertreibst? Was ist dir eigentlich wichtiger? Deine drogen- und alkoholkranken Polizisten oder ich?«

Johanna bemühte sich, ruhig zu bleiben, obwohl ihr seine überhebliche Art auf die Nerven ging.
»Ich bin zurzeit mit einem wichtigen Mordfall beschäftigt, der mich ziemlich in Anspruch nimmt, falls das deiner geschätzten Aufmerksamkeit entgangen sein sollte. Im Übrigen möchte ich dich daran erinnern, dass du auch oft keine Zeit für mich hattest und meist sehr spät noch im Büro anzutreffen bist. Ich möchte wetten, dass du direkt von der Kanzlei gekommen bist.«
»Das ist ja wohl etwas ganz anderes.« Stefan wirkte tatsächlich empört, und wieder war der kleine beleidigte Junge in ihm ganz deutlich herauszuhören. »Außerdem, was soll das heißen, du bist mit einem Mordfall beschäftigt? Tröstest du am Ende die Hinterbliebenen?« Sie konnte seine abfällige Art wirklich keine Minute mehr ertragen.
»Ich habe heute Abend weder die Kraft noch die Nerven, mit dir über meine Arbeit zu diskutieren. Ich denke, es ist besser, du gehst einfach wieder. Meinst du nicht?« Johanna nahm ihr Weinglas in die Hand und trank einen kräftigen Schluck, an dem sie sich verschluckte. Sie hustete. Stefan sah sie erstaunt an.
»Ich hatte heute auch einen harten Tag. Vielleicht bin ich deshalb ein wenig empfindlich«, lenkte er ein. »Komm, lass uns etwas essen, vielleicht geht es uns beiden dann wieder besser.« Auch wenn das bei ihm einer Entschuldigung gleichkam und für heute Abend mit keinen weiteren Streitereien zu rechnen war, war Johanna alles andere als zufrieden. Trotzdem deckte sie den Tisch, und als sie sich beide zum Essen hinsetzten, herrschte beinahe wieder eine Art freundlicher Atmosphäre. Das Gespräch plätscherte dahin, Stefan erzählte lang und breit von seiner Geschäftsreise nach Köln, und als sie es sich gemeinsam im Wohnzimmer gemütlich gemacht hatten, war zumindest Stefans Stimmung deutlich besser geworden.
»Ich weiß, dass es zwischen uns zurzeit nicht so gut läuft, aber

ich denke, das bekommen wir wieder hin. Du solltest vielleicht etwas weniger schuften, schließlich müsstest du auch in Zukunft nicht unbedingt arbeiten.« Er lächelte und drehte sein Glas in der Hand.

»Was willst du denn damit sagen?«, fragte Johanna alarmiert. Sie hatte ihm gerade zum ersten Mal an diesem Abend richtig zugehört, und schon lief ihr ein eisiger Schauer über den Rücken.

»Meinst du nicht, es wäre an der Zeit, zusammenzuziehen oder sogar zu heiraten?« Er strahlte sie an. Man merkte deutlich, dass er glaubte, ihr mit dieser Art Antrag die Welt zu Füßen gelegt zu haben. Er rückte näher und legte eine Hand auf ihr Bein, die sich unaufhörlich höher schob. Johanna holte einmal tief Luft und entfernte dann entschlossen seine Hand von ihrem Oberschenkel. Stefans Berührung verursachte ihr beinahe Übelkeit.

»Wir sollten ein anderes Mal darüber reden. Sei mir nicht böse, aber ich bin wirklich müde und muss morgen früh raus.« Sie stand auf und brachte ihr Glas in die Küche. Als sie zurückkam, blieb sie demonstrativ vor der Couch stehen, bis Stefan sich schließlich schmollend erhob. So kannte sie ihn.

»Eigentlich hatte ich mir eine andere Reaktion erhofft, aber gut.« Er nahm seinen Mantel, den er bei seiner Ankunft achtlos über eine Sessellehne geworfen hatte, gab ihr einen Kuss auf die Wange und verschwand. Erst als die Tür hinter ihm ins Schloss gefallen war, atmete Johanna hörbar aus. Sie fühlte sich, als habe sie den ganzen Abend die Luft angehalten.

Das geschäftige Treiben auf dem Flur stand in krassem Gegensatz zu der Stille des vergangenen Nachmittags. Gelächter, Gesprächsfetzen und die vielen verschiedenen Geräusche, die zeigten, dass hier Menschen arbeiteten, verschmolzen zu einem einzigen geschäftigen Summen.

»Schön, dass du da bist.« Markus kam ihr entgegen und versperrte ihr den Weg. »Besprechung in einer Viertelstunde.« Er drückte ihr noch einen Kuss auf die Stirn und verschwand dann in die entgegengesetzte Richtung.

Johanna ging weiter, grüßte in verschiedene Richtungen, die Namen der Kollegen waren ihr zwar immer noch nicht geläufig, aber sie sah sie jetzt schließlich täglich bei den Besprechungen. Einige nickten freundlich zurück, andere sagten sogar »Hallo«. Nur ein paar Kollegen ignorierten sie. Sie schloss ihre Zimmertür auf und trat ein. Das Unangenehme an diesem relativ neuen Gebäude war, dass die Wandfarben und Teppiche in den Räumen immer noch einen künstlichen Geruch verströmten, so dass die Zimmer morgens penetrant rochen. Wonach genau, konnte Johanna nicht sagen, aber es musste irgendetwas Metallisches sein.

Sie legte ihre Aktentasche auf den Tisch und öffnete das Fenster, noch bevor sie sich auszog und den Mantel an den Garderobenständer hängte. Ein paar interne Mitteilungen lagen auf ihrer Schreibunterlage und das blinkende Lämpchen an ihrem Telefon zeigte an, dass sich ein Anruf auf dem integrierten Anrufbeantworter befand. Sie drückte auf den Knopf und hörte die Nachricht ab. Es war Jutta, die auf ihre Instruktionen wartete und einen Bericht anmahnte, den sie einem Kollegen schreiben wollte. Es ging dabei um die Einweisung eines Polizisten in eine Entziehungsklinik. Sie hatte diesen Beamten zwar an einen Arzt überwiesen, ihr Bericht jedoch war Grundlage für die Abrechnung mit der behördeneigenen Krankenkasse. Der Anruf erinnerte sie daran, dass sie den vorläufigen Bericht für Diekmann, den sie gestern begonnen hatte, noch beenden wollte, aber ein Blick auf die Uhr sagte ihr, dass sie das vor der Besprechung nicht mehr schaffen würde. Der Bericht musste bis nach dem Besuch bei Prof. Dr. Reuschel warten.

»Guten Morgen.« Sie sah auf und blickte in Diekmanns

Gesicht; er hatte tatsächlich Spuren eines Lächelns auf den Lippen.
»Guten Morgen.« Angesichts ihrer Kopfschmerzen fiel ihr Lächeln wahrscheinlich etwas gequält aus. Aus lauter Frust hatte sie gestern Abend noch die Weinflasche geleert und heute Morgen beim Aufwachen das Gefühl gehabt, als würden Hunderte kleiner Zwerge mit ihren Spitzhacken Hirnmasse in ihrem Schädel abbauen.
»Sie sehen blass aus.« Seine Stimme klang mitfühlend. Er wirkte tatsächlich ein wenig besorgt.
»Ich fürchte, ich fühle mich auch so.« Sie zog eine Schreibtischschublade auf und kramte darin herum, bis sie eine Packung Kopfschmerztabletten fand.
»Warten Sie.« Diekmann verschwand und kam Sekunden später mit einer Kanne heißem Kaffee wieder zurück.
»Das hilft Ihnen wieder auf die Beine.«
Johanna drückte zwei Tabletten aus dem Plastikstreifen, schob sie in den Mund und kippte sie mit einem Schluck Kaffee, den Diekmann ihr eingegossen hatte, hinunter. Sie hatte zwar das Gefühl, dass ihr der Kaffee auf dem Weg in ihren Magen die gesamte Speiseröhre verbrannte, aber das zeigte ihr wenigstens, dass sie noch am Leben war.
»Danke«, röchelte sie.
»Kommen Sie, wir wollen anfangen.« Er wirkte noch immer freundlich, und Johanna war ihm dankbar dafür, denn das Letzte, was sie heute wollte, war sich mit Diekmann zu streiten oder sich von ihm anschreien zu lassen. Das hätten vermutlich weder ihr Kopf noch ihre lädierten Nerven vertragen. Diekmann eilte mit kraftvollen Schritten voran, so dass alle verstummten, als sie in dem kleinen Besprechungszimmer ankamen. Er hielt Johanna die Tür auf und begab sich erst auf seinen Platz, nachdem er die Tür sorgfältig hinter sich geschlossen hatte. Der Raum war sehr klein; einige Beamte mussten auf

den Fensterbänken sitzen oder sogar stehen. Der einzige Platz, der noch frei gewesen war, war der von Diekmann am Ende des langen Tisches.
Johanna blickte zur gegenüberliegenden Fensterbank hinüber und sah dort Markus sitzen. Er klopfte kurz neben sich und bedeutete ihr, zu ihm herüberzukommen. Sie schlängelte sich durch die Polizisten, die ihre Stühle kreuz und quer gestellt hatten, um ihren Chef ungehindert sehen zu können. Mit einem kleinen Seufzer ließ sie sich schließlich neben Markus nieder.
»Was ist los? Kater?« Er flüsterte, obwohl die Besprechung noch gar nicht begonnen hatte. Diekmann ordnete noch ein paar Unterlagen und unterhielt sich leise mit seinem Nachbarn zu seiner Linken.
Johanna schüttelte den Kopf. »Nicht wirklich. Ich meine, ein bisschen Kater, ein bisschen Frust, ein bisschen schlecht geschlafen. Das volle Programm eben.«
»War Stefan gestern bei dir?«
»Ja.« Ihre Antwort kam zögerlich und sehr gedehnt, und Markus wusste aus Erfahrung, dass er Johanna dann besser in Ruhe ließ.
»Morgen, alle zusammen.« Diekmanns tiefe Stimme ließ alle aufhorchen. Johanna hatte sogar das Gefühl, dass sich einige der Anwesenden beim Klang seiner Stimme regelrecht in ihren Stühlen aufrichteten, so als würden sie strammstehen. Auch wenn sie solche Reaktionen lustig fand, wunderte sie sich wieder einmal über Diekmanns Ausstrahlung. Die Szenerie erinnerte sie an einen Gerichtssaal, in dem der Richter als uneingeschränkter Herrscher alle Blicke auf sich vereinigte und über Gut und Böse urteilte. *So wie meine Mutter,* fuhr es ihr durch den Kopf. Auch Markus neben ihr straffte sich kaum merklich.
»Gibt es etwas Neues?« Diekmann sah in die Runde. Einige Leute fingen hektisch an, in ihren Notizen zu kramen.

»Conny?« Er blickte eine junge Frau an, die in Johannas Nähe saß.
»Also, gut. Wir haben uns in den vergangenen Tagen intensiv um die Taxizentralen gekümmert.«, fing sie mit ihrem Bericht an.
»Und?«, forderte Diekmann sie auf, weiterzusprechen.
»Leider bisher erfolglos. Wir sind zwar noch nicht ganz fertig, ich fürchte aber, das werden wir auch nicht. Die großen Taxizentralen und -unternehmen haben angegeben, keine Frauen, auf die die Beschreibungen der Ermordeten passen könnten, an den betreffenden Abenden gefahren zu haben. Aber es gibt zahllose selbstständige Taxiunternehmen, die nur ein einziges Fahrzeug in Betrieb haben. Die machen oft Touren, die sie dann nicht anmelden. Und so fürchte ich, dass wir nicht viel mehr dabei herausbekommen werden.«
Johanna registrierte erstaunt, dass eine der Anregungen, die sie gemacht hatte, tatsächlich aufgegriffen worden war. Sie streifte Markus mit einem kurzen Blick, aber er sah angestrengt in Diekmanns Richtung.
»Jochen?« Diekmann wandte sich, nachdem er Connys Ausführungen mit einem Nicken quittiert hatte, auffordernd einem anderen Kollegen zu.
»Wir haben uns um die Postzusteller gekümmert. Wenn wir davon ausgehen, dass alle Frauen in verschiedenen Stadtteilen gewohnt haben, gibt es logischerweise keine Überschneidungen. Deshalb habe ich mal die Vertretungen gecheckt. Aber auch hier gibt es niemanden, der auch nur bei zwei der Frauen gleichzeitig Post ausgetragen hätte.«
»Frau Dr. Jensen?«
Johanna schreckte auf, sie hatte nicht damit gerechnet, von Diekmann mit einbezogen zu werden. Alle drehten sich zu ihr um und sahen sie erwartungsvoll an. Sie fühlte sich nicht wohl unter den forschenden Blicken der Kollegen, aber sie riss sich zusammen und räusperte sich kurz.

»Nun, ich habe die Angehörigen noch einmal kurz befragt, musste aber feststellen, dass uns das nicht weiterbringt. Die Frauen waren grundverschieden. Eine Tatsache, die mich zugegebenermaßen ein wenig erstaunt.«
»Warum?«
»Ich hatte gehofft, wenigstens bei den Nachforschungen eine Kleinigkeit herauszufinden, also eine Übereinstimmung bei den Hobbys zum Beispiel, dieselbe Stammkneipe oder Ähnliches. Aber in diesem Fall scheint es so etwas nicht zu geben. Die eine war ständig auf Piste, wohingegen die andere sich um behinderte Kinder kümmerte. Das passt doch nicht zusammen, oder?«
»Haben Sie einen Vorschlag?«
»Ja. Vielleicht können wir von den Angehörigen Fotos von den Beerdigungen erhalten.« Einige sahen sie erstaunt und teilweise auch entsetzt an. Sie hob abwehrend die Hände.
»Ich weiß, es erscheint Ihnen pietätlos, aber sie glauben gar nicht, wie viele Leute Fotografen zu den Beisetzungen kommen lassen. Ich erhoffe mir zwar nicht sehr viel davon, aber es ist wenigstens ein Versuch. Mitunter kommen die Täter zu den Bestattungen. Sei es, weil sie sich ihrer Sache sehr sicher sind, sei es, um sich an dem Kummer der Hinterbliebenen zu weiden.«
»Sie können die Bilder von mir haben. Ich hatte mir nämlich etwas Ähnliches schon gedacht«, antwortete ihr Diekmann, »wenn Sie nachher in mein Büro kommen, gebe ich Sie Ihnen.« Diekmann wandte den Blick wieder von ihr ab, sein Interesse schien ebenso schnell erloschen, wie es aufgeflammt war. »Danke.« Damit war ihr Vortrag beendet.
»Markus?«
»Wir haben uns noch einmal die Wohnungen der Opfer angesehen. Keinen Hinweis auf gemeinsame Fitness-Studios, Sprachkurse oder dergleichen. Und es gibt keinen einzigen Hinweis darauf, dass sie dem Killer an einem bestimmten Ort

ins Netz gegangen sind. Es sieht fast so aus, als habe der Mörder die Bekanntschaft mit den einzelnen Frauen zufällig gemacht.«
»Oder er war außerordentlich vorsichtig. Vielleicht hat er sie beobachtet, sich in irgendeiner Weise mit ihren Vorlieben vertraut gemacht, um dann ihre Bekanntschaft zu suchen«, gab Diekmann zu bedenken.
Das deckte sich ungefähr mit Johannas Überlegungen. Im nächsten Satz sprach er dann auch gleich ihre Befürchtung aus.
»Das würde aber bedeuten, dass wir ihm immer ein wenig hinterherhinken; und wenn er keinen Fehler macht oder unvorsichtig wird, haben wir verdammt schlechte Karten. Wir können dann nur hoffen, dass sich die Sache wie bei ›Jack the Ripper‹ von selbst erledigt.«
Jack the Ripper war nie gefasst worden, da er aber irgendwann aufgehört hatte, Frauen zu ermorden, ging man bis zum heutigen Tage davon aus, dass er nur deshalb aufgehört hatte, weil er gestorben war.
»Das kann ja ewig dauern. Dieses Risiko sollten wir dann wohl besser nicht eingehen.«
Johannas trockener Kommentar hörte sich selbst in ihren Ohren ziemlich unqualifiziert an.
»Bevor wir noch mehr solch wertvolle Beiträge erhalten, würde ich sagen, gehen wir alle zurück an unsere Arbeit.« Diekmann sammelte seine Papiere zusammen, stand auf und verließ den Raum. Alle anderen lehnten sich aufatmend zurück. Bisher hatten alle hoch konzentriert gewirkt, keiner schien in Diekmanns Anwesenheit es auch nur zu wagen, an etwas anderes als den Dienst zu denken.
»Wie sieht es mit heute Abend aus? Du hast es doch nicht vergessen?« Markus schlenderte neben Johanna den Gang entlang in Richtung ihres Büros.

»Nein, aber ich glaube, ich werde heute nicht alt bei euch. Was ist denn das für ein Typ, dieser ›Künstlerfreund‹ von Flo?«
»Ich habe keine Ahnung. Ich kenne ihn nicht. Aber Flo schwärmt von seinen Arbeiten und behauptet, schon heute würden Teile seines Werkes kaum zu bezahlen sein. Abwarten. Was hast du heute noch vor?«
»Ich habe jetzt einen Termin bei Professor Reuschel.«
»Dem Gerichtsmediziner?«
»Hm.« Johanna war sogar zum Reden zu faul.
»Was versprichst du dir davon?«
Sie zuckte müde mit den Achseln. »Ich habe keine Ahnung. Vielleicht ergibt sich etwas im Gespräch mit ihm. Ich weiß es wirklich nicht.« Johanna ließ sich schnaufend auf den Rand ihres Schreibtisches sinken.
»Und was machst du heute noch so?«
»Ich muss noch ein paar Berichte schreiben, da ich die letzten Tage nur unterwegs war. Ich werde also meine Zimmertür verschließen, das Radio anmachen und hoffen, dass man mich anstatt alle zehn Minuten, nur noch alle zwanzig Minuten stört.«
»Tolle Aussichten.«
Sie schwiegen beide einen Moment, dann fragte Johanna: »Meinst du, ich kann einen Dienstwagen bekommen? Ich habe keine Lust, mit meinem Wagen zu fahren. Außerdem werde ich vermutlich kaum einen Parkplatz bekommen, aber mit einer Dienstmarke in der Windschutzscheibe könnte ich wohl direkt aufs Gelände fahren, oder?«
»Klar. Warte, wir haben einen eigenen Fahrzeugpool. Ich frag mal schnell nach.« Er griff an ihr vorbei zum Telefon und rief Walter, den Fahrzeugverwalter, an, der eifersüchtig über »seine« Dienstwagen wachte. Man hatte immer das Gefühl, man füge ihm körperliche Schmerzen zu, wenn man mit einer Beule im Kotflügel zurückkam. Johanna hatte Glück. Es gab noch ein Fahrzeug, das sie benutzen konnte, und bevor Walter

es sich anders überlegte, ging Markus und holte ihr die Fahrzeugpapiere.
»Aber denk dran«, sagte er, als er mit der Mappe in der Hand zurückkam, »immer schön vorsichtig. Walter wird dich standrechtlich erschießen, wenn mit dem Auto irgendetwas nicht stimmt. Und du brauchst dich gar nicht erst zu verstecken, er findet dich überall.« Über Markus' Versuch, drohend und gefährlich zu wirken, mussten sie beide lachen.

Als Johanna vor den Haupteingang des Instituts für Rechtsmedizin fuhr, waren ihre Kopfschmerzen fast komplett verschwunden, und sie fühlte sich beinahe wiederhergestellt, wenn da nicht die Müdigkeit gewesen wäre, die ihr in den Knochen steckte.
Johanna war noch nie hier gewesen und fühlte sich ein wenig unsicher, als sie das Gebäude betrat. Am liebsten wäre sie umgekehrt. Allein das Wissen, dass hier Tote lagen und darauf warteten, irgendwann abgeholt und zur ewigen Ruhe gebettet zu werden, nahm ihr die Luft zum Atmen. Ihr fiel die Aussegnungshalle ein, in der ihr Vater aufgebahrt gewesen war. In dem Raum war es kalt gewesen, so als sei es ein Frevel, Wärme zu verbreiten, wo es nur Tod gab. Der erstickende Duft der Blumen konnte nicht darüber hinwegtäuschen, dass Trost im Angesicht Gottes nicht zu erwarten war.
Johanna schüttelte sich unwillkürlich, um die trüben Gedanken zu vertreiben. Auf der linken Seite gleich hinter dem Eingang befand sich eine Portiersloge, auf die sie zusteuerte. Sie wies sich aus und erkundigte sich nach Prof. Dr. Reuschel.
Der junge Mann hinter der Glasscheibe bat sie, einen Moment zu warten. Nach fünf Minuten erschien ein ältere Mann in der Eingangshalle, der sich beim Portier augenscheinlich nach ihr erkundigte, denn der Portier deutete in ihre Richtung. Johanna stand auf und ging dem älteren Herrn entgegen. Er wirkte zwi-

schen fünfzig und sechzig Jahre alt und war fast weißhaarig und erschreckend bleich. Zu allem Überfluss musste er fast blind sein, denn hinter den Gläsern seiner dicken Hornbrille sahen die Augen überdimensional groß aus. Er hatte kleine dunkle, stechende Augen, die sie misstrauisch musterten. Seine Stimme klang ungeduldig, als er sie begrüßte.

»Frau Doktor Jensen?«

»Herr Professor Reuschel. Nett, das Sie Zeit für mich haben.« Sie reichte ihm die Hand und war erstaunt ob seines festen Händedrucks. So wie er aussah, hätte Johanna eher erwartet, dass seine Hände weich und feucht waren.

»Kommen Sie doch bitte mit in mein Büro.« Er ging vorweg und bog gleich hinter dem Empfang nach links ein. Dann verlangsamte er seinen Schritt ein wenig und wartete, bis sie aufgeholt hatte.

»Waren Sie schon einmal hier?«

»Nein, Gottlob nicht. Ich glaube nicht, dass das das Richtige für mich ist.«

»Möchten Sie nachher vielleicht einen kleinen Rundgang machen?«

»Oh.« Johanna wollte nicht unhöflich sein, und wusste nicht recht, wie sie ihre Ablehnung begründen sollte. Der Pathologe kicherte plötzlich.

»War nur ein Scherz. Sie wären die erste Außenstehende, die sich hier um eine Besichtigungstour reißen würde. Aber ganz im Ernst, wenn Sie sich irgendwann genauer umsehen wollen, stehe ich Ihnen gern zur Verfügung. So unter Kollegen.« Er zwinkerte ihr freundlich zu.

»Bitte.« Er führte sie in ein kleines Büro, das im Gegensatz zu ihrem eigenen erstaunlich aufgeräumt aussah. Er bot ihr den Stuhl vor seinem Schreibtisch an und ging selbst um das Möbelstück herum. Dann setzte er sich, faltete die Hände auf der blank polierten Platte und sah sie aufmunternd an.

»Und? Womit kann ich Ihnen dienen?«
»Ich denke, Herr Diekmann hat Sie bereits informiert?«
»Er sagte, dass Sie ebenfalls mit dem Fall des Serienmörders betraut sind und einige Auskünfte benötigten.« Johanna konnte dieser Äußerung keinen Hinweis entnehmen, ob Diekmann vielleicht noch etwas anderes über sie gesagt hatte, zumindest ließ sich der Professor nichts weiter anmerken.
»Das stimmt. Ich arbeite erst seit vier Tagen an diesem Fall und sehe schon jetzt kein Land mehr. Sie haben doch die Autopsien an den vier Frauen durchgeführt?«
»Ja, ganz recht.« Seine Augen nahmen einen ernsten Ausdruck an. Vermutlich seine Art, den Verstorbenen Tribut zu zollen.
»Und? Was haben Sie herausgefunden?«
Reuschel lehnte sich in seinem Stuhl zurück und wippte auf und ab. Mit dem Nagel des rechten Zeigefingers malte er unablässig Kreise auf das lackierte Holz. »Schwer zu sagen. Ich kann nur noch einmal betonen, dass ich keine Ahnung habe, woran die Frauen gestorben sind. Es hat keine Hinweise auf Fremdeinwirkung gegeben und es gab keine äußeren Verletzungen – bis auf einen Fall. Und auch da waren es nur leichte Spuren von Fesseln an den Handgelenken.«
»Also könnte es sich um Gift handeln?«
»Ich gehe davon aus, ich kann Ihnen aber beim besten Willen nicht sagen, welches. Es gibt eine Unmenge von Giften, und einige kann man nicht so ohne weiteres nachweisen.«
»Und was ist mit Medikamenten?«
»Medikamente sind auch Gift. Passen Sie auf«, er lehnte sich wieder nach vorne und versuchte Johanna die Problematik zu erläutern, »im Allgemeinen wird ein toxikologisches Screening durchgeführt. Wir können damit so ziemlich alle Spuren gängiger Gifte feststellen. Dieses Screening hat aber nichts erbracht. In einem Fall, ich glaube, das war bei der Leiche der Gudrun Spengler, hatte ich zuerst den Verdacht auf eine Alkoholintoxi-

kation, also eine Alkoholvergiftung, das hat sich dann aber nicht bestätigt. Bei der Untersuchung habe ich mich auf Herzmedikamente und Medikamente, die die Atmung lähmen, konzentriert, zum Beispiel Äthylenglykol.«

»Und Zyanid und Kohlenmonoxid?«

»Selbstverständlich habe ich auch diese beiden Wirkstoffe überprüft, obwohl das in diesem Fall ziemlich unwahrscheinlich gewesen wäre, denn dann hätten die Leichen anders ausgesehen. Bei einer Vergiftung mit Kohlenmonoxid wären die Totenflecken eher kirschrot gewesen. Bei Zyanid hingegen hätte die Leiche zumindest bläuliche Lippen aufgewiesen. Auch die Tests auf Doxylamin und Diphenhydramin verliefen negativ.«

Wie Johanna wusste, handelte es sich hierbei um starke Schlaf- und Beruhigungsmittel. Sie überlegte einen Moment.

»Und was ist mit Rohypnol und Valoron?«

»Negativ.«

Johanna seufzte und lehnte sich zurück. »Haben Sie noch eine andere Idee?«

Der Gerichtsmediziner zog die Schultern hoch und schüttelte dann den Kopf. »Nein, es tut mir Leid, aber wir bräuchten schon einen kleinen Anhaltspunkt, in welche Richtung wir die Tests durchführen sollen, sonst sitzen wir hier noch in zwei Jahren.«

»Konnten Sie irgendwelche frische Operationsnarben erkennen?«

»Nein. Auch da kann ich Ihnen leider nichts Interessantes liefern.«

»Natürlich. Das wäre auch zu schön gewesen. Dann hätten wir vielleicht herausfinden können, wo der Mörder die Frauen kennen gelernt hat. Vielleicht waren ja alle vier Frauen in einem Krankenhaus. Da könnte man den Kreis der möglichen Täter dann leicht eingrenzen.«

Reuschel sah sie belustigt an. »Sie greifen wirklich nach jedem Strohhalm, nicht wahr?«
Johanna seufzte. »Sie haben Recht. Mittlerweile habe ich wirklich abgefahrene Ideen, aber ich weiß mir bald keinen Rat mehr.«
»Ich fürchte, ich kann Ihnen nur eines mit absoluter Sicherheit sagen.«
»Und das wäre?«
Der Arzt hob bedauernd die Hände. »Die Herzen der Frauen haben einfach aufgehört zu schlagen.«

Als Johanna wieder draußen an ihrem Wagen stand, holte sie tief Luft. Nicht nur, dass sie in Ihrem Fall keinen Schritt weitergekommen war, nein, sie schien zu allem Übel auch noch auf ein Mitglied von Diekmanns Fangemeinde gestoßen zu sein. Der Professor hatte ihr Grüße an Diekmann aufgetragen und sie gebeten, ihn daran zu erinnern, dass sie mal wieder zusammen Tennis spielen wollten. Es war zum aus der Haut fahren!
Auf dem Weg zurück ins Präsidium entschloss sie sich kurzfristig, einen Spaziergang im Stadtpark zu unternehmen. Anstatt links in die Hindenburgstraße abzubiegen, parkte sie auf dem Parkstreifen kurz hinter dem ersten Fußgängerüberweg und schlenderte dann in Richtung Observatorium. Mit jedem Schritt merkte sie, wie es ihr leichter ums Herz wurde. Das Gefühl, dass etwas ihr die Luft abschnürte, war im Institut übermächtig geworden. Sie holte tief Luft. Der Himmel war zwar bewölkt, aber sie fühlte sich so gut wie schon lange nicht mehr. Mit der Unbekümmertheit und Freude eines Kindes trat sie in die großen bunten Blätterhaufen. Ihre Mutter hatte ihr immer verboten, die Blätter auseinander zu wirbeln, weil angeblich viele Menschen damit beschäftigt waren, diese zusammenzurechen. Wie aus Trotz wirbelte sie noch mehr Blätter durch-

einander. Eigentlich mochte sie den Herbst. Er war ehrlich und verbarg nichts. Sein Licht war gnadenlos und machte verletzlich; jeder noch so kleine Fehler wurde plötzlich sichtbar.
Sie überdachte das Gespräch, das sie vor wenigen Minuten mit Professor Reuschel geführt hatte, und kam zu dem Schluss, dass er ihr wenigstens ein bisschen weitergeholfen hatte. Zumindest erhärtete sich ihre Theorie, dass der Täter seine Opfer gekannt haben musste. Da es keinerlei Kampfspuren an den Leichen gegeben hatte, mussten die Frauen das Gift, wenn es denn eines gewesen war, und danach sah es aus, freiwillig und in seiner Gegenwart eingenommen haben. Irgendwo in den Ermittlungen gab es eine Schwachstelle, etwas, das bisher nicht beachtet, ein Muster, das noch nicht erkannt worden war.
Sie blieb einen Moment auf der großen Rasenfläche vor dem Observatorium stehen und ließ das Gebäude auf sich wirken. Als Kind war sie gerne hierher gekommen. Es hatte sie fasziniert, dass es immer gleich aussah. Egal, ob Sommer oder Winter, egal, ob sie zwölf oder fünfunddreißig Jahre alt war, guter oder schlechter Laune, das Gebäude war immer da geblieben. Unverrückbar. Dieses Gebäude hatte Symbolkraft für sie, und auch heute spürte sie die alte Faszination, die ihr, wie schon früher neue Kraft gab. Ihr Vater hatte sie und ihren Bruder das erste Mal hierher gebracht, als Johanna kaum acht Jahre alt gewesen war. Sie konnte sich nicht erinnern, ob ihre Mutter auch dabei gewesen war, aber sie glaubte es nicht. Denn wenn sie dabei gewesen wäre, wäre ihr dieser Ort vermutlich eher bedrohlich in Erinnerung geblieben. Sie schloss die Augen und legte den Kopf in den Nacken. Vor ihrem geistigen Auge erschienen die kalten und harten Augen ihrer Mutter. Sie hatte ihren Blick ebenso gehasst wie gefürchtet. Und es waren eben diese Augen, die sie auch an Diekmann so sehr hasste. Die gleiche herrische Art, die sie an eine dunkle Zeit erinnerte, die man Kindheit nannte. Ganz langsam holte sie tief Luft. Erst als sie das

Gefühl hatte, dass ihre Lungen gleich platzen würden, atmete sie wieder aus. Sie öffnete die Augen. Noch immer stand das Gebäude trutzig und unverrückbar vor ihr.

Zurück im Präsidium, gab sie zuerst die Fahrzeugpapiere zurück und betonte, dass das Fahrzeug nicht einmal Schmutzspuren aufwies, geschweige denn irgendwelche Beschädigungen. Mit einem Grunzen nahm Walter ihr die Schlüssel ab, und hängte sie fast zärtlich an ein Brett, das mit kleinen Zetteln geschmückt war, auf denen die Kennzeichen der einzelnen Wagen notiert waren. Er schien erst zufrieden, als die Schlüssel leise neben dem richtigen Schildchen baumelten. Fast befürchtete Johanna, dass er die Schlüssel noch einmal streicheln und tätscheln könnte.
Der Blick auf die Uhr sagte ihr, dass sie fast eine Stunde lang im Stadtpark umherspaziert war. Mittlerweile herrschte auf dem Flur geschäftiges Treiben. Johanna ließ sich mit schlechtem Gewissen und einem tiefen Seufzer der Erleichterung in ihrem Büro auf ihrem Stuhl nieder.
»Und? Wie war's? Bisschen Leichenduft geschnuppert?«
»Sehr witzig.« Sie hatte sich ein wenig erschreckt, als Markus sie von hinten ansprach.
»Ich weiß, warum ich Psychologin geworden bin. Als Medizinerin hätte ich an Autopsien teilnehmen müssen, und ich glaube, das wäre der Stolperstein in meinem Studium gewesen.«
»Man kann sich daran gewöhnen.«
»Du vielleicht. Mein Ding ist das nicht. Stimmt es, dass ihr bei den Autopsien dabei sein müsst? Ich habe das mal irgendwo gelesen.«
»Wenn es unsere eigenen Fälle sind, dann ja«, bestätigte Markus, »und du hast Recht, es ist unangenehm, aber wie gesagt, man kann sich an alles gewöhnen. Bei den ganz fiesen Fällen

trägst du außerdem eine Art Mondanzug mit einem kleinen Sauerstoffgerät, so dass du den Gestank nicht so richtig mitbekommst.« Johanna schauderte bei seinen Worten.
Er kam näher und setzte sich ihr gegenüber. »Bist du weitergekommen?«
»Nein. Nicht wirklich.« Sie erzählte ihm von ihrem Gespräch mit Reuschel und fügte seufzend hinzu: »Es ist zum aus der Haut fahren. Ich habe immer mehr das Gefühl, dass wir von falschen Voraussetzungen ausgehen. Irgendwo sind wir falsch abgebogen. Aber das ist nur so ein Gefühl.« Sie machte eine wegwerfende Handbewegung.
»Gibt es nicht irgendetwas, was uns weiterhelfen könnte?«
»Ich hänge seit Tagen am Telefon und habe herausgefunden, dass Maike Behrens seit kurzem in einem Fitnesscenter angemeldet war. Aber ich glaube nicht, dass das so Aufsehen erregend ist.«
Johanna dachte kurz nach. »Vielleicht nicht, aber einen Versuch ist es wert. Beschaff dir eine Mitgliederliste dieses Studios und jage sie alle durch den Computer.«
»Bist du verrückt? Wozu soll das gut sein?«
»Tu es einfach. Mir zuliebe.«
»Also gut.« Markus erhob sich seufzend. »Dein Wunsch ist mir Befehl. Haben Mylady noch einen Wunsch?« Er verbeugte sich grinsend vor ihr.
»Ja. Sag Diekmann bitte nichts davon. Was meinst du, wie lange du dazu brauchst?«
»Die Liste kann ich morgen besorgen. Das mit dem Computer dauert einen halben Tag. Also ich denke, morgen Nachmittag weiß ich mehr.«
Johanna überlegte. »Wie lange war sie Mitglied in diesem Fitnessclub?«
»So ungefähr drei Monate. Sie war wohl, nachdem was ich gehört habe, zirka dreimal die Woche dort.«

»Okay. Viel können wir nicht mehr falsch machen, oder?« Sie versuchte ein aufmunterndes Lächeln.
»Wahrscheinlich hast du Recht. Noch etwas«, Markus war schon auf dem Weg zur Tür, »denk an heute Abend. Wenn du nicht kommst, spricht Flo kein Wort mehr mit dir. Und das für die nächsten zehn Jahre.«
Johanna wurde rot. Sie fühlte sich ertappt, denn sie hatte tatsächlich mit dem Gedanken gespielt, die Verabredung abzusagen.
»Nein, nein«, versuchte sie ihre Verlegenheit zu überspielen, »keine Sorge, ich werde da sein.«
Markus reckte den Zeigefinger in ihre Richtung, als wäre er eine Pistole. »Gut.«
Nachdem er gegangen war, blieb Johanna noch einen Moment sitzen und starrte auf ihre Hände. Schließlich raffte sie sich auf. Es half nichts, der Bericht musste fertig werden. Das brachte sie zwar keinen Schritt weiter, gab ihr aber wenigstens ein Gefühl der Daseinsberechtigung.
Immerhin etwas.

7

Eigentlich hatte sie keine rechte Lust, die Wohnung noch einmal zu verlassen, aber Flo wäre wirklich böse, wenn sie so kurzfristig absagen würde; und wenn sie richtig darüber nachdachte, freute sie sich sogar bei dem Gedanken an ein Abendessen, dass sie weder selbst kochen noch allein einnehmen musste. Auch wenn sie der Gedanke an einen Künstler, der vermutlich stundenlang über sich, seine Werke und sein Talent monologisieren würde, schon im Vorfeld maßlos langweilte, konnte es doch ein amüsanter Abend werden. Da Johanna wusste, dass sich Flo in einen teuren Fummel werfen würde, beschloss sie, sich ebenfalls schick zu machen. Sie wählte eine dunkelblaue Marlene-Dietrich-Hose, ein passendes eng anliegendes Shirt und Pumps. Ihre Haare waren zu kurz, um damit irgendwelche Experimente zu unternehmen; deshalb beließ sie es bei ein bisschen Gel. Als sie ein wenig Make-up aufgetragen hatte, fühlte sie sich für einen Abend mit einem Freund von Flo gerüstet. Sie musste kichern, als sie sich abschließend im Spiegel betrachtete. Das war das erste Mal seit langem, dass sie sich für einen Mann schön machte. Sie konnte sich nicht einmal erinnern, wann sie sich das letzte Mal für Stefan in Schale geworfen hatte. Da sie wusste, dass sie ein paar Gläser Wein trinken würde, ließ sie ihren Wagen stehen und bestellte sich ein Taxi. Für so etwas wollte sie ihren Führerschein nicht riskieren. Außerdem hatte sie es sich zum Prinzip gemacht, niemals auch nur an Alkohol zu riechen, wenn sie noch fahren musste. Zu viele Alkoholiker hatten während ihrer beruflichen Laufbahn den Weg zu ihr gefunden, weil sie ein Gutachten brauchten, das ihnen bescheinigte, in der Lage zu sein, ein Fahrzeug zu führen. Die meisten von ihnen hatten eine Alkoholfahne ge-

habt, die allein schon ausgereicht hätte, Johanna betrunken zu machen.
Als sie das Taxi vorfahren hörte, schnappte sie sich ihre Jacke und ihre kleine Handtasche, die ansonsten ein kümmerliches Dasein in ihrem Kleiderschrank fristete. Nach einem letzten prüfenden Blick in den Spiegel schloss sie die Tür hinter sich und eilte zum Taxi, das mit laufendem Motor auf sie wartete. Sie ließ sich auf den Rücksitz des Fahrzeugs nieder und atmete hörbar aus. Der Abend konnte beginnen. Sie nannte dem Taxifahrer ihr Ziel und lehnte sich entspannt zurück. Plötzlich schoss ihr ihre eigene Theorie durch den Kopf, derzufolge ein Taxifahrer durchaus die Möglichkeit gehabt hätte, an die Frauen heranzukommen. Für einen Moment fühlte sie Panik in sich aufsteigen, aber ein verstohlener Blick zum Fahrer zeigte ihr, dass er nicht das geringste Interesse an ihr zeigte. Er machte noch nicht einmal Anstalten, sie in ein Gespräch zu verwickeln. Sie schalt sich eine Närrin und versuchte an etwas anderes zu denken. Doch auch wenn sie sich schnell wieder beruhigt hatte, verließ sie fast fluchtartig das Fahrzeug, als sie vor Markus' und Flos Haus angekommen war.
Flo riss die Tür auf. Man konnte fast den Eindruck gewinnen, dass er hinter der Tür auf sie gewartet hatte. Die Wahl ihrer Kleidung war richtig gewesen, denn Flo nahm Johanna bei den Händen, breitete die Arme aus und rief: »Du siehst ganz reizend aus. Das steht dir wirklich, Liebes. Komm herein.« Er zog Johanna mit sich und schloss hinter ihr die Tür.
»Bin ich zu spät?«
»Nein, Jo ist zu früh.«
»Jo?« Johanna hob fragend die Augenbrauen.
»Joachim Wille. Du weißt schon, der, von dem ich dir erzählt habe. Der, der die entzückenden Figuren gemacht hat.«
Er schleifte Johanna hinter sich her durch den Flur ins Wohnzimmer und verkündete: »Jo, das ist Johanna.« Der Mann, der

neben Markus auf dem Sofa gesessen hatte, erhob sich und kam lächelnd auf Johanna zu.
»Sie sind also Johanna. Ich freue mich, Sie kennen zu lernen.«
»Dann müssen Sie Jo sein.« Etwas Besseres fiel ihr nicht ein. Der Mann, der vor ihr stand, war so ganz anders, als sie ihn sich vorgestellt hatte.
Er war groß und muskulös. Die kurzen blonden Haare fielen ihm widerspenstig ins Gesicht, und er hatte ein umwerfendes Lächeln. Er trug schwarze Jeans und dazu einen schwarzen Rollkragenpullover. Sein Händedruck war angenehm fest.
»Sie haben doch diese wunderbaren Figuren gemacht?« Zumindest konnte sie versuchen, die Situation zu retten, bevor sie vollkommen peinlich wurde.
Er fuhr sich mit den Händen durchs Haar. »Ja, ganz recht. Das ist mein Hobby.« Sein Lächeln hatte etwas Jungenhaftes, Spitzbübisches an sich und gefiel Johanna auf Anhieb. Sie glaubte sogar eine Spur von Verlegenheit in seinen Augen aufblitzen zu sehen. Dieser Mann gefiel ihr. Und seine tiefe Stimme wirkte elektrisierend auf sie.
»Setz dich.« Flo schob sie in Richtung Sofa. Aus dem Augenwinkel konnte Johanna sehen, wie er Markus gleichzeitig wegscheuchte. Eine Sekunde später saß sie neben diesem Mann.
»Möchtest du etwas trinken?«
»Gern. Ich bin heute extra mit dem Taxi gekommen. Ein Glas Weißwein kann ich also gut vertragen.«
»Kommt sofort.« Flo drehte sich um und verschwand in der Küche.
»Hobby? Flo erzählte, Sie seien Künstler. Deswegen habe ich angenommen, dass das Ihr Beruf sei.«
»Genau genommen ist es auch so. Ich besitze eine Galerie, in der ich Kunstwerke verkaufe. Um mir mit Malerei und Bildhauerei meine Brötchen zu verdienen, dazu hat mein Talent leider niemals gereicht. Aber ich bin beharrlich und versuche es

weiterhin, und tatsächlich habe ich auch schon einige Sachen verkauft.«
Johanna schätzte ihn auf Anfang vierzig und fragte sich unwillkürlich, ob er verheiratet war.
»Und außerdem ist er Dozent an der Kunstakademie«, warf Flo ein, der inzwischen wieder aufgetaucht war und eine Flasche Wein sowie Gläser auf den Tisch stellte.
»Ach, wirklich?« Johannas Vorurteile schwanden. Sie hatte sich noch nie sonderlich für Kunst interessiert, war aber immer voller Bewunderung für diese, in ihren Augen exotischen Menschen gewesen, die einen künstlerischen Beruf ausübten.
»Ja, und er hat einen Doktortitel in Kunstgeschichte.«
»Flo.« Markus' Stimme klang belustigt. »Nun hör aber auf. Ich glaube, Jo kann ganz gut für sich alleine sprechen.«
»Lass nur, Markus.« Jo Wille lachte. »Ich weiß ja auch schon allerhand über Johanna. Sie sind Psychologin, nicht wahr?«
»Ja.« Ihr Blick wanderte zu seiner rechten Hand. Als sie keinen Ring entdecken konnte, platzte sie, bevor sie weiter darüber nachdenken konnte, heraus: »Sind Sie schwul?«
Noch bevor Markus vor Überraschung den Schluck Wein, den er gerade getrunken hatte, quer über den Tisch spuckte, hätte Johanna sich am liebsten auf die Zunge gebissen. Takt war noch nie ihre Stärke gewesen.
»Bitte entschuldigen Sie.« Sie merkte selbst, dass sie feuerrot geworden war.
Joachim lachte aus vollem Halse. »Sie müssen sich nicht entschuldigen. Im Grunde mag ich keine Menschen, die mit allem hinter dem Berg halten.« Er gluckste noch ein wenig und rieb sich die Augen. »Aber um Ihre Frage zu beantworten: Nein, ich bin nicht schwul.«
»Johanna, kommst du bitte mal?« Flos Stimme klang zuckersüß, als er Johanna bat, mit ihm in die Küche zu kommen.
»Sag mal, was sollte denn das eben?«

»Oh bitte, Flo, es tut mir Leid, aber sieh mal, der Mann ist allein hier, hat keinen Ring am Finger und da dachte ich …«

»Da dachtest du, das kann nur ein Schwuler sein?« In Flos Augen blitzte es belustigt auf.

»Also wirklich, Johanna. Dass Takt nicht gerade dein zweiter Vorname ist, war mir ja schon bekannt, aber stell dir mal vor, er wäre tatsächlich schwul. Könntest du dir dann vorstellen, dass ihn deine unverblümte Frage vermutlich gekränkt hätte?«

»Habe ich dich gekränkt?« Johanna sah Flo erschrocken an.

»Nein, natürlich nicht. Schließlich weiß ich ja, wie es gemeint ist. Aber sag mal, warum ist das denn so wichtig?«

»Nun ja«, Johanna zuckte mit den Schultern, »er sieht schließlich gut aus, und …«, sie wusste nicht so recht, was sie sagen sollte, und begann sich zu verhaspeln.

»Ach, sag bloß, er könnte dir gefallen?«

»Das kann ich doch jetzt noch nicht sagen. Ich kenne ihn doch gar nicht.« Johannas Stimme klang eher wie ein Zischen. Sie wusste genau, was Flo aus einem Geständnis, dass sie Jo attraktiv fand, machen würde. Er war der geborene Verkuppler.

»Aber du findest, dass er gut aussieht?«

»Herrgott, viele Männer sehen gut aus.« Sie wirkte jetzt ungeduldig, fühlte sich aber gleichzeitig ertappt.

»Aber das hat dich doch sonst auch nicht interessiert. Im Gegenteil, du hast immer ein Haar in der Suppe gefunden.«

»Und, ist er verheiratet?« Johanna wendete den Salat so heftig um, dass nicht viel gefehlt hätte und er wäre püriert gewesen.

»Nein, ist er nicht und war es auch nie.« Flo entzog Johanna vorsichtig die Salatschüssel.

»Was ist los mit ihm? Ist er ein mordlustiger Irrer, der Frauen mit einem blitzenden Messer in der Hand vergrault?« Johanna fuchtelte mit dem Salatbesteck in der Luft herum.

»Was? Ausgerechnet du redest von einem ›Irren‹? Oh, Herzchen, du bist ja richtig verwirrt.« Flo bedachte seine Freundin mit einem spöttischen Lächeln. »So und nun komm. Ich denke, wir können jetzt essen.«

Johanna hatte noch immer das Salatbesteck in der Hand, als sie ins Wohnzimmer zurückkamen.

»Das Essen ist fertig.« Flo bedachte Markus mit einem zärtlichen Blick. Jo stand auf und kam auf Johanna zu. »Es tut mir Leid, ich wollte Sie wirklich nicht auslachen. Aber wissen Sie, im ersten Moment hatte es wirklich etwas Komisches.«

»Es tut mir auch Leid. Ich wollte wirklich niemanden in Verlegenheit bringen.«

»So? Das wäre aber das erste Mal.« Markus lachte. »Mitunter bist du ein richtiges Kind.«

»Und was ist daran so schlimm? Kinder haben keine Hemmungen. Sie sind frei und offen und wirken eigentlich ziemlich selten verletzend. Sie machen aus ihrem Herzen keine Mördergrube. Das wird ihnen erst später anerzogen.«

»Haben Sie Kinder?« Jo war galant und rückte ihr den Stuhl in der Essecke zurecht.

»Danke.« Johanna setzte sich und versuchte es zu vermeiden, Falten in die weiten Hosenbeine zu bekommen. »Nein, ich habe keine Kinder, ich habe ja noch Zeit. Aber wissen Sie, ich war selbst jahrelang Kind, und ich bemühe mich immer, das nicht zu vergessen, so wie das die meisten Erwachsenen nur oft allzu gerne tun.«

»Sind Sie Kinderpsychologin?«

»Nein. Ich beschäftige mich ausschließlich mit Erwachsenen.« Sie nahm sich ein wenig von dem Lachs im Kräuterbett.

»Was genau machen Sie?« Jo nahm sich Reis und sah sie erwartungsvoll an.

»Ich bin Polizeipsychologin und beschäftige mich in diesem Zusammenhang mit forensischer Psychologie.«

»Helfen Sie einem einfachen Künstler. Was heißt das genau?«

»Ich versuche unter anderem gerade dabei zu helfen, einen Serienmörder zu fangen, der in Hamburg sein Unwesen treibt.«
»Habt ihr sehr viel dagegen, wenn wir jetzt nicht von Mord und Totschlag reden? Ich fürchte, mir vergeht sonst der Appetit.« Markus lächelte. »Ich muss mich schon die ganze Woche damit rumplagen, aber zu Hause möchte ich eigentlich davon verschont bleiben.«
»Entschuldige bitte, ich war nur neugierig.«
»Was verkaufen Sie«, wandte sich Johanna, das Thema wechselnd, an Joachim, »schöne Dinge, oder Sachen, die teuer sind?«
»Sowohl als auch. Ich merke, Sie haben eine scharfe Zunge. Haben Sie nichts für Kunst übrig?«
»Ich weiß nicht, ich fürchte, ich verstehe nicht viel davon. Ich meine, ich kann einen Rembrandt nicht von einem Picasso unterscheiden und wahrscheinlich würde ich beide nicht einmal mögen. Aber wenn mir mal etwas gefällt, ist es mir ziemlich egal, ob es teuer ist oder nicht, ob es von einem bekannten Künstler stammt oder von einer Hausfrau.«
Jo lachte. »Sie haben Recht. Für mich ist nur derjenige ein wahrer Kunstliebhaber, der sammelt, was ihm wirklich gefällt. Sehen Sie, meines Erachtens nach kommt Kunst von Können. Und gerade was die zeitgenössischen Künstler angeht, frage ich mich allen Ernstes, ob die jemals etwas anderes gelernt haben, als Hamburger bei ›McDonald's‹ zu braten. Auch wer kein Talent hat, muss doch wenigstens ein paar Grundlagen erlangen, oder? Und hieran fehlt es bei den meisten der so genannten künstlerischen Avantgarde.« Jo hatte sein Besteck beiseite gelegt und die Ellbogen auf den Tisch gestützt. Sein Gesicht hatte sich verändert, es leuchtete förmlich. Er sah Johanna eindringlich an, was einige wohlige Schauer in ihr auslöste. Obwohl sie den Ausdruck eigentlich kitschig fand, fühlte sie sich, als ob sie

in seinen Augen ertrinken könnte, und genau das machte ihr Angst.

»Aber ich wollte Sie eigentlich nicht langweilen.« Er schmunzelte und nahm sein Besteck wieder auf. Ruckartig löste sich Johanna aus ihrer Erstarrung. »Sie langweilen mich gar nicht. Wenn ich Ihnen so zuhöre, fühle ich mich fast versucht, morgen in ein Museum zu gehen.«

Joachim sah zur Decke, um seine Lippen spielte ein amüsiertes Lächeln. Er runzelte absichtlich die Stirn und versuchte verärgert zu wirken, als er sagte: »Lassen Sie mich raten. Sie denken also an Museen, wenn Sie mir zuhören, ist das jetzt ein Kompliment oder nur eine diskrete Anspielung auf mein Alter?«

»Nun, so alt können Sie nun auch wieder nicht sein. Immerhin fangen Sie beim Essen noch nicht zu sabbern an«, konterte Johanna geschickt. Dieser kleine Flirt begann ihr Spaß zu machen.

»Stören wir?« Flo grinste breit. »Ich gebe ja zu, dass ich euch miteinander bekannt machen wollte, aber dass ich so einen Erfolg haben würde, hätte ich im Traum nicht gedacht. Markus, was sagst du dazu?«

»Hm?« Markus sah hoch. Man sah ihm an, dass er voll und ganz mit seinem Gemüse beschäftigt war.

»Ich habe dir nicht zugehört. Was hast du gesagt?«

Flo lächelte nachsichtig. »Vergiss es. War nicht so wichtig. Aber was hältst du davon, dass sich unsere beiden Gäste so gut verstehen?«

»Das finde ich fast so gut wie die Tatsache, dass ich mich mit unseren beiden Gästen so gut verstehe.«

Der restliche Abend verlief so harmonisch weiter, wie er begonnen hatte. Es wurde viel gelacht, und Johanna fühlte sich vollkommen entspannt. Eine Zeit lang hatte sie ihre Sorgen fast völlig vergessen. Als sie schließlich auf ihre Uhr sah, seufzte sie.

»Es tut mir Leid, aber ich muss langsam los.«
»Ich rufe dir ein Taxi.« Flo stand auf und wollte zum Telefon greifen.
»Lass.« Jo hatte sich ebenfalls erhoben. »Ich muss auch los, und wenn Johanna nichts dagegen hat, fahre ich sie nach Hause.« Man war im Laufe des Abends zum »du« übergegangen, und Johanna, die in solchen Angelegenheiten eher zurückhaltend war, hatte nichts dagegen einzuwenden gehabt.
»Gern, wenn es kein Umweg für dich ist.« Sie stand ebenfalls auf.
Die beiden verabschiedeten sich unter Gelächter von ihren Gastgebern, und nachdem Johanna Flo noch ein letztes Mal umarmt und sich bedankt hatte, stieg sie in Joachims Porsche. Sie winkte so lange, bis sie die beiden nicht mehr sehen konnte. Dann hatte die Dunkelheit auch den letzten Lichtschein verschluckt. Als sie um die nächste Ecke verschwunden waren, ließ Johanna ihre Hand sinken und legte sie in den Schoß. Plötzlich machte sich Verlegenheit breit, und sie starrte aus dem Fenster.
»Wenn ich könnte, würde ich auch aus dem Seitenfenster schauen, weil ich genauso verlegen bin wie du, aber wenn ich das täte, würden wir beide wahrscheinlich in kürzester Zeit an einem Baum landen.« Joachims Stimme klang ein wenig heiser.
Johanna lachte leise. Sie war dankbar dafür, dass es so dunkel war, so konnte er nicht sehen, dass sie ein wenig rot geworden war.
»Ich komme mir wie ein Teenager vor. Du weißt schon, dieses Nichtwissen, was man sagen soll. Ich habe das früher schon gehasst.«
Joachim bremste mit einem Mal scharf ab und fuhr etwas unsanft auf den Bürgersteig. Er nahm den Gang raus, zog die Handbremse an und drehte sich zu ihr um. Dabei legte er eine

Hand auf ihre Lehne. Für einen Moment hielt sie die Luft an und kam sich immer mehr wie ein junges Mädchen beim ersten Rendezvous vor. Sie konnte nicht sagen, ob sie einen Kuss herbeisehnte oder ihn fürchtete. Er sah sie einen Moment an und grinste dann breit.

»Es hat keinen Sinn weiterzufahren, wenn ich keinen blassen Schimmer habe, wo du eigentlich wohnst.« Eine Welle der Enttäuschung durchfuhr sie, aber dann atmete sie beinahe erleichtert auf. Die Spannung zwischen ihnen löste sich. »Ich wohne ganz in deiner Nähe. Im Herwigredder. In dem Teil, der direkt am Golfplatz liegt. Ich warte eigentlich täglich darauf, dass mir ein Ball um die Ohren fliegt.« Er lächelte sie an und fuhr dann wieder los.

»Findest du nicht auch, dass das jetzt wesentlich geschickter war, als ganz plump nach deiner Adresse zu fragen? Ich habe mich schon den ganzen Abend gefragt, wie ich das am besten bewerkstellige.« Sie lachten beide fröhlich, und kurz darauf waren sie in ein angeregtes Gespräch vertieft.

Als sie schließlich vor Johannas Wohnung angelangt waren, bedauerte Johanna es ein wenig. Joachim stieg aus und kam um den Wagen herum. Er half ihr heraus und begleitete sie zu ihrer Haustür.

»Schlaf gut. Darf ich dich anrufen?«

Johanna nickte. »Sehr gern.«

»Es war ein sehr schöner Abend.« Er lächelte ihr noch einmal zu und drehte sich dann um. Sie wartete, bis sie die Rücklichter seines Wagens nicht mehr sehen konnte, und ging dann seufzend hinein. Angenehm berührt stellte sie fest, dass er den ganzen Abend nicht ein einziges Mal versucht hatte, sie anzufassen. Keine zufällige Berührung, kein Streifen ihrer Hand, kein unauffällig um ihre Schultern gelegter Arm. Er hatte ihr zum Abschied nicht einmal die Hand gegeben.

Das Unternehmen war gefährlich gewesen, ohne Zweifel, aber man hatte es einfach machen müssen. Eigentlich war es auch unnötig gewesen, aber es war so reizvoll, so schrecklich reizvoll.
Das Gesicht im Spiegel betrachtete sich verträumt.
Man war so nah dran gewesen, man hätte sie fast berühren können. Man hatte ihre Stimme gehört, ihr leichtes Lächeln gesehen. Sie war noch schöner gewesen als im Fernsehen und so viel erwachsener als damals. Sie wirkte so zerstreut, vielleicht auch hektisch.
Das Gesicht näherte sich langsam dem Spiegel und drückte sich die Nase daran platt. Mit geschlossenen Augen strichen die Hände sanft über das Spiegelglas.
Aber das half nichts, sie würde bezahlen!
Doch ihr Gang war so leicht, und sie wirkte so scheu wie ein junges Mädchen. Wie sie andere betrachtete – so als sähe sie in sie hinein.
Das Gesicht entfernte sich wieder von seinem Bild und legte den Kopf leicht auf die Seite. Der verträumte Ausdruck verschwand, und ein belustigtes Lächeln umspielte die Lippen. Sie hatte wirklich keine Ahnung! Sie war so ahnungslos wie ein neugeborenes Kind. Man stand ihr gegenüber, und sie hatte wirklich und wahrhaftig keine Ahnung. Wie konnte sie so blind sein? Hatte sie denn alles vergessen? Konnte sie wirklich nicht wissen, was hier passierte? Sie hatte doch die Bilder der toten Frauen gesehen. Hatte sie denn nichts gespürt. Nichts erkannt?
Die Hände pressten sich noch stärker gegen das Glas, so stark, dass die Spannung in jedem einzelnen Finger zu spüren war und der Körper sich immer weiter entfernte, bis die Arme vollkommen durchgedrückt waren. Das Gesicht sah jetzt mehr als nur sein Bild. Die Perspektive hatte sich verändert, das Gesicht wirkte jetzt kleiner. Die Augen weiteten sich und das Lächeln verschwand.
Die Träume kamen nun mitunter auch tagsüber.
Das Gesicht verzerrte sich, und die Arme knickten ein. Wo eben noch Verwunderung sichtbar war, war nun Wut zu sehen. Die Wange presste sich gegen das kalte Glas, und die Hände ballten sich zu Fäusten. Der Mund öffnete sich und ein stummer Schrei löste sich aus der Kehle. Erst als die

Spannung langsam aus dem Körper gewichen war, begannen die Knie zu zittern. Langsam wandte sich das Gesicht wieder seinem Spiegelbild zu und öffnete die Fäuste. Das Gesicht sah jetzt nicht mehr sich selbst in die Augen, sondern betrachtete seine Handflächen, als gehörten sie nicht mehr zum restlichen Körper dazu. Dann schlossen sich die Augen.
Bald würde alles gut!

8

»Mahlzeit.«
Johanna hatte gehofft, ihr spätes Auftauchen würde nicht bemerkt werden, aber da hatte sie sich gründlich getäuscht. Diekmann stand in ihrer Tür und blickte demonstrativ auf seine Uhr.
»Ich weiß, dass es schon sehr spät ist. Ich habe den Wecker nicht gehört.« Sie wusste selber nicht genau, warum sie sich bei ihm entschuldigte, aber sie hatte es gerade eben getan, und doch konnte das an seinem grimmigen Gesichtsausdruck nichts ändern.
»Die Besprechung ist jetzt jedenfalls vorbei. Hier haben Sie ein paar Unterlagen.« Mit dieser Bemerkung warf er ihr einen Stapel Papiere auf den Tisch und verschwand wieder. Wenn sie gedacht hatte, Diekmann und sie seien sich näher gekommen, dann wurde sie gerade eben eines Besseren belehrt. Das Schlimmste war, dass er Recht hatte. Es war immerhin schon fast zehn Uhr, und sie war gerade erst gekommen.
»Mach dir nichts draus. Er ist heute unausstehlich.« Markus löste sich langsam vom Türrahmen. »Heute ist einer der Tage, an dem man ihm besser aus dem Weg geht.« Er setzte sich ihr gegenüber an den Tisch und schlug die Beine übereinander. »Und wie geht es dir?«
»Gut. Ich habe verschlafen. Mitten unter der Woche darf ich einfach keine Einladungen mehr annehmen.«
»Es war fast ein Uhr, als ihr gegangen seid. War es noch nett?« Markus grinste verschmitzt.
»Joachim hat mich nur nach Hause gebracht. Sonst nichts.« Sie war unwillkürlich rot geworden und hatte vollkommen vergessen, dass sie vor ein paar Tagen noch empört darüber gewesen

war, dass ihr Markus keine intime Beziehung zugetraut hatte. Jetzt hingegen war es ihr peinlich, dass er und wahrscheinlich auch Flo dachten, sie hätten die beiden nicht nur miteinander bekannt gemacht, sondern ihnen auch den gemeinsamen Weg ins Bett geebnet.

»Und? Wie findest du ihn?«

»Er ist sehr nett.«

»Mehr nicht?«

»Herrgott, ich kenne ihn doch noch gar nicht.«

»Noch?«

»Was soll das werden? Ein Verhör? Er hat mich gefragt, ob er mich anrufen darf. Mein Gott, vielleicht sieht man sich noch mal.«

»Jedenfalls passt er besser zu dir als Stefan.«

Stefan hatte sie total vergessen. Das passierte ihr in letzter Zeit immer häufiger.

Markus stand auf und schickte sich an zu gehen.

»Warte mal, was ist das?« Johanna wies mit der Hand auf die Akten, die verstreut auf ihrem Schreibtisch herumlagen.

»Ein paar Ermittlungsergebnisse. Diekmann besteht darauf, dir alles zukommen zu lassen.«

»Ach? Will er sich jetzt den Rücken komplett freihalten?«

»Nun hör schon auf.« Markus wirkte ein wenig genervt. »Immerhin habt ihr euch die letzten Tage recht gut verstanden. Warum fängst du schon wieder damit an?«

Johanna presste die Lippen aufeinander und sagte nichts mehr. Markus duldete keinen verbalen Angriff auf Diekmann, und im Grunde hatte er ja Recht.

»Schon gut, vergiss es.«

»Wir haben in zwei Stunden eine weitere Besprechung. Bist du dabei?« Sein Tonfall klang schon wieder eine Spur versöhnlicher.

»Ja, klar. Ist das hier wichtig?«

»Ich glaube, da ist viel Müll dabei. Aber sieh es dir einfach mal an. Wir müssen halt jeden Strohhalm ergreifen, der sich uns bietet.«

Johanna verbrachte die nächste halbe Stunde damit, sich die Ermittlungsergebnisse anzusehen. Immer wieder wanderten ihre Gedanken zu Joachim. Sie dachte an sein Lächeln und hörte seine Stimme. Aber immer wieder schob sich Diekmanns Gesicht dazwischen. Sie fuhr sich mit beiden Händen durch ihr Haar und versuchte erneut, sich auf die vor ihr liegenden Akten zu konzentrieren. Markus hatte Recht, es war nichts von Bedeutung dabei. Ein paar Ermittlungsansätze, die im Sande verlaufen waren, ein paar nichts sagende Zeugenaussagen, nichts was ihnen in irgendeiner Weise weitergeholfen hätte.

Es verblüffte sie immer wieder. Der Täter hatte keine Spuren hinterlassen, und kein Mensch wusste, woran die Frauen gestorben waren. Wenn es sich nicht um mehrere Frauen gehandelt hätte, die man an so merkwürdigen Orten gefunden hatte, hätte man glatt davon ausgehen können, dass sie infolge von Unterkühlung oder an Herzversagen gestorben waren.

Sie griff in ihre Schreibtischschublade, in der sie die Bilder verstaut hatte, die Diekmann ihr am Tage zuvor gegeben hatte. Bilder der Beerdigungen von Claudia Beckmann und Sigrid Meinecke. Die anderen beiden Leichen waren von der Gerichtsmedizin noch nicht freigegeben worden. Sie griff sich ihre Lupe und begann die Bilder sorgfältig abzusuchen. Sie starrte noch immer konzentriert auf die Fotos, als Diekmann vor ihr stand. Sie erschrak heftig, so sehr war sie in ihre Arbeit vertieft gewesen.

»Was ist los?« Sie war verärgert.

»Wir wollen weitermachen. Kommen sie endlich?« Diekmann verrenkte sich den Hals, um die Bilder, die vor ihr ausgebreitet lagen, besser betrachten zu können.

»Und? Haben Sie etwas gefunden?«
»Nein. Vielleicht sehen Sie es sich selbst noch einmal an. Aber hier scheint niemand gewesen zu sein, der da nicht auch hingehört. Keine einzelnen Personen, meist Paare. Sehen Sie?« Sie zeigte auf ein direkt vor ihr liegendes Foto. »Sie stehen eng zusammen, sind teilweise untergehakt. Ich habe die Bilder auch miteinander verglichen. Nirgendwo taucht eine Person zweimal auf.«
Seufzend lehnte sie sich zurück. »Es ist wie verhext. Ich finde keinen Fehler. Es scheint, als wolle der Täter auf etwas aufmerksam machen, uns aber noch nicht wissen lassen, auf was.«
»Wie meinen Sie das?« Diekmann runzelte die Stirn und ließ sich auf einer Kante ihres Schreibtisches nieder.
»Wir sind uns ja wohl einig, dass der Mörder Aufmerksamkeit erregen will. Vielleicht will er auch gefasst werden, aber zunächst scheint er eine Mission erfüllen zu wollen, und ich habe das Gefühl, dass er selbst den Zeitpunkt seiner Festnahme selbst bestimmen will.« Johanna stand auf und stellte sich ans Fenster. Es hatte wieder angefangen zu regnen und von hier oben konnte man bei diesem Wetter die Straße nur schemenhaft erkennen. Mit einem Mal dachte sie, dass der Mörder vielleicht genau in diesem Moment dort unten stand und zu ihr hinaufblickte, sich ins Fäustchen lachte und vielleicht schon das nächste Opfer im Visier hatte. Sie schauderte und drehte sich abrupt um.
»Er will etwas. Aber was?«
»Aufmerksamkeit, das haben Sie doch gesagt?« Diekmanns Stimme klang ein wenig ungeduldig.
»Ja, aber warum? Das ist doch der Angelpunkt.« Sie stützte die Arme auf den Schreibtisch und zog die Schultern hoch.
»Er hat uns bisher keinen Hinweis hinterlassen. Er hat den Frauen nichts genommen – außer ihrem Leben«, sie lachte tro-

cken auf bei ihrer makabren Äußerung, »er hat uns auch keine weitere Nachricht zukommen lassen.«
»Welche Möglichkeiten gibt es Ihrer Meinung nach noch?« Diekmann hatte die Arme vor seinem Bauch verschränkt und sah sie grimmig an.
»Ich bin mir nicht sicher.« Sie stemmte eine Hand in die Hüfte und schürzte die Lippen. »Ich habe das Gefühl, er will die Regeln vorgeben, das Tempo bestimmen. Er lässt uns rankommen, ist aber immer darauf bedacht, uns mindestens einen Schritt voraus zu sein. *Er* bestimmt, was wir tun. Wir sind nur seine Marionetten.«
»Wie bitte?« Diekmann hob den Kopf und sah Johanna erstaunt an. »Er kann ja wohl kaum wissen, was wir tun.«
»Doch, bis zu einem gewissen Grad schon. Natürlich weiß er nicht im Einzelnen, was hier abläuft, aber er bestimmt die Richtung. Das ist es.« Johanna schlug sich mit der Hand vor den Kopf. Sie wandte sich langsam mit weit aufgerissenen Augen Diekmann zu.
»Das ist es«, wiederholte sie eine Nuance höher. »Hören Sie«, sie beugte sich zu Diekmann, »es geht ihm eigentlich gar nicht um die Frauen. Sie interessieren ihn nicht. Deshalb ist er bei keiner Beerdigung, deshalb hat er ihnen nichts genommen, kein Souvenir oder so. Deswegen hat er sie auch nicht verstümmelt. Er braucht keine Hinweise zu hinterlassen. Die Toten sind Hinweise genug. Verstehen Sie denn nicht? Oh, mein Gott, wie konnten wir nur so blind sein.« Sie legte die Fingerspitzen beider Hände an die Stirn und übte leichten Druck aus.
»Ich verstehe, ehrlich gesagt, gar nichts.« Diekmanns Stimme klang ernüchtert. Sie bemerkte, dass er sie ansah, als ob er sie für komplett übergeschnappt halte, so als hätte sie verkündet, dass der »Urknall« in Wahrheit ein Anschlag arabischer Terroristen gewesen sei. »Verstehen Sie denn immer noch nicht?« Sie schlug nun mit der flachen Hand auf den Tisch.

»Er will uns. Er will uns aus der Reserve locken. Ich meine natürlich die Polizei«, setzte sie erklärend hinzu. Sie legte sich angestrengt den Zeigefinger an die Nase und begann im Zimmer auf und ab zu laufen.

»Es muss irgendetwas Schreckliches in seiner Vergangenheit geben, das hier in dieser Stadt zu finden ist. In keiner anderen, sondern genau hier. Er will sich möglicherweise rächen. Das kann er aber nur, wenn man irgendwann hinter sein Geheimnis kommt. Seine Rache macht in einer Stadt, in der er keine Geschichte hat, wenig Sinn. Er will, dass wir irgendwann feststellen, dass wir auch eher auf seine Geschichte hätten kommen können! Für ihn ist es Befriedigung, dass wir seine Vergangenheit theoretisch kennen, ihn aber praktisch nicht aufhalten können, weil wir noch zu wenig wissen.«

»Wenn es stimmt, was Sie sich hier zusammenreimen, dann haben wir eine Chance.« Diekmann murmelte in sich hinein. Er wirkte skeptisch, schien aber ihre Theorie nicht ganz vom Tisch wischen zu wollen. Ob aus Rücksicht oder weil sie ihm plausibel erschien, konnte Johanna nicht erkennen.

»Ich werde meine Leute bitten, alte Akten zu durchforsten. Welchen Zeitraum schlagen Sie vor.«

»Wir müssen erst einmal bestimmen, was wir überhaupt suchen. Erstens«, sie begann an ihren Fingern abzuzählen, »Männer, die wegen eines Frauenmords verurteilt wurden und wieder aus der Haft entlassen sind, und zweitens, Männer, die ihre Frau oder Freundin durch einen Mord verloren haben.«

»Macht die zweite Möglichkeit Sinn?«

»Ich habe keine Ahnung. Vielleicht ist der jeweilige Täter nie erwischt worden. Vergessen Sie nicht, der Täter denkt nicht wie sie und ich. Wir können es hier mit einem Psychopathen oder auch mit einer gequälten Seele zu tun haben.«

»Fangen Sie schon wieder mit ihrer Opfer-Theorie an?«

»Ich fange mit gar nichts an. Ich versuche, mich Schritt für

Schritt dem Täter zu nähern und mich in ihn hineinzuversetzen.«
»Also gut, welchen Zeitraum sollen wir Ihrer Meinung nach unter die Lupe nehmen?«
Johanna verzog das Gesicht und sah Diekmann ein wenig verunsichert an. »Wie wäre es mit den letzten fünfzehn Jahren?«
Diekmann blähte seine Backen auf.
»Bei den ungeklärten Mordfällen ist das in Ordnung; was allerdings ganz allgemeine Kriminelle betrifft, sehe ich schwarz. Das wird schwer, mittlerweile sind bestimmt viele wieder auf freiem Fuß – eigentlich ist das unmöglich. Viele von ihnen werden nicht mehr hier in der Stadt leben. Aber gut, wir versuchen es.«
»Wie lange wird das ungefähr dauern?« Johanna spürte plötzlich, wie sie von einer fiebrigen Unruhe ergriffen wurde.
»Es kommt darauf an, wie viele Akten wir durchsehen müssen. Ich gebe Ihnen so schnell wie möglich Bescheid.«
»Was ist mit der Besprechung?«
»Ich werde sie verschieben. Wir haben jetzt erst einmal Wichtigeres zu tun.« Diekmann drehte sich um, um zu gehen. Plötzlich blieb er noch einmal stehen und drehte sich zu Johanna um. Sein Blick war erstaunlich offen, als er sie fixierte.
»Wie sicher sind Sie mit Ihrer Theorie?«
Johanna seufzte.
»Bei so einer Sache kann man sich erst sicher sein, wenn man den Täter hat, aber diese Überlegungen sind wenigstens ein neuer Ansatzpunkt.« Sie blickte zur Decke und holte tief Luft. »Ich meine, ich bin mir ziemlich sicher.«
Diekmann sah sie noch einen Moment an und nickte dann. »Gut, hoffen wir das Beste, ich fürchte, wir haben nicht mehr viel Zeit.«
Johanna stellte schnell fest, dass sie im Moment nicht viel mehr tun konnte. Diekmann hatte seine Leute zusammengerufen

und kurz erklärt, was zu tun war. Er hatte es vermieden, ihre Theorie vor seinen Mitarbeitern in allen Einzelheiten auszubreiten und hatte lediglich dargestellt, was als Nächstes getan werden musste. Zum zweiten Mal hatte er eine Anregung von ihr aufgegriffen.

Diekmann hatte außerdem angeordnet, das die Mitglieder des Fitness-Clubs, den Maike Behrens besucht hatte, von drei Kollegen überprüft wurden. Sie streifte Markus, der im Besprechungsraum neben ihr stand, mit einem Blick. Sie hatte ihn gebeten, Diekmann nichts davon zu erzählen, zumindest so lange nicht, bis diese Spur sich als viel versprechend erwiesen hatte. Für einen Moment fühlte sie sich von ihm hintergangen und verraten, aber schließlich schalt sie sich selbst einen Dummkopf. Er konnte bei den Ermittlungen keine Geheimnisse vor seinem Chef haben. Wenn diese ganze Sache vorbei war, würde sie gehen, aber Markus würde weiterhin hier arbeiten müssen. Es war schließlich seine Pflicht, seinem Vorgesetzten loyal gegenüberzutreten. Und außerdem ging es hier um Menschenleben und nicht um ihre Eitelkeit oder um die Gefahr, ihr Gesicht zu verlieren. Und trotzdem, ein Gefühl der Einsamkeit machte sich in ihr breit. Nachdem Diekmann seine Aufträge verteilt hatte, packte sie ihre Akten zusammen, hinterließ für alle Fälle ihre Handynummer und ging.

Das Gefühl, endlich auf der richtigen Spur zu sein, verwirrte sie. Alles schien plötzlich klar, und sie hegte nicht mehr den geringsten Zweifel an ihrer Theorie. Sie hatte den Eindruck, als entwickle sich langsam eine Persönlichkeit vor ihr, ohne selbst großen Einfluss darauf zu haben. Gestalt oder Gesicht der Person waren noch nicht erkennbar, es existierte lediglich ein Schatten, der jedoch immer mehr an Kontur gewann.

Die Stille, die sie plötzlich in sich fühlte, schloss sie von allem Äußeren ab. Ein Gefühl, das sie beunruhigte, das ihr aber

auch zeigte, dass sie richtig lag. Sie entschloss sich, in ein nahe gelegenes Einkaufszentrum in der Hamburger Straße zu fahren. Wie eine Schlafwandlerin schlich sie durch die Passage, und als sie schließlich bemerkte, dass der Kaufhausdetektiv betont unauffällig hinter ihr ging, beschloss sie, den Einkaufsbummel abzubrechen. Sie ging zum Parkscheinautomaten, bezahlte eine horrende Gebühr und eilte dann zu ihrem Auto. Nur mühsam fand sie aus dem Parkhaus heraus. Nach mehreren Beinahe-Unfällen stieg sie vor ihrer Haustür erleichtert aus dem Wagen. Für eine Weile blieb sie neben dem Fahrzeug stehen und schaute nachdenklich zu ihrem Haus hinüber. Schließlich schloss sie das Auto ab und näherte sich mit schleppenden Schritten der Haustür. Dann stand sie eine ganze Weile regungslos im Flur. Die Gedanken wirbelten wild in ihrem Kopf durcheinander, sie bekam keinen einzigen wirklich zu fassen. Bleierne Müdigkeit und ein Gefühl der Schwere erfasste sie. Dieses Gefühl kannte sie, sie hatte es schon einmal erlebt, vor vielen Jahren; und auch wenn die Situation eine andere gewesen war, das Gefühl war dasselbe. Es war, als stünde ihr Bruder neben ihr. Beinahe war sie versucht, die Hand nach ihm auszustrecken.
Sie konnte diesen Zustand nicht erklären. Diesmal gab es keinen Grund.
Aber sie hatte Angst.

Eine heiße Dusche wirkte bei ihr immer Wunder. Noch nass, in ein Handtuch gewickelt, kam sie aus dem Badezimmer. Sie hinterließ feuchte Fußspuren auf dem Teppich, als sie in die Küche ging, um sich einen Teller Suppe zu machen. Wenig später ließ sie sich mit einer dampfenden Suppentasse auf der Couch nieder und nahm sich erneut die Bilder vor, die ihr Diekmann gegeben hatte. Noch einmal ging sie jedes Detail durch. Die Bilder hatten sich so in ihr Gedächtnis gebrannt, dass sie die Fotos

mit geschlossenen Augen beschreiben konnte. Es ergaben sich keine neuen Hinweise, und doch gab es da ein unbestimmtes Gefühl, das ihr sagte, sie habe etwas übersehen.
Sie seufzte und lehnte sich zurück. Im Geist ging sie noch einmal alle Informationen durch, die sie hatte. Sie hatte ein beinahe fotografisches Gedächtnis, und so fiel ihr diese Übung nicht weiter schwer.
Plötzlich überkam sie ein Frösteln, das sie daran erinnerte, dass sie das Fenster im Badezimmer nicht geschlossen hatte. Kälte und Feuchtigkeit krochen wie unsichtbares Gas in ihre Wohnung. Schnell stand sie auf, um die Fenster zu schließen. Ihre Angst meldete sich wieder zu Wort. Hastig verriegelte sie die Fenster und ließ die Jalousien herunter. Sie ging durch jeden Raum und überprüfte alle Riegel. Erst dann entspannte sie sich. Das Herz schlug ihr bis zum Halse, und nur langsam beruhigte sich ihr Puls wieder. Die ganze Sache ging ihr stärker an die Nieren, als sie vermutet hatte. Wie ein böser Geist vertrieb dieses Gefühl jegliche Vernunft, und doch schaffte sie es nicht, sich davon zu distanzieren. Der Schatten in ihren Gedanken hatte noch immer kein Gesicht, aber sie sah Hände vor sich, die ständig ihre Formen wechselten. Zarte, lockende Hände, derbe Hände und magere, mit bleichen Fingern. Sie schüttelte sich. So wenig, wie man einen Mörder durch einen Blick auf seine Hände identifizieren konnte, so wenig sah man es einem Gesicht an. Sie dachte an ihre Ausbildung beim FBI, sah all die Bilder von Mördern vor sich, die man ihr gezeigt hatte. Teilweise waren es gut aussehende und charmante Typen gewesen, so wie Ted Bundy. Auf den waren reihenweise junge Mädchen reingefallen. Keiner seiner Bekannten oder seiner Familie hätte ihn für einen Mörder gehalten.
Sie rollte sich auf dem Sofa zusammen und zog die Wolldecke, die dort eigentlich zu Dekorationszwecken lag, bis unter das Kinn.

Sie musste eingeschlafen sein, denn sie schreckte plötzlich hoch, als das Telefon klingelte. Verschlafen angelte sie nach dem Hörer und hielt ihn sich umständlich ans Ohr.
»Hallo?«
»Oh, hallo, eigentlich hatte ich nicht erwartet, dich zu Hause anzutreffen. Hier ist Jo.« Joachims sonore Stimme hatte eine beruhigende Wirkung auf Johanna, und sie kuschelte sich tiefer in ihr Sofa.
»Hallo. Wenn du mich zu Hause nicht erwartet hast, warum rufst du mich dann an?« Sie lächelte spitzbübisch, und vergaß dabei, dass er sie gar nicht sehen konnte.
»Ich wollte dir eigentlich eine Nachricht auf deinem Anrufbeantworter hinterlassen und dich dabei fragen, ob du vielleicht Lust hättest, bei Gelegenheit mit mir essen zu gehen?«
»Wie wäre es mit nächster Woche?«
»Dann nimmst du meine Einladung an?«
»Wieso? Sollte ich sie ablehnen?«
Er lachte leise. »Nein, natürlich nicht, aber ich war eher auf eine Entschuldigung der Art ›muss noch zum Friseur‹, ›bin müde‹, ›habe Migräne‹ oder etwas in der Art gefasst.«
»Sorry, damit kann ich nicht dienen. Selbst wenn ich deine Einladung ausschlagen sollte, würde ich dir ganz ehrlich die Gründe dafür nennen. Wic wärc cs mit nächsten Dienstag?«
»Schön! Ich hole dich dann ab. So gegen acht Uhr?«
Bevor sie etwas erwidern konnte, hatte er aufgelegt. Sie bereute es fast augenblicklich, zugesagt zu haben. Eigentlich hatte sie zurzeit genug Probleme und hatte nicht vor, sich noch mehr aufzuladen, obwohl sie zugeben musste, dass ihr das kurze Gespräch mit Jo gut getan hatte. Es gab ihr ein Gefühl von Sicherheit, zeigte ihr, dass sie nicht allein war. Und seltsamerweise fühlte sie sich allein.
Plötzlich schoss ihr ein Gedanke durch den Kopf. Sie hatte Angst davor, irgendwann allein zu sein.

Irgendwann allein zu sein mit dem Mörder. Was für ein wahnsinniger Gedanke.

Johanna fühlte sich schließlich so erschöpft, dass sie frühzeitig zu Bett ging. Es war erst acht Uhr, als sie sich in ihre Kissen kuschelte und fast umgehend einschlief. Als das Telefon erneut schrillte, musste sie sich erst orientieren. Sie hatte für einen Moment nicht den geringsten Schimmer, wo sie sich eigentlich befand. Ein Zeichen dafür, dass sie sehr tief geschlafen hatte. Sie richtete sich auf und rieb sich mit der einen Hand die Augen, während sie mit der anderen nach dem Telefon fischte, das irgendwo neben ihrem Bett lag.
»Ja?«
»Diekmann. Ich glaube, wir haben etwas. Kommen Sie bitte schnell, um es sich anzusehen.«
»Bin schon unterwegs.« Mit einem Mal war sie hellwach. Sie schaltete das Telefon aus und sprang aus dem Bett. Ein Blick auf die Uhr zeigte ihr, dass es erst drei Uhr morgens war. Erstaunt stellte sie fest, dass Diekmann anscheinend die ganze Zeit über im Büro gewesen war.
Da sie schon am Abend geduscht hatte, suchte sie jetzt nur nach frischer Wäsche, einer Jeans und einem Sweatshirt. Zehn Minuten später saß sie in ihrem Wagen und fuhr rückwärts aus ihrer Ausfahrt auf die Straße. Es war fast so wie an jenem Morgen, an dem sie von Markus ins Präsidium gerufen worden war, nur dass sie heute eine kleine Veränderung bemerkte. Sie fühlte sich sicher und wusste, was auf sie zukam. Es war fast, als gehöre sie bereits dazu.
Zu dieser frühen Stunde waren fast nur Taxis und Streifenwagen unterwegs, so dass sie schon eine halbe Sunde später ihr Auto auf dem Besucherparkplatz des Präsidiums abstellen konnte. Eng in die Jacke gewickelt, lief sie leicht geduckt durch den Sprühregen zum Haupteingang. In der Halle schüt-

telte sie ihre Jacke aus und suchte ihren Dienstausweis. Der Kartenleser funktionierte heute ausnahmsweise, und so kam sie unbeschadet durch die Sicherheitsschleuse, ohne auf halbem Wege stecken zu bleiben. Sie nickte kurz in Richtung des Sicherheitsdienstes und stellte erstaunt fest, dass der Polizist zurückgrüßte, indem er leicht die Hand hob. Er lächelte sie an, und sie glaubte so etwas wie Erkennen in seinem Blick zu bemerken.

Als sie im siebten Stock aus dem Fahrstuhl stieg, umfing sie betriebsame Hektik. Alle Büros waren taghell erleuchtet, überall wurde gearbeitet. Mit dem Anflug eines schlechten Gewissens stellte sie fest, dass sie anscheinend die Einzige gewesen war, die geschlafen hatte. Die meisten hier wirkten zwar übermüdet, aber auch sehr zufrieden. Mit energischen Schritten ging sie zu Diekmanns Büro und trat ein, ohne anzuklopfen.

»Guten Morgen.«

Diekmann sah kurz hoch. »Setzen Sie sich. Ich glaube, wir haben hier etwas.«

Er sah immer tadellos aus, auch wenn er nun dunkle Ränder unter den Augen hatte. Er stand auf und drückte ihr einen Schnellhefter in die Hand.

»Hier ist die Kriminalakte eines Stefan Neuss, dreißig Jahre alt, vor einem Jahr aus der Psychiatrie entlassen. Wenn ich das richtig verstehe, soll er so etwas wie paranoide Schizophrenie gehabt haben.«

»Oder einfacher gesagt – Verfolgungswahn.« Johanna nickte wissend.

»Scheint so. Jedenfalls hat er vor zehn Jahren zwei Frauen umgebracht. Er behauptete, man habe ihn davor gewarnt, dass die Frauen die Macht übernehmen und alle Männer ausrotten würden. Nur er könnte die Menschheit, das heißt den männlichen Teil, retten, indem er die Frauen töte. Also war er losgezogen mit einer, wie er sagte, göttlichen Mission. In seiner späte-

ren Vernehmung sagte er, dass er kein Blut sehen könne, weshalb er sie alle vergiftet habe.«
»Womit?«
»Er hat die Frauen zuerst entführt, sie bei sich zu Hause versteckt und sie schließlich mit einer Überdosis Schlafmittel umgebracht. Das Schlafmittel mischte er ins Essen.«
»Wie fand man heraus, dass er der Täter war?«
»Nachbarn hatten sich bei der Polizei gemeldet und behauptet, dass sie Schreie aus seiner Wohnung gehört hätten. Er soll wohl schon immer ein komischer Kauz gewesen sein.«
»Was heißt das ›komischer Kauz‹?« Johanna blickte auf und sah Diekmann stirnrunzelnd an.
»Er war ein Einzelgänger und sprach mit niemandem. Die Nachbarn sagten, er habe nicht einmal gegrüßt. Auch Besuch hätte er nur selten gehabt.«
»Wie hat er es geschafft, dass die Frauen zu ihm in die Wohnung kamen?«
»Nun …« Diekmann presste die Lippen zu einem schmalen Strich zusammen, »wie soll ich es sagen? Die Damen hatten nicht gerade einen untadeligen Ruf.«
»Prostituierte?«
»Nein«, Diekmann schüttelte den Kopf, »es waren allein stehende Damen, die gern in der nächsten Kneipe einen tranken, sich einladen ließen und dann hin und wieder mit jemandem mitgingen.«
»Wenn ich das richtig verstehe, haben die damaligen Opfer mit unseren Opfern nichts gemein?«
Diekmann nickte. Er sagte nichts, und es schien, als wolle er Johanna die nötigen Rückschlüsse überlassen. Johanna dachte kurz nach. Sie wusste, dass Serientäter dazulernten. Es war nicht unwahrscheinlich, dass er, nach seiner Entlassung, anders vorging und deshalb auch den Opferkreis gewechselt hatte. Schließlich, dachte sie grimmig, hatte er in der Psychiatrie ge-

nug Zeit gehabt, über begangene Fehler und ihre zukünftige Vermeidung nachzudenken.
»Hatte er eine Freundin?«
»Nein. Er schien völlig isoliert zu leben. Erst nach seiner Verhaftung meldete sich ein Bruder und teilte mit, dass Stefan den Kontakt zur Familie abgebrochen habe.«
Johanna sah sich die Berichte über die Verhaftung sowie die Berichte der Psychiater an.
»Wie ging es weiter?« Sie nahm den Hefter zur Hand und blätterte darin herum. Diekmann hatte sich auf die Ecke seines Schreibtisches gesetzt und die Arme vor der Brust verschränkt.
»Er wurde für unzurechnungsfähig erklärt und kam so um den Knast herum. Man wies ihn in die Anstalt Ochsenzoll ein, von dort wurde er vor ungefähr einem Jahr als geheilt entlassen. Dann verschaffte man ihm einen Job und eine Wohnung. Er ist jedoch weiterhin in Behandlung und muss einmal die Woche seinen Psychiater aufsuchen. Bisher hat es keine Probleme gegeben, und man ging davon aus, dass alles überstanden war. Was halten Sie davon?«
»Nun.« Johanna blätterte zweifelnd die Berichte durch. Neuss war alle sechs Monate auf seine Resozialisierung beziehungsweise auf seine Heilungsfortschritte untersucht worden, und alle Berichte waren viel versprechend. Zusammen ergaben sie letztendlich eine Positivprognose und damit den Ausschlag für seine Entlassung. »Es sieht gut aus. Das Alter passt, seine persönlichen Verhältnisse auch. Die Motivation war, wenn man es aus seiner Perspektive betrachtet, Notwehr. Das könnte die Begründung sein, dass er die Frauen weder vergewaltigt noch verstümmelt hat. Kein Machtstreben, kein Bedürfnis nach einem Kick und insofern auch kein Souvenirjäger. Es passt tatsächlich alles.«
Sie sah sich das Bild an, das in die Akte geheftet worden war. Alles was sie sah, waren stechende Augen, die selbst auf dem

Foto unruhig wirkten. Diesem Bild nach zu urteilen, musste er wirklich in einer für ihn unglaublich beängstigenden Welt gelebt haben. Sie konnte sich nur im Ansatz vorstellen, welche Todesängste er ausgestanden haben musste. Sie schluckte eine dementsprechende Bemerkung hinunter, denn sie wusste, wie Diekmann auf ihre »Opfertheorie« reagieren würde.
»Sie scheinen nicht überzeugt?« Diekmann sah sie aus zusammengekniffenen Augen an.
Johanna erhob sich und ging im Zimmer auf und ab.
»Ich weiß nicht. Er könnte unser Täter sein. Natürlich ist es möglich, dass er während seiner Zeit in Ochsenzoll seine Methoden verfeinert hat, aber im Moment möchte ich mich nicht festlegen. Was war er von Beruf?«
Diekmann nahm den Schnellhefter zur Hand und fing zu blättern an, bis er den Bogen mit den persönlichen Angaben des Mannes fand.
»Hier steht es. Er ist Maschinenschlosser, aber die Ärzte haben festgestellt, dass er einen IQ von 133 hat.«
»Auch das passt. Viele Serientäter haben einen überdurchschnittlichen Intelligenzquotienten. Nur leider wird er nicht genutzt, beziehungsweise er wird nicht rechtzeitig entdeckt. Nur zum Vergleich: Einstein hatte einen Intelligenzquotienten von 150. Wir können froh sein, dass seine Fähigkeiten in die richtige Richtung gelenkt wurden. Okay, passen Sie auf. Ich muss mit dem behandelnden Arzt in Ochsenzoll sprechen. Könnten Sie mir bitte eine Schweigepflichtsentbindung besorgen?«
»Schon geschehen.«
»Wie? Mitten in der Nacht?« Johanna sah erstaunt auf. Diekmann nickte.
»Ich habe den Staatsanwalt Dr. Schwarze aus dem Bett geholt, der die nötigen Schriftstücke bereits angefertigt hat. Sie liegen dem Richter nachher als Erstes auf dem Tisch. Ich habe übrigens den Staatsanwalt gebeten, vorsorglich einen Haftbefehl zu

beantragen sowie einen Durchsuchungsbeschluss für die Wohnung von Neuss.«
»Nicht so hastig. Denken Sie an die Medien. Wenn Sie falsch liegen, lasse ich mich dieses Mal nicht den Löwen zum Fraß vorwerfen.«
»Ich mache das nicht zum ersten Mal, Frau Jensen. Seien Sie versichert, dass mir nichts ferner liegt, als überstürzt zu handeln!« Diekmanns Stimme hatte wieder den wohl bekannten scharfen Tonfall angenommen, den Johanna nur zu gut kannte. Ihr lag eine heftige Erwiderung auf der Zunge, die sie sich aber im letzten Moment verkniff. Es hätte wahrscheinlich nur zickig geklungen, und sie hatte nicht vor, es sich jetzt, sozusagen auf der möglichen Zielgeraden, mit Diekmann zu verscherzen. Wenn alles gut ging, war sie ihn bald los.
»Natürlich. Ich wollte auch nichts anderes behaupten.«
Johanna zog sich in ihr Büro zurück und verbrachte die nächsten Stunden damit, die Akte »Neuss« zu studieren.

Stefan Neuss war ohne Mutter bei seinem Vater und Bruder aufgewachsen. Die Mutter hatte die Familie verlassen, als Stefan vier Jahre alt war. Zu keinem Zeitpunkt hatte es eine Verbindung zu ihr gegeben. Stefan entwickelte sich frühzeitig, schon vor der Pubertät, zum Außenseiter, aber man nahm allgemein an, dass der Grund die fehlende Mutter war. Er zog sich immer weiter in sich selbst zurück und verließ schließlich wenige Tage nach seinem achtzehnten Geburtstag die väterliche Wohnung. Seitdem lehnte er jeden Kontakt ab. Weder sein Vater noch sein Bruder drangen zu ihm durch. Schließlich gaben sie es auf. Während der Ermittlungen kam heraus, dass die Familie mütterlicherseits bereits Fälle von Schizophrenie aufwies – eine erbliche Veranlagung. Man nahm auch an, dass die Mutter krank war, beweisen konnte man es allerdings nicht, da kein Kontakt mehr zu ihr bestand, und niemand wusste, wo

sich die Frau aufhielt. Johanna klappte die Akte zu und nahm die Brille ab. Jetzt wusste sie alles über Stefan Neuss. Sie hatte jedes Blatt der Akte genauestens studiert und kannte nun sogar sein Gewicht zum Zeitpunkt der Verhaftung. Sie prägte sich seine Erscheinung ein, so als könne sie in die Augen auf den Bildern eine Antwort finden.
»Klopf, klopf, kann ich reinkommen?« Markus lächelte sie von der Tür aus an. Auch er wirkte übermüdet und sah im Gegensatz zu Diekmann so aus, als ob er dringend eine Dusche vertragen könnte. Sein unrasiertes Kinn ließen ihn etwas verwegen aussehen, und Johanna stellte fest, dass es ihm gar nicht schlecht stand.
»Du solltest immer ein wenig unrasiert herumlaufen. Es macht dich so männlich.« Johanna lächelte müde. »Setz dich. Wie sieht es aus?«
»Gut, wenn man davon absieht, dass ich dringend Schlaf brauche, fühle ich mich fantastisch. Du hast es schon gehört?«
»Was glaubst du, warum ich hier bin? Diekmann hat mich informiert.«
»Und was sagst du?«
»Schwer zu sagen. Ich will erst einmal mit den Ärzten reden. Vielleicht bringt uns das weiter. Ich hoffe es wenigstens. Ich will nicht, dass der Killer noch eine Chance bekommt, zuzuschlagen.«
»Jetzt haben wir alles, was wir brauchen«, rief ihr Diekmann vom Flur aus zu.
»Was?«
»Wir haben die Schweigepflichtsentbindung und den Durchsuchungsbeschluss.«
»Aber es ist erst«, Johanna sah ungläubig auf die Uhr, »sechs Uhr.«
»Doktor Schwarze hielt es für besser, den Richter aus dem Bett zu klingeln, und der wiederum sitzt bereits in seinem Büro. Er

hat uns die notwendigen Unterlagen gerade zugefaxt. Na los, kommen Sie schon.«
»Wohin?«
»Nach Ochsenzoll. Wir werden dort mit Stefan Neuss' Arzt Dr. Breutigam sprechen. Wenn alles gut läuft und sich unser Verdacht erhärtet, können wir Neuss noch heute verhaften.«
Diekmann war schon verschwunden. Er schien neuen Schwung bekommen zu haben. Markus sprang auf.
»Ich werde dafür sorgen, dass die Observierungskräfte vor Neuss' Haus abgelöst werden.«
»Was? Ihr lasst ihn schon überwachen? Es ist doch noch gar nicht sicher, ob er unser Mann ist?«
»Willst du erst dadurch Sicherheit erlangen, indem er uns möglicherweise noch eine Leiche präsentiert? Es tut nicht weh, ihn zu beobachten, und er merkt es ja auch nicht. Wir wollen und können schließlich nichts dem Zufall überlassen. Ciao, wir sehen uns nachher.«
Auch wenn Johanna die Angst vor weiteren Mordfällen teilte, verspürte sie insgeheim Unbehagen darüber, dass ein Mann, der möglicherweise unschuldig war, nur deshalb in die Mühlen der Polizei geriet, weil er bereits einmal straffällig geworden war. Wer einmal in die Mühlen der Justiz geraten war, den ließ man nicht mehr so leicht vom Haken, da war schon etwas Wahres dran. Johanna fröstelte bei dem Gedanken. Wenn dieser Mann erfolgreich resozialisiert werden sollte, war ein solches Vorgehen kaum zu vertreten. Kein Mensch, der sich immer wieder mit seiner Funktion als ehemaliger Täter konfrontiert sah, wird langfristig an seine Wiedereingliederung in die Gesellschaft glauben. Ja, er wird nicht einmal mehr an die Gesellschaft als Ganzes glauben.
Ein paar Minuten später saß sie mit Diekmann im Wagen. Keiner sprach ein Wort. Johannas Angebot zu fahren, war von Diekmann überhaupt nicht zur Kenntnis genommen worden,

und mit einer gewissen Schadenfreude bemerkte sie, dass er eigentlich viel zu müde war, um Auto zu fahren. Er rieb sich ständig seine rot unterlaufenen Augen und versuchte ein paarmal ein Gähnen zu unterdrücken. Seine Bewegungen waren fahrig, und er fluchte fast während der gesamten Fahrt über andere Autofahrer. Johanna seufzte erleichtert auf, als sie vor dem Haupteingang des Krankenhauses angekommen waren.
An der Anmeldung saß eine Krankenschwester, die erstaunlich frisch wirkte. Sie schien ihren Dienst gerade erst angetreten zu haben, denn ihr Make-up war tadellos und ihr Lächeln noch einigermaßen herzlich. Sie mussten nicht lange warten. Kurz nachdem die Schwester in der Anmeldung telefoniert hatte, kam der Arzt, der genauso frisch und munter wirkte wie seine Kollegin an der Rezeption. Neidvoll betrachtete Johanna den Mann. Sie selbst hatte wenig geschlafen, kam sich jedoch trotzdem alles andere als taufrisch vor. Mittlerweile sehnte sie sich nach einer Dusche und hatte den Eindruck, nach Schweiß zu riechen. Vielleicht aber auch nur deshalb, weil sie das schwere Aftershave des Arztes roch. Er war mit seinen ausgeprägten Geheimratsecken und der großen Brille mit dem dunklem Gestell eine imposante Erscheinung. Nur das etwas gönnerhafte und überhebliche Lächeln störte den Gesamteindruck.
Er wirkte erstaunt, Besuch von der Polizei zu bekommen, bat Johanna und Diekmann jedoch ohne Zögern oder nach dem Grund des Besuches zu fragen, ihm zu folgen. Dann saßen sie in Dr. Breutigams Büro in bequemen Sesseln. Nichts deutete darauf hin, dass es sich um das Büro eines Psychiaters handelte. Es hatte überhaupt nichts Klinisches an sich. Der große Mahagonischreibtisch ließ das Zimmer zwar gediegen wirken, aber der Nippes, der auf den Regalen und kleinen Tischchen verteilt war, machte es sehr gemütlich.
»Kann ich Ihnen etwas anbieten? Sie sehen beide aus, als ob Sie einen Kaffee brauchen könnten?«, fragte der Arzt.

»Ja, bitte, da sagen wir bestimmt nicht nein.« Diekmann lächelte schwach. Sie warteten, bis Dr. Breutigam bei einer Nachtschwester Kaffee bestellt hatte.
»Meine Sekretärin ist noch nicht da. Ich hoffe, dass wir frischen Kaffee bekommen und nicht irgendeine ungenießbare abgestandene Brühe.«
»Machen Sie sich keine Gedanken, wir sind einiges gewöhnt.«
»Womit kann ich Ihnen dienen?« Der Arzt sah die beiden betont offen und freundlich an. Er hatte seinen Ellbogen auf die Tischplatte gestützt und sich leicht über den Tisch gebeugt. »Es geht um einen Ihrer ehemaligen Patienten, Stefan Neuss. Ich weiß nicht, ob Sie sich an ihn erinnern können.«
»Doch, das kann ich ziemlich gut. Er wird zwar jetzt außerhalb dieses Institutes behandelt, aber ich übe noch immer eine Art beratende Tätigkeit in diesem Fall aus. Ist Herrn Neuss etwas zugestoßen?« Dr. Breutigam zog besorgt die Augenbrauen zusammen.
»Nein, das kann man nicht gerade sagen. Wir hegen eher den Verdacht, dass Herr Neuss für eine Reihe von Frauenmorden verantwortlich sein könnte.«
Das Gesicht des Psychiaters verschloss sich augenblicklich.
»Ich glaube nicht, dass ich Ihnen da in irgendeiner Weise behilflich sein kann. Wie Sie sicherlich wissen, unterliege ich der ärztlichen Schweigepflicht.« Er hatte sich in seinem Sessel zurückgelehnt und die Arme abwehrend vor der Brust verschränkt.
Johanna hatte mit einer solchen Reaktion gerechnet. Diekmann jedoch redete ungerührt weiter.
»Ich habe hier eine Schweigepflichtsentbindung für Sie. Sonst wäre ich nicht hier. Ich bitte Sie also, unsere Fragen zu beantworten.«
»Ich weiß nicht recht …«
»Herr Dr. Breutigam«, fiel ihm Diekmann ungeduldig ins

Wort, »ich habe hier ein richterliches Schreiben, und ich habe nicht vor, unverrichteter Dinge wieder abzuziehen. Wenn Sie mir nicht antworten wollen, kann ich Ihnen auch den Staatsanwalt auf den Hals hetzen, und glauben Sie mir, das wäre eine Situation, die der Presse sehr gefallen würde.«
Johanna sog scharf die Luft ein. Ihres Erachtens nach gab es keinen Grund, so hart mit Dr. Breutigam umzuspringen. Immerhin bedeutete eine Aussage, wie Diekmann sie von ihm verlangte, für jeden Arzt einen Vertrauensbruch.
»Es gibt keinen Grund, derartige Drohungen auszustoßen.« Die Augen des Psychiaters funkelten kalt. Es klopfte und eine Schwester kam mit einem Tablett in der Hand herein. Erst nachdem die Schwester den Raum wieder verlassen hatte, nahm Johanna das Gespräch wieder auf.
»Ich weiß, was das für Sie bedeutet, aber wir brauchen dringend Informationen über Stefan Neuss. Sagen Sie, halten Sie es für möglich, das Herr Neuss diese Morde begangen haben könnte?«
»Meinen Sie die Frauenmorde, von denen ständig im Fernsehen berichtet wird?«
Johanna nickte.
»Nein, ich denke nicht«, Breutigam schüttelte energisch den Kopf, »Herr Neuss ist geheilt, es gibt keine Anzeichen für erneute Gewalttätigkeit. Er hat sich gut eingefügt, hat eine feste Arbeit und eine Wohnung. Er ist einmal die Woche bei seinem Psychiater in Behandlung, und mit diesem Arzt stehe ich in ständiger Verbindung.«
»Seit wann ist er bei diesem Arzt, von dem Sie sprechen?«
»Seitdem er entlassen wurde.«
»Es handelt sich um einen Arzt, der Stefan Neuss vorher noch nicht kannte?«
»Ja. Das ist nicht ganz unüblich, wissen Sie, da es bei ihm keiner Überwachung durch das Krankenhaus bedarf.«

»Anscheinend ja doch.« Diekmanns Stimme klang gepresst, und Johanna glaubte in seiner Äußerung den Unmut darüber zu erkennen, dass ihm niemand mehr Aufmerksamkeit schenkte. Durch seine patzige Bemerkung versuchte er sich wie ein kleines Kind wieder ins Spiel zu bringen.

»Er ist geheilt.« Die Stimme des Arztes wurde eine Spur schriller. »Es kann nicht sein, dass wir uns derart geirrt haben.«

»Aber Sie wissen genauso gut wie ich, dass es Patienten mitunter gelingt, das Pflegepersonal zu täuschen.«

»Völlig richtig.« Breutigam nickte heftig mit dem Kopf. »Aber nicht über Jahre hinaus und nicht Neuss. Er ist resozialisiert, da lege ich meine Hand für ins Feuer.«

Er holte tief Luft und blickte zur Decke. Es war offensichtlich, dass er nicht so ohne weiteres bereit dazu war, zuzugeben, dass er versagt haben könnte.

»Ich habe noch eine Frage, Herr Dr. Breutigam. Womit wurde Stefan Neuss behandelt?«

Johanna bemühte sich um einen sachlichen Tonfall, in der Hoffnung, Diekmanns trotzige Art so zu überspielen.

»Meinen Sie die Therapie, oder die Medikation?«

»Ich meine die Medikation.«

»Er bekam und bekommt ein Psychopharmakon namens Leponex, falls Ihnen das etwas sagt. Natürlich ist die Dosis nicht mehr so hoch wie früher.«

»Danke für die Auskunft, Herr Doktor.« Johanna sah zu Diekmann. »Haben Sie noch irgendwelche Fragen?«

»Wenn Sie keine mehr haben.«

Johanna erhob sich, Diekmann und Breutigam folgten ihr.

»Kann ich mich noch einmal bei Ihnen melden, wenn weitere Fragen entstehen sollten?«

»Selbstverständlich.« Breutigam lächelte leicht. »Ich möchte Sie nur um etwas bitten. Seien Sie umsichtig; es ist nicht abzusehen, welche psychischen Schäden sie bei Neuss anrichten

könnten, sollte er erneut verhaftet werden. Ich bitte Sie, erst dann zu handeln, wenn keine Zweifel mehr bestehen.« Seine Stimme hatte eine Schärfe angenommen, über die auch sein Lächeln nicht hinwegtäuschen konnte. Seine ganze Körperhaltung wirkte noch steifer als ein paar Minuten zuvor. Er schien die Fragen nach seinem Patienten persönlich zu nehmen und sah seine Kompetenz infrage gestellt.
»Das verspreche ich Ihnen.« Johanna reichte dem Arzt die Hand. Diekmann begnügte sich mit einem gemurmelten »Auf Wiedersehen«. Kurz darauf standen sie wieder vor ihrem Auto.

»Na bravo! Wieder einmal voller Mitleid für einen Mörder.« Diekmanns Stimme troff vor Sarkasmus.
»Ob Neuss der Mörder ist oder nicht, ist überhaupt noch nicht gesagt.« Johanna sah Diekmann missmutig an. »Sie sollten besser nach Hause gehen, vielleicht geht es Ihnen dann besser.«
»Geben *Sie* jetzt hier die Anweisungen?« Diekmanns Augen sprühten förmlich Funken, und seine Stimme klang eher wie das Fauchen eines Raubtiers.
»Werden Sie nicht komisch, aber in Ihrer jetzigen Verfassung können Sie kaum weitermachen.«
Diekmann schwieg einen Augenblick. Als er dann weitersprach, klang seine Stimme zerknirscht.
»Sie haben Recht, ich bin kaum noch in der Lage, einen klaren Gedanken zu fassen. Was glauben Sie? Kommen wir damit einen Schritt weiter?«
»Ich weiß nicht. Ich werde mir die ganze Sache noch einmal durch den Kopf gehen lassen.« Den Rest des Weges legten sie schweigend zurück, und als sie wieder im Polizeipräsidium waren, entließ Diekmann seine Leute fürs Erste.
»Wir treffen uns gegen fünfzehn Uhr wieder hier. Bis dahin sollte jeder von euch eine Mütze Schlaf nehmen. Markus, wie sieht es mit der Observation aus?«

»Läuft. Ich habe veranlasst, dass Neuss heute lückenlos beobachtet wird. Aber dann müssen wir uns etwas einfallen lassen, du weißt, dass wir eine richterliche Anordnung brauchen.«
»Schon klar. Wir reden später weiter. Also ruht euch aus.«
Auch für Johanna gab es nichts mehr zu tun. Sie erkundigte sich telefonisch bei ihrer Sekretärin nach dem Neuesten, erteilte ihr ein paar Anweisungen und fuhr dann ebenfalls nach Hause. Ihre Gedanken kreisten um das Gespräch mit Breutigam. Er hatte etwas Wichtiges gesagt, etwas, das sie weiterbringen konnte, aber sie kam nicht mehr darauf. Was war es nur? Als es ihr plötzlich einfiel, trat sie vor lauter Schreck voll auf die Bremse. Das Hupkonzert um sie herum nahm sie kaum wahr, auch nicht, dass sie fast quer auf der Straße stand.
»Mein Gott.« Sie hielt das Lenkrad krampfhaft fest. Es war ihr wieder eingefallen. Wenn das stimmte, dann könnten sie Neuss wirklich noch heute verhaften. Sie war schon fast in Lurup angekommen, steuerte jetzt aber auf dem schnellsten Weg zurück Richtung Eppendorf. Johanna hatte große Schwierigkeiten, einen Parkplatz zu finden, da sie dieses Mal keinen Dienstwagen fuhr, und so musste sie sich mit einem Parkplatz außerhalb des Geländes zufrieden geben. Sie stellte das Auto verkehrswidrig auf dem Gehweg ab und lief im Dauerlauf zum Institut für Rechtsmedizin. Vor der Portiersloge blieb sie schnaufend stehen.
»Mein Name ist Doktor Jensen. Ich muss dringend mit Professor Reuschel sprechen.«
Es dauerte ein paar Minuten, und als der Professor auf sie zukam, hatte sich ihr Atem wieder beruhigt. Trotzdem war sie noch etwas verschwitzt und außer Atem vom Laufen, was ihr wieder einmal bewusst machte, dass sie in letzter Zeit zu faul gewesen war, sich sportlich zu betätigen.
Sie registrierte, dass Reuschels Kittel blutverschmiert war. Die Hand, die er ihr reichte, war allerdings sauber.

»Frau Kollegin«, seine Augen blitzten belustigt, »was kann ich für Sie tun? Doch eine kleine Besichtigungstour?«
»Hätten Sie einen Moment Zeit für mich?«
»Sie haben Glück, ich bin gerade mit einer Sektion fertig. Keine Angst, ich ziehe auch gleich meinen Kittel aus. Kommen Sie, wenn Sie die Unordnung in meinem Büro nicht stört.«
Er ging ihr durch die Gänge voran und führte sie zu seinem Büro.
»Bitte setzen Sie sich. Und dann schießen Sie los. Wo brennt's denn?«
»Herr Professor, haben Sie noch die Blut- und Gewebeproben der ermordeten Frauen?«
»Selbstverständlich. Solche Proben werden natürlich für alle Fälle aufgehoben, zumal wir ja die genaue Todesursache bisher nicht herausfinden konnten. Wieso?«
»Ich habe eine Bitte. Ich glaube fast, ich weiß, woran die Frauen gestorben sind.«
Reuschels Blick wurde ernst, aber auch interessiert.
»Schießen Sie los?«
»Wir haben einen Tatverdächtigen.« In ihrer Aufregung saß sie auf der äußersten Kante ihres Stuhls und drohte jeden Moment herunterzurutschen.
»Der Tatverdächtige wird seit Jahren mit dem Psychopharmakon ›Leponex‹ behandelt.«
»Das ist ja interessant ...«
Reuschels Augen weiteten sich, als Johanna mit ihrem Bericht fortfuhr.
»Der Wirkstoff in Leponex heißt Clozapin und führt innerhalb kürzester Zeit zu tiefem Schlaf oder zur Bewusstlosigkeit.«
»Ja, und in erhöhter Dosis kann das Zeug zum Tod führen. Nicht umsonst nennt man es auch ›K.o.-Tropfen‹. War in den späten Siebzigern und frühen Achtzigern in Diskotheken beliebt, um damit Mädchen zu betäuben.« Johanna nickte. Sie er-

innerte sich, wie ihr in ihrer Jugend eingebläut worden war, ihr Glas nie unbeobachtet stehen zu lassen.
Der Professor dachte nach und sprach dann weiter. »Das wäre eine Erklärung, denn dieser Wirkstoff wird bei einem normalen toxikologischen Screening nicht erfasst. Sie wissen, dass Clozapin auch jetzt möglicherweise nur schwer nachzuweisen ist?« Er blickte Johanna ernst an.
»Das weiß ich, aber wir müssen es wenigstens versuchen.« Sie sah ihn flehend an, auch wenn sie im Moment nicht genau wusste, wie sie weiter vorgehen würden, falls sie tatsächlich ein positives Testergebnis erhalten würde.
»Ich werde sofort eine entsprechende Untersuchung veranlassen, Frau Jensen. Wo kann ich Sie erreichen?«
»Ich gebe Ihnen meine Handynummer.«

9

Johanna fühlte sich ein wenig erleichtert, als sie wieder vor ihrem Wagen stand. Jetzt konnte sie nichts mehr tun, außer abwarten.
Sie war zu aufgekratzt, um gleich nach Hause zu fahren und ins Bett zu gehen. Da es erst neun Uhr war, beschloss sie, Joachim in seiner Galerie zu besuchen. Sie brauchte jetzt jemanden zum Reden, und der Einzige, der ihr einfiel, war Jo. Sie hatte den Abend bei Markus und Flo sehr genossen, und bei dem Gedanken an diesen neuen Mann in ihrem Leben machte sich ein warmes Gefühl in ihr breit.
Die Parkplatzsuche gestaltete sich um die Uhrzeit noch nicht allzu schwierig. Vom Blankeneser Bahnhof waren es nur mehr ein paar Meter zu Joachims Galerie, die sie zu Fuß zurücklegte. Ihre Idee, ihn zu besuchen, kam ihr plötzlich absurd vor, schließlich hatten sie sich erst einmal gesehen, aber andererseits hatte er sie gestern angerufen und zum Essen eingeladen. Aufgeregt und mit wild klopfendem Herzen stand sie schließlich vor der Galerie. Sie holte noch einmal tief Luft und drückte dann entschlossen die Türklinke hinunter. Eine junge Frau kam lächelnd auf sie zu. »Kann ich Ihnen helfen?« Sie hielt die Hände locker vor dem Körper gefaltet. Ihr Auftreten passte zu der entspannten Atmosphäre in der Galerie.
»Nun, ich …« Johanna fuhr sich mit der Hand durch die Haare, um sich eine Strähne um den Zeigefinger zu wickeln. Eine nervöse Angewohnheit, die sie seit ihrer Kindheit abzulegen versuchte. Erst als ihr die kurzen Haare widerstandslos durch die Finger glitten, fiel ihr ein, dass sie keine langen Strähnen mehr hatte, die sie um ihre Finger wickeln konnte.

»Nun, ich ...«, wiederholte sie verlegen.
»Lassen Sie, Sabine, ich mach das.« Erleichtert sah Johanna Joachim aus den hinteren Räumlichkeiten auf sich zukommen. Er lächelte sie an; froh und verlegen zugleich lächelte Johanna zurück und atmete erleichtert auf. Nervös trat sie von einem Bein aufs andere. Fast erwartete sie, rot anzulaufen, aber die verräterische Hitze auf ihren Wangen blieb aus.
»Jetzt sag nicht, dass du ein Bild kaufen willst?« Joachim stand dicht vor ihr und grinste breit.
»Nun, hmm ...« Johanna räusperte sich, »eigentlich nicht. Ich meine, ich wollte ... hast du Zeit?« Sie sah zu ihm auf.
»Natürlich.« Er runzelte die Stirn. »Du siehst geschafft aus. Wie wäre es mit einem Kaffee? Hast du schon etwas gegessen? Du siehst aus, als wärst du die ganze Nacht wach gewesen.«
»Irgendwie stimmt das auch. Du hast Recht, ich hab noch nicht einmal gefrühstückt.«
Verwundert stellte sie fest, dass sie es total vergessen hatte. Erst jetzt meldete sich ihr knurrender Magen lautstark zu Wort und verlangte sein Recht.
»Warte bitte einen Moment.« Er drehte sich zu der jungen Frau herum, die Johanna begrüßt hatte. »Sabine, ich verschwinde kurz auf ein Stündchen.« Er schnappte sich eine Jacke, die in der Nähe über einem Kleiderständer hing und führte Johanna aus dem Laden.
»Komm mit, ich lade dich zum Frühstück ein.«
»Ja, aber ...« Sie drehte sich um und sah in die leere Galerie. »Kannst du denn so einfach weg?«
Er sah sie belustigt an. »Das siehst du doch. Wie wäre es mit dem *Strandhotel?* Die haben ein herrliches Frühstücksbüfett, und dann erzählst du mir, was passiert ist, okay?«
»Was soll passiert sein?« Sie sah ihn von der Seite an.
»Wärst du sonst hier? Oder willst du mich einfach nur wiedersehen, weil ich so umwerfend charmant bin?« Sie standen jetzt

vor seinem Porsche. »Voilà, Madame, bitte steigen Sie ein.« Joachim hielt ihr die Tür auf und verbeugte sich übertrieben galant vor ihr. Johanna versuchte sich an ihm vorbeizudrücken und schaffte es tatsächlich, in den Wagen zu schlüpfen, ohne ihn zu berühren.

»Ich will dich wirklich nicht aufhalten.« Ein letzter, wenn auch halbherziger Versuch, ihm zu zeigen, dass ihr unangemeldeter Besuch keine Verpflichtung für ihn darstellen sollte. Sie fragte sich flüchtig, wie sie wohl reagieren würde, wenn er darauf einginge und sie mit einem Blick auf die Uhr bat, wieder auszusteigen. Aber da hatte er sich schon neben sie auf den Fahrersitz geschwungen und ließ den Motor an. Das satte Brummen ließ die ungeheure Kraft ahnen, die unter der Motorhaube schlummerte. Sie lehnte sich zurück und schloss für eine Sekunde die Augen.

»Ich lasse mich auch nicht aufhalten. Hätte ich keine Zeit, hätte ich es dir gesagt.« Er lächelte sie von der Seite an. »Außerdem habe ich an dich gedacht.«

»Echt?«

»Natürlich. Immerhin muss ich mir überlegen, wohin ich dich zum Essen ausführe, ich will mich ja nicht blamieren. Ich kann aber schon voller Stolz behaupten, dass ich in Restaurants nicht rülpse und nicht sabbere.«

»Ich bin beeindruckt.« Johanna musste lächeln.

»Warst du schon einmal im *Strandhotel*?«

»Nein, ich muss gestehen, dass ich nie auf die Idee kommen würde, in ein Hotel zu gehen, um dort nur zu essen.«

»Es wird dir gefallen. Der Laden ist ziemlich vornehm. Er ist sogar so vornehm, das sich niemand an deinem Aufzug stören wird – im Gegenteil, man wird vermutlich glauben, dass es sich um den neuesten Schrei aus Paris handelt.« Jo versuchte sich ein Grinsen zu verkneifen, als er bemerkte, dass Johanna erschreckt an sich heruntersah.

»Oh Gott, das habe ich ja total vergessen. Dreh um, lass uns das Ganze verschieben.«
»Komm, hör auf, ich wollte dich bloß aufziehen.«
Johanna sah ihn verstohlen von der Seite an. Er trug einen dunkelgrauen Kaschmirpullover und eine schwarze Hose, deren Bügelfalte aussah, als könne sie ein Blatt Papier durchschneiden. Dazu trug er eine teure Jacke aus weichem Leder, und seine Schuhe glänzten, als hätten sie noch bis vor zehn Minuten im Laden gestanden. Sie selber ähnelte dagegen einem Kind armer Leute, in ihren verblichenen Jeans, dem Sweatshirt, den Turnschuhen und der abgewetzten Wildlederjacke. Automatisch prüfte sie ihre Fingernägel, als erwarte sie, Schmutzränder darunter zu finden. Beruhigt stellte sie fest, dass zwar mal wieder eine Maniküre fällig war, sie aber nicht aussah, als hätte sie gerade Gartenzwiebeln in den Beeten vor ihrem Haus versenkt.
Sie seufzte. »Wenn wir schon von Blamagen sprechen, gebührt mir wohl der erste Platz.«
»Jetzt mach dich doch nicht lächerlich! Es gibt dir etwas mädchenhaftes.«
Johanna lachte. »Nicht, dass man dich am Ende wegen Kinderschändung verhaftet.«
Ein paar Minuten später parkte Jo den Wagen auf dem Hotelparkplatz. Das Gebäude, eine schneeweiße Villa aus dem 19. Jahrhundert, lag malerisch an einem Hang und versprach einen fantastischen Ausblick auf die Elbe. Der Parkplatz lag direkt am Wasser und war nur durch einen schmalen Fußweg vom Hotel getrennt. Sie gingen die wenigen Stufen zum Eingang hoch und wurden dort von einer unverbindlich lächelnden Dame begrüßt. Das Hotel war wirklich sehr elegant, und Johanna kam sich in ihrem Aufzug fehl am Platz vor, doch Joachim sah sie so auffordernd und erwartungsvoll an, dass sie die Gedanken an ihre Klamottenwahl schließlich beiseite schob.

»Also, schieß los, wo kommst du her und warum bist du so aufgeregt? Hat man dir die Wohnung gekündigt oder dein Gehalt gesperrt?«
»Nein, ganz so schlimm ist es nicht. Ich bin seit drei Uhr morgens im Dienst und kam gerade eben von der Gerichtsmedizin. Was das Essen angeht, das habe ich schlicht vergessen.«
Sie machte eine Pause und malte mit dem Fingernagel kleine Kreise auf das blütenweiße Tischtuch, ehe sie fortfuhr: »Und ich bin einfach zu aufgeregt, um nach Hause zu fahren, ich wollte unbedingt mit jemandem reden. Jemand, der da nicht drinsteckt, und jemand, der mir nicht auf die Nerven geht.«
»So wie dein Freund?« Joachim grinste. Der Kaffee wurde serviert, und Jo bedankte sich mit einem höflichen Nicken bei der Bedienung.
»Mein Freund?« Johanna sah ihn verblüfft an. »Woher weiß du, dass ich einen Freund habe?«
»Ich habe es bei unserem gemeinsamen Abend bei Markus und Flo herausgehört. Wie ist euer Verhältnis zueinander? Oder ist das eine zu indiskrete Frage?« Er sah kurz auf. »Tut mir Leid, ich glaube, das geht mich wirklich nichts an.« Er sah tatsächlich ein bisschen zerknirscht aus, und Johanna musste lachen.
»Ist schon gut. Das ist nun wirklich kein Geheimnis, wir haben im Moment in der Tat ein schwieriges Verhältnis, man geht zusammen Essen, man geht miteinander ins Bett, mitunter ins Kino und das war's dann auch schon. Diese Art von Verhältnis halt.«
»Ach so, diese Art von Verhältnis. Schon klar.« Er grinste sie spöttisch an. »Das kann es ja wohl nicht sein, denn immerhin sitzt du hier mit mir, oder?« Er stand auf. »Komm, wir plündern jetzt das Büfett.« Johanna war dankbar für diese Unterbrechung, denn sie kam sich vor wie ein kleines Schulmädchen, das nicht bis drei zählen konnte. Der Gang zum Büfett half ihr, ihre Fassung zurückzugewinnen.

Angesichts der Köstlichkeiten, die sich ihr auf silbernen Platten darbot, fiel ihr die Entscheidung schwer. Schließlich nahm sie von jedem etwas. Den Teller beladen mit Lachs, ein wenig Kaviar, Parmaschinken, ein paar Früchten und zwei Brötchen kehrte sie zum Tisch zurück. Mit Heißhunger machte sie sich über ihren Teller her. Nach einer Weile sprach Joachim weiter.

»Und das genau hat dich so aufgeregt, dass du nicht nach Hause fahren konntest?«

Johanna lehnte sich einen Moment zurück und betupfte ihre Lippen mit der Damastserviette.

»Der Fall. Du weißt schon, der, an dem Markus und ich gemeinsam arbeiten.«

»Ihr habt den Täter also immer noch nicht?« Joachim zeigte Interesse, was Johanna für einen Moment sprachlos machte. Sie betrachtete ihn verstohlen, um herauszufinden, ob sein Gesichtsausdruck im richtigen Verhältnis zu seiner Frage stand, oder ob er einfach nur aus purer Höflichkeit fragte. Als sie in seine offenen Augen sah, befand sie, dass er eine Chance verdient hatte.

»Das ist es ja. Wahrscheinlich haben wir ihn doch. Es ist vermutlich ein Mann, der bis vor einem Jahr in der Psychiatrie gesessen hat.«

»Und was gefällt dir daran nicht?«

Joachim nahm einen Schluck Kaffee.

»Bitte?« Erstaunt blickte sie in seine ernsten grauen Augen.

»Irgendetwas gefällt dir doch an der Sache nicht, oder?« Es war schon erstaunlich, wie sensibel dieser Mann war.

»Was mir daran nicht gefällt, ist die Tatsache, dass die vier Frauen möglicherweise noch leben würden, wenn dieser Mann nicht entlassen worden wäre. Wir haben doch Möglichkeiten, Psychopathen wegzusperren, und trotzdem lassen wir sie immer wieder frei, damit sie wieder losgehen können, um Menschen zu töten. Das ist doch pervers.«

»Das stimmt. Aber das ist nicht deine Schuld.«
»Nein, das ist sie nicht. Einerseits bin ich stolz darauf, dass wir ihn vermutlich haben, andererseits können wir den Hinterbliebenen die Trauer damit auch nicht nehmen. Einen Menschen zu verlieren ist eine Sache, Mord eine ganz andere.« Den letzten Satz hatte sie fast geflüstert. Joachim sah auf, aber Johanna räusperte sich und sprach schnell weiter.
»Und was machen wir, wenn wir uns doch irren? Ach, lass uns das Thema wechseln. Sag mir lieber, wie viele Geschäfte dir jetzt durch die Lappen gehen, während wir hier sitzen?«

Der Vormittag mit Joachim hatte ihr gut getan. Sie war jetzt viel entspannter als zuvor. Nach ihrem ausgedehnten Frühstück waren sie noch spazieren gegangen; als der Regen jedoch immer stärker wurde, hatten sie beschlossen, umzukehren und zur Galerie zurückzufahren. Joachim hatte ihr zum Abschied einen Handkuss gegeben und sie dabei nicht aus den Augen gelassen. Als sie schließlich gegangen war, hatte sie sich sogar ein kleines bisschen beschwingt gefühlt. Sie war sogar richtig guter Stimmung gewesen und hatte im Auto auf dem Weg nach Haus lauthals den neuesten Hit mitgeträllert. Sie kannte dieses Gefühl, aber es war schon sehr lange her, dass sie sich beinahe nicht mehr daran erinnern konnte. Sollte sie sich am Ende ein klein wenig in diesen attraktiven Mann verguckt haben? Angestrengt versuchte sie, sich daran zu erinnern, wie das damals mit Stefan gelaufen war, aber so sehr sie sich auch bemühte, sie konnte sich ihre damaligen Gefühle nicht in Erinnerung rufen. Sie beließ es dabei. Sie hatte keine Lust, ständig zu analysieren, was schief gelaufen war.
Seufzend stellte sie ihren Wagen vor der Haustür ab. Ein Blick auf die Uhr sagte ihr, dass es noch für eine Dusche und eine Stunde Schlaf reichen würde, bevor sie wieder im Präsidium sein musste. Sie hatte sich gerade ausgezogen und war im Be-

griff, in die Dusche zu steigen, als ihr Handy klingelte. Notdürftig hüllte sie sich in ein großes Handtuch und suchte in ihrer Jackentasche nach dem Handy.
»Hallo?« Sie verzichtete am Telefon immer darauf, ihren Namen zu nennen.
»Frau Doktor Jensen?«
»Am Apparat. Wer ist da?«
»Reuschel. Frau Doktor Jensen, Sie hatten Recht. Ich konnte den Wirkstoff zwar nur in geringen Mengen nachweisen, aber das war ja zu erwarten.«
»Sind Sie ganz sicher?« Johanna spürte, wie ein Adrenalinstoß durch ihre Adern schoss und alle Müdigkeit verflog. Vor lauter Aufregung ließ sie das Handtuch fallen, so dass sie splitternackt mitten im Wohnzimmer stand.
»Ganz sicher. Wir haben einige Tests wiederholt, um sicherzugehen, dass uns kein Fehler unterlaufen ist, aber das Ergebnis wurde immer wieder bestätigt. Ich habe den Bericht hier, wenn Sie ihn haben wollen?«
Johanna bückte sich, um das Handtuch aufzuheben und wieder um ihren Körper zu wickeln, während sie das Telefon zwischen Kinn und Schulter einzuklemmen versuchte. »Ich bin in einer Stunde bei Ihnen. Wir brauchen den Bericht dringend für unsere nächste Besprechung.«
»Wie Sie wollen. Ich werde ihn beim Portier hinterlegen.«
»Ich danke Ihnen sehr für Ihre Mithilfe, Herr Doktor Reuschel.«
Johanna beendete das Gespräch. In ihrem Kopf wirbelte alles durcheinander. Jetzt hatten sie ihn!

Sie hatte den Bericht zwar nur kurz überflogen, aber als sie im Präsidium ankam, wusste sie das Wichtigste. Diekmann war, wie sollte es anders sein, bereits da. Er saß in seinem Büro und ging noch einige Unterlagen durch, als Johanna hereinstürmte.

»Wir haben ihn«, rief sie triumphierend und wedelte mit Professor Reuschels Bericht.
»Wie bitte?« Diekmann schaute hoch und sah sie stirnrunzelnd an.
»Wir haben ihn.« Sie warf den Aktendeckel auf seinen Schreibtisch und ließ sich aufatmend auf den Besucherstuhl plumpsen.
»Wie kommen Sie denn darauf?«
»Erinnern Sie sich, dass Dr. Breutigam auf meine Frage hin angab, dass Neuss mit einem Medikament namens ›Leponex‹ behandelt worden ist und es wahrscheinlich immer noch verordnet bekommt?«
Diekmann nickte skeptisch.
»Also von vorne: Leponex kann in erhöhter Dosis zum Tod führen. Und es ist bei den normalen toxikologischen Untersuchungen nicht nachzuweisen.«
»Und?« Immerhin sah Diekmann nun schon deutlich interessierter aus.
»Ich bin vorhin zu Dr. Reuschel gefahren und habe ihm meinen Verdacht mitgeteilt. Er hat daraufhin die Gewebeproben der vier Frauen noch einmal auf den Wirkstoff dieses Medikaments untersucht und dabei Rückstände von Clozapin nachweisen können.«
»Bei allen vieren?«
Johanna nickte. »Bei allen vier Frauen.«
»Hätte der Täter nicht auch auf anderem Wege an dieses Medikament kommen können?«
Johanna schüttelte energisch den Kopf. »Kaum. Leponex unterliegt einer Vertriebsbeschränkung und wird nur auf besondere Anforderung verschreibungsberechtigter Ärzte an die Apotheken ausgeliefert. Da sichert sich der Hersteller ab.«
»Das heißt also, dass ein normaler Arzt dieses Medikament überhaupt nicht verschreiben oder ausgeben kann?«
»Ganz genau. Dieses Medikament dient ausschließlich zur Be-

handlung schizophrener Menschen. Über diese Schiene können wir ihn also festnageln.«
Diekmann lächelte. »Gute Arbeit, Frau Doktor.« Er sah auf seine Uhr. »Es ist jetzt halb drei, und die ersten trudeln schon wieder ein.« Auf dem Flur hörte man tatsächlich Lärm und gedämpftes Gemurmel.
»Wir müssen uns auf jeden Fall absichern. Julika!«, den Namen seiner Mitarbeiterin rief er laut in Richtung Flur. »Ja?«, eine junge blonde Frau steckte den Kopf in das Zimmer ihres Chefs.
»Julika, ich möchte Sie bitten, Kontakt zu den Familien aller ermordeten Frauen aufzunehmen und sie zu fragen, ob die Frauen Medikamente bekamen und wenn ja, welche. Und fragen Sie unbedingt nach, ob sie in psychiatrischer oder psychologischer Behandlung waren. Klar?«
»Klar.« Der Blondschopf verschwand aus Johannas Gesichtsfeld. Diekmann stemmte sich aus seinem Bürostuhl hoch. »Also los. Wir sollten schon mal anfangen.« Er nahm den Aktenordner, den Johanna ihm auf den Tisch geworfen hatte, in die Hand und ging zur Tür. Auf dem Weg zum Besprechungsraum machte er vor einem Büro kurz Halt und sagte Bescheid, dass er mit der Besprechung beginnen wolle. Schon nach kurzer Zeit war der Besprechungsraum voll, fast alle waren da. Johanna hatte neben Diekmann Platz genommen und sah sich die Gesichter der Anwesenden an. Alle wirkten übermüdet, doch in jedem einzelnen Gesicht sah sie die Bereitschaft weiterzumachen, bis der Chef sie nach Hause schickte. Einige sahen beinahe ehrfürchtig zu Diekmann auf, was Johanna nachhaltig irritierte. Es war ihr noch immer unbegreiflich, wie sich Diekmann eine solche Gefolgschaft zusammengebastelt hatte.
In einer Ecke des Raumes stand Markus, die Arme vor der Brust verschränkt. Auch er sah müde aus, aber als er Johannas Blick bemerkte, lächelte er sie an. Eigentlich lächelte er fast immer. Ein Zeichen, dass er mit sich und der Welt vollkommen

im Reinen war. Auf die meisten Menschen hatte sein sonniges Gemüt ähnliche Wirkung wie ein Sonnenstrahl, der sich mühsam durch eine wolkenverhangene Regenwand im Herbst kämpfte. Johanna stellte fest, dass sie Markus seit dem Abend bei ihm zu Hause kaum noch gesprochen hatte und dachte daran, dass sie sich noch gestern ein wenig von ihm verraten gefühlt hatte. Das tat ihr jetzt Leid, und sie lächelte zurück. Diekmann verschwendete keine Zeit.
»Markus, wie sieht es mit der Observation von Neuss aus?«
»Läuft noch.«
»Weißt du, wo er sich gerade befindet?«
»So wie es aussieht, ist er noch in seiner Firma.«
»Gut. Sobald er die Firma verlässt, nehmen wir ihn vorläufig fest. Sag das den Kollegen vor Ort. Ich fahre in der Zwischenzeit zu seiner Wohnung, und sowie ihr ihn festgenommen habt, sagst du mir Bescheid, dann können wir anfangen, die Wohnung zu durchsuchen. Ich mache das gemeinsam mit Frau Dr. Jensen, alles klar?« Er drehte sich zu der jungen Frau um, die hinter seinen Stuhl getreten war und ihm etwas ins Ohr flüsterte. Johanna erkannte in ihr Julika wieder. Diekmann nickte. »Gut, aber mach bitte sicherheitshalber weiter.« Dann beugte er sich zu Johanna und sagte: »Julika hat herausgefunden, dass weder Maike Behrens noch Sigrid Meinecke Medikamente genommen haben. Ich denke, das dürfte genügen. Ich werde gleich noch Staatsanwalt Schwarze zu uns bitten, dann kann eigentlich nichts mehr schief gehen.« Er wandte sich seinen Leuten zu und machte eine Handbewegung, als wolle er eine feierliche Tafel aufheben. »Also los. Markus wird euch in Gruppen einteilen. Viel Glück.« Er stand auf und schob den Stuhl zurück.
»Wir treffen uns in einer halben Stunde.« Damit nickte er Johanna zu und verschwand eilig in Richtung seines Büros. Markus wartete auf Johanna im Flur.

»Und? Zufrieden?« Er versetzte ihr einen liebevollen Stoß.
»Wie meinst du das?«
»Komm schon.« Markus stieß sich von der Wand ab, an der er lehnte, und schlenderte neben Johanna her. »Wenn alles vorbei ist, hat Diekmann seine Fahndungsschlappen vom Anfang ausgemerzt, und du hast als Psychologin einen Fuß in der Tür; möglicherweise wird man sich dann das nächste Mal eher an dich erinnern.«
»Für dich scheint das alles eine Kosten-Nutzen-Rechnung zu sein.«
»Nein, das nicht gerade, aber immerhin könnt ihr beide aus der Sache erheblichen Nutzen ziehen. Und nebenbei holt ihr auch noch einen gefährlichen Killer von der Straße.«
Johanna lächelte schwach. »Ja, du hast Recht. Ich glaube, ich schlafe auch erst wieder ruhig, wenn alles vorbei ist.«
»Ich muss los. Viel Glück, und versuche dich im Endspurt nicht noch mit Diekmann anzulegen.« Er gab ihr einen Kuss auf die Wange und verschwand.

Das Warten vor Stefan Neuss' Haus war noch langweiliger, als Johanna es sich vorgestellt hatte. Es schüttete in Strömen und im Auto war es kalt, obwohl die Heizung lief. Zumindest war ihr kalt. Wahrscheinlich reagierte ihr Körper jetzt auf den Schlafmangel.
Sie befanden sich mitten im finstersten Teil von St. Pauli, und die ganze Gegend hätte schon ohne den Regen trostlos gewirkt. Die Häuser standen hier eng aneinander gedrängt, die meisten Haustüren hingen schief in den Angeln oder waren gar nicht mehr vorhanden, und es gab keinen einzigen Baum in der ganzen Straße. Johanna konnte sich gut vorstellen, dass es im Sommer hier auch keine Vögel gab. Einige Kinder spielten trotz des schlechten Wetters unter lautem Geschrei mit einem Einkaufswagen, den sie vermutlich aus dem nahe gelegenen Super-

markt gestohlen hatten. Johanna sah schmutzige Gardinen an den Fenstern und hin und wieder auch eine Pappe anstelle einer Fensterscheibe.

In ihr machte sich unglaubliche Traurigkeit breit, wie immer, wenn sie nicht in der Lage war, das Elend anderer Menschen aus ihrem Leben auszuklammern. Sie benahm sich wie die meisten Menschen, die sich erst dann um Dreck und Armut kümmerten, wenn sie an ihre eigene Tür klopften. In der Gesellschaft herrschte die Meinung vor, dass Armut ein Zustand war, dem sich ein rechtschaffener Mensch naturgemäß verschließen könne. Selbst Kinder, die noch keine gesellschaftlichen Schranken kannten, würden mit Ermahnungen wie »Sieh-da-nicht-so-hin« schnell dazu erzogen, beschämt wegzusehen, sobald ein Obdachloser ihnen eine schmutzige Hand mit der Bitte um etwas Kleingeld entgegenhielt. Johanna gestand sich ein, dass auch sie oft so reagiert hatte, wenn sie eine frühzeitig gealterte Frau auf der Straße sah, die versuchte, sich am eigenen Schopf aus dem Dreck zu ziehen, indem sie, wie viele andere Arbeits- und Wohnungslose auch, eine Zeitschrift verkaufte, deren Erlös noch nicht einmal dem eines Lollis entsprach.

Diekmann schien dies alles nicht mehr wahrzunehmen. Er hatte es sich bequem gemacht und den Kopf gegen die Kopfstütze gelehnt. Seine Augen waren geschlossen, sein Atem ging regelmäßig, und nur seine Finger, die einen regelmäßigen Rhythmus auf das Lenkrad klopften, zeigten ihr, dass er nicht schlief. Irgendwo in der Nähe standen die Kollegen, und Johanna stellte sich vor, dass es in deren Fahrzeugen ähnlich ruhig zuging. Sie seufzte laut und betrachtete eingehend ihre Fingernägel.

»Sie müssen noch viel ruhiger werden«, sagte Diekmann, ohne dabei die Augen zu öffnen.

»Bitte?« Johanna sah ihn erstaunt an.

»Solche Jobs können Stunden dauern, mitunter wartet man die ganze Nacht auf diese Weise. Aber keine Angst, heute dauert es bestimmt nicht so lange.«

Dann verstummte er wieder, und auch Johanna verspürte keinen Drang, sich ausführlicher zu unterhalten. Es käme wahrscheinlich ohnehin nur zu einem Streit, und den wollte sie auf jeden Fall vermeiden. Sie lehnte ihren Kopf an die Seitenscheibe und schloss ebenfalls die Augen. Plötzlich klingelte ein Handy. Johanna schreckte hoch. Diekmann saß kerzengerade, von Müdigkeit war keine Spur mehr zu sehen. Er klappte das Handy auf und meldete sich kurz.

»Ja?« Er hörte einen Moment zu und sagte dann: »Okay.« Dann wandte er sich an Johanna.

»Es geht los. Sie haben ihn.« Er öffnete die Tür und ging, ohne auf sie zu achten, in Richtung Haustür. In unmittelbarer Nähe stiegen vier Männer aus einem Fahrzeug, reckten sich kurz und folgten ihrem Chef. Johanna beeilte sich, ebenfalls auszusteigen. Kurz darauf stand sie frierend neben Diekmann in einem zugigen Hauseingang.

Einer der Polizisten drückte die Tür auf. Johanna bemerkte, dass plötzlich alle eine Waffe in der Hand hielten. Ein ungutes Gefühl machte sich in ihr breit. Ob es daran lag, dass sie selbst keine Waffe trug oder dass sie eine Heidenangst vor diesen Dingern hatte, konnte sie nicht genau sagen.

Sie liefen in den zweiten Stock und blieben vor einer verhältnismäßig ordentlichen Wohnungstür stehen. Diekmann klingelte und klopfte, aber es rührte sich nichts.

»Er ist doch gar nicht da.« Johanna sah etwas verständnislos von einem zum anderen.

»Und was ist, wenn doch jemand in der Wohnung ist? Vielleicht eine Freundin?« Diekmann konnte nur mit Mühe seine Ungeduld unterdrücken. Er klopfte noch einmal und rief: »Machen Sie bitte auf, Polizei.«

Noch immer rührte sich nichts. Johanna bemerkte aus dem Augenwinkel, wie eine Tür auf der anderen Seite des Flures vorsichtig einen Spaltbreit geöffnet wurde. Die misstrauischen Augen eines Kindes blickten sie an. Johanna versuchte ein Lächeln, aber da wurde die Tür mit einem lauten Knall wieder geschlossen. Hier wollte anscheinend niemand etwas mit der Polizei zu tun haben. Nicht einmal ein Kind.
Irgendwo, ein Stockwerk unter ihnen, schrie ein Baby, übertönt vom Gekeife einer Frau. Dann wurde es abrupt still, und Johanna hatte das Gefühl, dass alle Bewohner dieses Hauses hinter ihren Türen standen und lauschten.
Diekmann gab einem seiner Leute ein Handzeichen. Der Kollege ging einen Schritt zurück und brach mit einem kurzen heftigen Tritt das Schloss aus der Tür. Ein Teil der Füllung splitterte und die Tür schwang in den Angeln. Das Schließblech des Schlosses hing leicht verbogen heraus. Es schien ganz so, als ob dies nicht der erste Angriff dieser Art gewesen war.
Ein muffiger Geruch schlug ihnen aus der Wohnung entgegen. Der Wohnungsinhaber schien Lüften für einen Luxus zu halten. Johanna rümpfte die Nase. Es war eine winzige Einzimmerwohnung, und der jetzige Mieter hatte sich nicht einmal die Mühe gemacht, neu zu renovieren. An den Wänden hing eine vergilbte Tapete, und helle Flecken zeigten, wo früher einmal Bilder gehangen hatten. Aber die Wohnung war aufgeräumt und einigermaßen sauber. Es gab nur ein paar Möbelstücke, die bunt zusammengewürfelt waren. Außer einem Bett, einem wackeligen Tisch, der mit einem gefalteten Bierdeckel unter einem Bein einigermaßen stabil gehalten wurde, einem Kleiderschrank und zwei Plastikstühlen stand nichts weiter im Raum. Das Linoleum war alt und mit Brandflecken übersät. Einer der Plastikstühle stand neben dem Bett und diente als Nachtkästchen für eine alte Lampe. Es gab keine Bilder an den Wänden, keine Postkarten am Kühlschrank – nichts in dieser Wohnung

deutete darauf hin, dass hier ein Mensch mit einer individuellen Vergangenheit lebte. Einsamkeit schlug ihr wie ein undurchdringlicher Nebel aus den spärlichen Möbelstücken entgegen. Johanna schob die Hände in ihre Jackentaschen und ballte sie zu Fäusten.
Die Küche war ebenso spartanisch eingerichtet. Ein Kühlschrank, ein Herd und zwei kleine Hängeschränke, die auf dem Boden standen und darauf warteten, irgendwann an die Wand gehängt zu werden, stellten die gesamte Kücheneinrichtung dar.
Die Durchsuchung war schnell beendet. Außer den Tabletten hatten sie nichts gefunden, was in irgendeinem Zusammenhang mit den Morden stehen könnte. Einer der Polizisten sicherte die Wohnungstür notdürftig. Dann verließen sie gemeinsam das Haus. Johanna spürte den Blick verschiedener Augenpaare, die sich, versteckt hinter Gardinen, in ihren Rücken bohrten, als sie langsam zurück zu den Autos gingen. Sie widerstand nur schwer dem Verlangen, sich umzudrehen. Sie glaubte zu wissen, was die Blicke der Menschen bedeuteten. Aus ihnen sprach nicht nur Erleichterung, dass die Eindringlinge, die offensichtlich zur Staatsmacht gehörten, wieder verschwanden, sondern auch Sehnsucht, Angst, Trauer und Hass. Hass darüber, selbst nicht einfach die Tür schließen und wieder gehen zu können.
Diekmann sprach erst wieder, als sie sich in den Verkehr eingereiht hatten. »Verdammt merkwürdig. Er hatte überhaupt keine Bilder oder sonstige persönlichen Erinnerungen in seiner Wohnung.«
Johanna sah ihn ein wenig verärgert von der Seite an. Er sprach genau das aus, was sie selbst vor ein paar Minuten gedacht hatte, und trotzdem sprach sie ihm die Fähigkeit ab, darüber urteilen zu können. In Diekmanns Augen war diese Feststellung lediglich eine weitere Information über einen Menschen,

den er bereits zum Mörder abgestempelt hatte. Für sie selbst war dies ein Beweis für ein Leben ohne Geschichte.
»Was, zum Henker, sollte er auch besitzen? Er ist schizophren, ein Teil seiner Vergangenheit gehört ihm nicht mehr, und den anderen Teil hat er in der Psychiatrie verbracht. Meinen Sie, dass das alles zusammen etwas ergibt, woran man sich erinnern will?«
Diekmann drehte sich kurz zu ihr und musterte sie flüchtig. »Was ist los mit Ihnen? Tut er Ihnen Leid? Er ist wahrscheinlich für den Tod von vier unschuldigen Frauen verantwortlich, und Sie fangen an, ihn in Schutz zu nehmen. Was soll das?«
Sie wich seinem Blick aus und schaute aus dem Fenster. Er hatte schon Recht, sie hatte selbst gemerkt, wie aggressiv sie geklungen hatte, aber es ärgerte sie einfach, dass alles, was man fand oder eben auch nicht fand, Beweise für seine Schuld sein sollten. Sie beschloss, den Rückzug anzutreten. »Es tut mir Leid, aber ich fürchte, wir sehen zwei verschiedene Personen. Sie sehen in Neuss den Mörder, obwohl das noch gar nicht bewiesen ist. Ich sehe die Person, die dieser Mensch darstellt. Es war so schrecklich leer in dieser Wohnung.« Sie war selbst über ihre Worte erstaunt, aber es war tatsächlich mehr gewesen als nur Einsamkeit, die ihr wie ein ätzender Geruch in dieser Wohnung entgegengeschlagen war. Es war die tödliche Leere, die wie eine dicke Ascheschicht alles Leben unter sich erstickte, die ihr Angst machte.
Diekmann sah weiter starr auf die Straße. »Sie sollten versuchen, Ihren Blickwinkel zu verändern. Für mich steht im Vordergrund, was dieser Mensch anderen angetan hat. Das Leid, den Kummer und die nie enden wollende Trauer. Ein Mörder tötet nicht nur Menschen, er löscht alles Leben aus, das dieser Mensch zurücklässt. Er tötet Gefühle, die ein erfülltes Leben ausmachen, und die Fähigkeit, in Frieden weiterzuleben. Für

mich haben Mörder ihre Daseinsberechtigung verloren. Denken Sie mal darüber nach.«
Seine Stimme hatte hart, fast ein wenig hasserfüllt geklungen, aber Johanna spürte die Sensibilität hinter seinen Worten. Sie hatte nie geglaubt, dass er eine verletzliche Ader hatte. Sie betrachtete ihn verstohlen von der Seite. Seine Augen waren unbeweglich, seinen Gesichtszügen war nicht zu entnehmen, was in seinem Kopf vor sich ging. Sie hatte den Eindruck, dass sie sich auf dünnem Eis bewegte, und wechselte das Thema.
»Wie geht es jetzt weiter?«
»Wir werden versuchen, ihn zu vernehmen, und dann wird es heute noch eine Pressekonferenz geben. Sie werden daran übrigens teilnehmen. Wir wollen unseren Erfolg doch teilen, nicht wahr?« Der letzte Satz klang eine Spur höhnisch. »Ich möchte Sie nur darum bitten, öffentlich kein Mitleid mit dem Täter zu zeigen, sondern eher sachlich zu bleiben. Meinen Sie, Sie kriegen das hin?«
»Sicher.« Johanna hatte sich unwillkürlich versteift und starrte aus dem Fenster. Der Fall schien erledigt, Diekmann sah demzufolge wohl auch keinen Grund mehr, freundlich zu bleiben.

Diekmann saß mit einem Becher dampfenden Kaffee in seinem Büro und ließ sich Bericht erstatten. Er hörte mit halb geschlossenen Augen zu, ohne den jungen Polizisten zu unterbrechen, der vor seinem Schreibtisch saß. Johanna glaubte sich zu erinnern, dass der junge Mann Sebastian hieß, sie war sich aber nicht sicher. Er berichtete, dass Neuss friedlich mitgekommen war. Er habe sich nicht gewehrt und nichts zu seiner Verteidigung gesagt. Er schien sogar ein wenig geistesabwesend gewesen zu sein. Derzeit sitze er in seiner Zelle im Erdgeschoss des Gebäudes. Staatsanwalt Schwarze stand an einen Aktenschrank gelehnt und hörte interessiert zu.
»Ist der Mann vernünftig über seine Rechte aufgeklärt wor-

den? Ich möchte nicht, dass hier ein Formfehler begangen wird und wir den Mann deshalb laufen lassen müssen.« Er hatte etwas Oberlehrerhaftes an sich. Mit einem überheblichen Blick und hochgezogenen Augenbrauen wandte er sich an den jungen Mann. Sebastian nickte. Johanna lehnte am Fenster. Sie wusste, was als Nächstes kommen würde. Diekmann schlug mit der flachen Hand auf die Schreibtischplatte.
»Dann wollen wir mal. Ich denke, wir beginnen mit einer Vernehmung. Sollte er keinen Rechtsanwalt wünschen, werden wir ihn trotzdem entsprechend belehren und dann vernehmen. Wozu haben wir schließlich die Staatsanwaltschaft hier. Frau Dr. Jensen, sind Sie bereit?«
Johanna nickte. Sie wusste, dass sie bei der Vernehmung dabei sein musste, sie würde sogar ein paar Worte allein mit dem Mann sprechen müssen, um festzustellen, ob er überhaupt vernehmungsfähig war. Zusammen mit Markus ging sie hinunter zu den Zellen.
»Warst du dabei, als sie ihn festgenommen haben?«
Markus nickte. »Ja, ich habe mich größtenteils im Hintergrund gehalten.«
»Und? Wie hat er auf dich gewirkt?«
»Schwer zu sagen. Er schien kein Interesse an der ganzen Sache zu haben. Er ließ sich widerstandslos mitnehmen und wollte nicht einmal einen Rechtsanwalt. Als wir ihn fragten, ob er jemanden anrufen wolle, sah er uns nur verständnislos an.«
Dann standen sie vor der Tür, die zum Zellentrakt führte. Markus klingelte und wartete. Johanna ließ ihren Blick umherschweifen und bemerke die kleine Kamera, die über der Tür angebracht war. Eine Stimme schnarrte blechern aus der Gegensprechanlage.
»Ja?«
»Mordkommission, bitte öffnen Sie.«
Der Türsummer erklang, und Markus zog die Tür mit einem

Ruck auf. Auch wenn hier regelmäßig sauber gemacht wurde, verging der eigentümliche Geruch, der im Zellentrakt vorherrschte, nie. Es war eine Mischung aus Schweiß, Exkrementen und anderen Ausdünstungen wie zum Beispiel einem penetranten Knoblauchgeruch, den einige Festgenommene mit einschleppten.
Markus schien dieser Geruch nicht weiter zu stören, Johanna konnte sich gerade noch zurückhalten, sich nicht die Nase zuzuhalten. Sie atmete ganz flach mit offenem Mund, als sie in den kleinen Raum gingen, in dem das Wachpersonal saß.
»Mahlzeit.« Es war zwar schon 17.30 Uhr, aber das war der gängige Gruß unter Polizisten. Der rotgesichtige Wächter in seiner schmuddeligen Uniform grunzte anstelle einer Antwort. Auch das war normal so.
»Neuss. Wo sitzt der?«
Der Rotgesichtige ging zu einem kleinen Schrank mit Schließfächern und öffnete eines davon, als wolle er den Gefangenen dort herauszaubern. »Zelle drei. Wir haben alle zehn Minuten kontrolliert, er hat sich aber seit seiner Einlieferung nicht mehr gerührt.«
Der Mann war unverkennbar Hamburger. Sein breiter, etwas schleppender Tonfall hätte ihn überall auf der Welt verraten.
Markus nahm die Tüte mit Neuss' Habseligkeiten, die der Rotgesichtige aus dem Schließfach genommen und ihm über den Tresen hinübergereicht hatte, in Empfang, und drehte sich um. Gemeinsam folgten sie dem uniformierten Polizisten, der, wie Johanna feststellte, auch noch stark übergewichtig war. Er sperrte die betreffende Zelle auf und bellte etwas in den Raum, ehe er zurücktrat und Markus den Vortritt ließ.
Johanna hätte schwören können, dass dieses Sinnbild hamburgischen Gleichmuts entweder den Namen »Kuddel« oder »Hein« trug.

Die Zelle erwies sich als kleiner, enger und dunkler Verschlag, der nur durch eine matt leuchtende Funzel an der Decke erhellt wurde. Johanna wusste, dass das Gebäude erst ein paar Monate alt war, aber dieser Raum machte auf sie den Eindruck, als wäre er seit dem Ende der Inquisition in Gebrauch.
Die Wände waren in schmutzigem Grau gestrichen und trugen verschiedene Schriftzüge. Jeder, der hier mal für ein paar Stunden eingesperrt war, schien sich dort verewigt zu haben. Neben einzelner Daten waren Namen oder auch Herzen in den Stein geritzt. An der Wand war eine einfache Holzpritsche befestigt, an deren Ende eine ordentlich gefaltete Wolldecke lag, die an eine Pferdedecke erinnerte. Der Boden bestand nur aus nacktem Estrich und starrte vor Dreck.
Der Mann in der Zelle hob nicht einmal den Kopf, als sie eintraten. Er saß kerzengerade auf seiner Pritsche, die Hände auf den Oberschenkeln, und starrte gegen die Wand.
»Herr Neuss?« Markus sprach so laut, als stünde er einem Schwerhörigen gegenüber. Der Mann drehte nur sehr langsam den Kopf und sah mit leeren Augen auf die kleine Gruppe, die vor ihm stand.
»Kommen Sie bitte.« Markus trat einen Schritt zurück, um dem Mann Platz zu machen, doch er rührte sich nicht. Markus trat wieder vor und packte Neuss am Arm. Er zog ihn hoch und legte ihm auf dem Rücken Handschellen an.
»Ist das denn unbedingt nötig?« Johanna fand Markus' Vorsichtsmaßnahmen überflüssig und ärgerte sich über ihren Freund.
»Ich will nicht, dass er plötzlich ausrastet und uns angreift. Oder willst du das vielleicht?« Markus zog die Augenbrauen hoch.
»Auf geht's.« Die letzten Worte hatte er an Neuss gerichtet, der sich ohne weiteres mitziehen ließ. Sie nahmen die Treppe, und Neuss sagte während des gesamten Weges in den siebten Stock

kein Wort. Dort angekommen, führte Markus ihn in ein Vernehmungszimmer, nahm ihm die Handschellen ab und verließ den Raum. Er schloss sorgfältig ab und steckte den Schlüssel ein.
»Und?« Plötzlich stand Diekmann hinter ihnen. Johanna hatte Neuss beobachtet. Ihr tat der Mann Leid. Er schien überhaupt nicht zu realisieren, was mit ihm geschah. Das sagte sie auch Diekmann. »Er ist apathisch. Wir sollten einen Psychiater hinzuziehen.« Diekmann starrte sie einen Moment an und richtete seinen Blick dann wieder auf Markus.
»Und?«, wiederholte er.
Markus zuckte mit den Schultern. »Schwer zu sagen, aber ich denke, Johanna hat Recht. Er wirkt irgendwie vollkommen abwesend.«
»Gut. Die Presse hat irgendwie Wind von der Sache bekommen, jedenfalls stehen unten ein paar Übertragungswagen und die gesamte Reportermeute. Martens hat eine Pressekonferenz anberaumt. Es geht gleich los.«
»Herr Diekmann?«
Diekmann seufzte und drehte sich um. »Wenn man vom Teufel spricht.«
Martens, der Leiter des Landeskriminalamtes, kam auf ihn zu. Er wirkte aufgeregt, und die Haarsträhnen, die seine Glatze überdecken sollten, flatterten wirr um seinen Kopf. Er bremste seinen schnellen Schritt gerade noch rechtzeitig vor der kleinen Gruppe ab und rempelte Markus leicht an.
»Herr Diekmann, wie weit sind Sie?« Er schnaufte. Er schien kein Freund der schnelleren Gangart zu sein.
»Genauso weit wie vor fünfzehn Minuten.«
Martens überhörte den gereizten Unterton in der Stimme seines Untergebenen und fuhr aufgeregt fort. Seine Stimme überschlug sich dabei fast.
»Wir dürfen keinen Fehler machen. Sorgen Sie dafür. Ich habe

die Presse bereits in den großen Besprechungsraum im Erdgeschoss führen lassen. Ich möchte Sie bitten, jetzt ebenfalls hinunterzukommen.«
Ohne eine Antwort abzuwarten, drehte er sich um und eilte davon. Diekmann, Markus und Johanna folgten ihm etwas langsamer. Im Erdgeschoss blieben sie einen Moment vor dem großen Saal stehen. Martens richtete zum hundertsten Mal seine Krawatte und atmete tief durch. Aus dem Raum hörte man Stimmengewirr, unterbrochen von vereinzelten Lachern. Die Stimmung schien gespannt. Gemeinsam betraten sie den Raum. Martens führte die kleine Gruppe gemessenen Schrittes an, eifrig darauf bedacht, immer einen halben Schritt voraus zu sein. Kaum hatte die kleine Prozession die Schwelle überschritten, setzte Martens ein joviales und siegessicheres Lächeln auf. Nachdem sie alle vier auf dem provisorischen Podium Platz genommen hatten, eröffnete Martens die Veranstaltung. Schlagartig wurde es ruhig im Raum.
»Meine sehr verehrten Damen und Herren. Zuerst einmal möchte ich mich für das zahlreiche Erscheinen bedanken. Wie Sie ja sicher mitbekommen haben, haben wir im Fall der vier ermordeten Frauen einen Verdächtigen, der derzeit vernommen wird.« Kaum hatte er diesen Satz beendet, brach ein Sturm von Fragen los.
»Hat er schon gestanden?«
Martens wies mit einer Handbewegung auf Diekmann. Damit war sein Part beendet. Johanna schien es, als gäbe er die Verantwortung gerne an Diekmann ab, der im Gegensatz zu Martens die Ruhe selbst war. »Nein, ein Geständnis liegt uns derzeit noch nicht vor.«
»Wie heißt der Mann?«
»Bitte haben Sie Verständnis dafür, dass wir bis zum Ende der Ermittlungen keinen Namen preisgeben.«
»Wissen Sie inzwischen schon, wie die Frauen gestorben sind?«

Johanna hatte Schwierigkeiten festzustellen, wer die Frage gestellt hatte, so schnell prasselten die Fragen aus verschiedenen Richtungen auf sie ein.
»Dazu wird Ihnen Frau Jensen mehr sagen können.«
Alle Augen richteten sich gespannt auf sie. In einigen las Johanna Interesse, in anderen die pure Gier nach Sensationen. Sie glaubte, einige Gesichter aus der ersten Pressekonferenz wiederzuerkennen und beugte sich ein wenig tiefer über das vor ihr stehende Mikrofon.
»Die Frauen wurden durch ein Psychopharmakon namens ›Leponex‹ getötet.«
»Hat der Verdächtige dieses Mittel genommen?«
»Unseren bisherigen Informationen zufolge, ja. Es ist auch bei ihm gefunden worden.«
»Ist der Mann ein Irrer?«
»Wenn Sie damit meinen, dass sich der Mann in psychiatrischer Behandlung befand, dann kann ich dies bestätigen.«
»Weswegen?« Die Fragen wurden wie Gewehrsalven auf sie abgeschossen. Johanna blickte zu Diekmann. Dieser nickte.
»Der Mann leidet an Schizophrenie.«
»Ist er vorbestraft?«
Diekmann griff ein, bevor Johanna antworten konnte.
»Er ist in der Vergangenheit wegen einiger Gewaltdelikte aufgefallen.«
»Haben Sie noch weitere Beweise für seine Täterschaft, oder sind die paar Tabletten alles, was sie haben?«
Martens hob beschwichtigend die Hände und bat um Ruhe. »Ich möchte Sie jetzt bitten, von weiteren Fragen abzusehen. Wir werden Sie zu gegebener Zeit wieder informieren. Bitte haben Sie Verständnis, dass wir im Moment nicht mehr dazu sagen können. Wir wollen erst die weiteren Ermittlungen abwarten. Vielen Dank für Ihre Aufmerksamkeit.«
Ungeachtet der Proteste erhob er sich und gab den anderen

ein Zeichen, es ihm gleichzutun. Gemeinsam verließen sie den Raum wieder.

»So, ich denke, wir haben etwas Ruhe hineingebracht.« Martens grinste selbstzufrieden, als seien die Ermittlungen allein sein Verdienst. »Halten Sie mich auf dem Laufenden, Diekmann.« Er klopfte ihm auf die Schulter und verschwand.

»Na, dann wollen wir mal.« Diekmann klatschte in die Hände. »Wir haben noch ein ziemliches Stück Arbeit vor uns.«

Johanna richtete sich auf eine lange Nacht ein.

10

Das Gesicht war vor Wut und Hass verzerrt. Die Pressekonferenz war gerade im Fernsehen übertragen worden. Diese Idioten, diese Unwissenden, diese Amateure! Was für ein Bild zeichneten sie da? Das Bild eines Irren? Eines Kranken? Eines Menschen ohne jegliche Fantasie? Wie konnten sie es wagen? Wie konnte SIE es wagen? Sie hatte nichts verstanden!
Die Hände krallten sich in die Haare und rissen ein Büschel aus. Die Lippen öffneten sich und gaben den Blick auf gefährlich weiße Zähne frei. Ein Knurren stieg aus der Kehle empor. Dann schlugen die geballten Fäuste in grenzenloser Wut gegen die Wand neben dem Spiegel.
Was wollte sie denn noch?
Aus dem dumpfen Knurren entstand ein Schrei, der in Gurgeln überging. Der Körper sank erschöpft zu Boden. Er wälzte sich auf dem Teppich. Schließlich zuckten nur noch die Arme. Minuten später richtete sich der Körper wieder in die Höhe und beobachtete die Augen im Spiegel. Blutunterlaufen, starr, wild und entschlossen. Der Körper entspannte sich ein wenig. Der Kopf neigte sich zur Seite. Ein Kunstwerk der Erinnerungen. So eindeutig, so klar. Wie konnte sie es missverstehen? Wie konnte sie es so ignorieren? Sie wollte mehr? War es das? Das Gesicht runzelte nachdenklich die Stirn. Wollte sie einen Wettkampf? Nur sie beide? Der Mund verzog sich zu einem hässlichen Grinsen. Das konnte sie haben! Das breite Grinsen ging in lautes Gelächter über. Ja, ja! Ich werde es dir zeigen. Deine Machtlosigkeit wird dich ersticken. Dich erwürgen. Vorher deine Seele zerstückeln. Du wirst leiden, du wirst flehen. Du wirst an dir selbst verzweifeln, wie so manch anderer vor dir, aber am Ende …
Am Ende wirst du sterben!

▣

Es wurde eine lange Nacht. Diekmann ließ Neuss die halbe Nacht vernehmen. Er stellte Teams aus jeweils zwei Leuten zu-

sammen und schickte sie in halbstündigem Abstand in das Vernehmungszimmer. Sie schrien ihn an, sie heuchelten Verständnis. Johanna wurde sogar Zeugin des »Guter-Bulle-böser-Bulle«-Spiels. Sie hatte wirklich geglaubt, dass dies eine Erfindung Hollywoods war, und konnte sich nicht vorstellen, dass es funktionierte. Während der eine Polizist wild schreiend und gestikulierend den Raum verließ, nicht ohne vorher wutentbrannt einen Stuhl quer durchs Zimmer geworfen und den Delinquenten wüst beschimpft zu haben, näherte sich ein Kollege, der dem Treiben bis dahin ruhig zugesehen hatte. Er bot Neuss eine Zigarette an, und ließ ihm einen Kaffee holen.
Aber es war egal, was sie anstellten. Außer seinem Namen gab Neuss nichts preis. Er hob nicht einmal den Blick, und Johanna bezweifelte, dass er tatsächlich mitbekam, was um ihn herum geschah. Er saß ruhig auf seinem unbequemen Stuhl und starrte zu Boden. Es schien, als habe er sich vollkommen in sich selbst zurückgezogen. Sie konnte es kaum glauben, aber Diekmann schien auf Teufel komm raus ein Geständnis haben zu wollen. Dabei war es ihm allem Anschein nach egal, dass seine Beweislage mehr als dürftig war. Für Diekmann war entscheidend, dass überhaupt etwas geschah und die Polizei nicht tatenlos zusah, wie ein Irrer herumlief und wehrlose Frauen tötete.
Sie selbst stand als stille Beobachterin in einem Nebenzimmer, von dem aus sie das ganze Szenario durch einen Einwegspiegel betrachten konnte. Eine andere Rolle hätte ihr Diekmann auch nicht zugestanden. Er hatte sie in dem Moment, in dem er sich am Ziel glaubte, einfach beiseite geschoben und machte ihr durch seine Ignoranz klar, dass sie hier eigentlich nichts mehr zu suchen hatte. Für ihn war der Fall gelöst, und das war gleichbedeutend mit der Wiederherstellung seines guten Rufs als Polizist. Sicher, sein Ruf hatte gelitten, schließlich hatte es zu Beginn der Ermittlungen Pleiten und Pannen gegeben, und einige Kollegen würden sicherlich behaupten, dass er seinen

letztendlichen Erfolg nur dieser Psychologin zu verdanken hatte, aber das schien ihm jetzt egal zu sein.
Der Fall war für ihn erledigt, und damit hatte sie selbst, die unliebsame Beobachterin, die Bühne zu verlassen, um Platz für den eigentlichen Helden der Stunde zu machen. Johanna hielt die Packung »Leponex« in ihren Händen und starrte die noch volle, unberührte Packung gedankenverloren an. Das war der einzige Hinweis auf Neuss' Krankheit gewesen, den sie finden konnten. Und das einzige, wohlgemerkt, schwache Verbindungsglied zu den Morden. Und es machte ihr in diesem Moment ganz deutlich, dass sie es hier mit einem Kranken zu tun hatten.
»Hören Sie auf damit.« Ihre Stimme klang scharf. Sie drehte sich zu Diekmann um, der mit verkniffenem Gesicht neben ihr stand und ebenfalls aus sicherer Entfernung die Vernehmung beobachtete.
»Ihr Teil des Jobs ist, glaube ich, erledigt.« Seine Stimme ähnelte einem Knurren. Er sah sie nicht einmal an, sein Blick blieb starr auf das Treiben im Nebenzimmer gerichtet. Fast erwartete sie, dass er sie wie einen lästigen Straßenköter mit der Hand verscheuchen würde.
»Nein, das glaube ich nicht.« Sie drehte sich zu ihm um und hielt die Packung mit den Tabletten hoch, als wollte sie ihm damit drohen.
»Der Mann weiß gar nicht, was um ihn herum geschieht. Er hat sich zurückgezogen. Ich fordere Sie hiermit auf, die Vernehmung an dieser Stelle abzubrechen und einen Psychiater zum Verhör hinzuzuziehen.«
Ganz langsam drehte Diekmann seinen Kopf zu ihr. Sein Blick war verächtlich, seine Stimme schneidend, als er antwortete: »Ich werde mit Sicherheit genauso viel Erbarmen mit ihm haben wie er mit seinen Opfern. Also gar keines.« Die letzten Worte hatte er wieder in den Spiegel vor sich gesprochen.

»Sie wissen doch noch gar nichts Genaues. Sie haben keine Beweise, dass er tatsächlich der Mörder ist, den Sie suchen.«
»Nur weil er uns noch keine geliefert hat. Lassen Sie mich *meinen* Job machen und kümmern Sie sich gefälligst um *Ihren.*«
»Das tue ich. Ich fordere Sie nochmals auf, das Verhör abzubrechen. Ansonsten werde ich einen Bericht an die zuständige Stelle schicken.« Welche das im Einzelnen war, wusste sie selbst noch nicht genau. Diekmann zeigte keinerlei Gefühlsregung.
»Ich meine es ernst.« Ihre Stimme war nun kaum mehr als ein Flüstern, aber er schien zu merken, dass sie nicht mit sich spaßen ließ.
»Was wollen Sie?«
»Holen Sie Dr. Breutigam her. Er hat Neuss jahrelang behandelt. Er weiß, was zu tun ist.«
Johanna wartete ab. Sie konnte sehen, wie Diekmann mit sich kämpfte, wie er anfing, mit dem Kiefer zu mahlen. Sie hatte ihn schon oft genug beobachtet, um zu wissen, dass er jetzt kurz davor war, seine Selbstbeherrschung zu verlieren, aber sie wusste, dass sie gewonnen hatte, also ließ sie ihm Zeit, sich wieder zu fangen.
»Also gut. Aber das eine sage ich Ihnen«, er hatte sich zu ihr umgedreht und funkelte sie wütend an, »sollte der Mann aufgrund Ihrer Intervention oder weil Sie gerade dabei sind, meine Methoden in Verruf zu bringen frei gelassen werden, erwürge ich Sie eigenhändig. Das schwöre ich Ihnen.«
Er stand vor ihr, den Zeigefinger drohend erhoben, und Johanna konnte sehen, dass er sich nur mühsam beherrschte und vor Wut zitterte. Für einen Moment erwartete sie fast, dass er ihr tatsächlich die Finger um den Hals legen würde. Sie wich einen Schritt zurück.
Diekmann starrte sie noch eine Weile wortlos an und drehte sich dann abrupt um. Als er die Tür laut ins Schloss warf,

zuckte sie zusammen, als hätte er sie geschlagen. Dann atmete sie erleichtert auf.
Sie konnte sehen, wie sich die Tür zum Nebenzimmer einen Spalt breit öffnete und die beiden Vernehmungsbeamten herausgerufen wurden. Nur Neuss blieb zurück, ohne Notiz davon zu nehmen, dass er nun allein war. Sie vernahm Stimmengemurmel vom Flur her, und kurz darauf öffnete sich die Tür und Markus trat ein. Sie stand immer noch regungslos da und beobachtete Neuss.
»Du kannst es wohl nicht lassen.« Markus stand neben ihr, die Hände tief in die Hosentaschen vergraben. Er folgte ihrem Blick und betrachtete schweigend den stillen und einsamen Mann im Nebenzimmer. Neuss saß einfach nur da, bewegungslos. Er machte einen fast hilflosen Eindruck. Markus schien ihre Gedanken lesen zu können, denn das, was er sagte, hörte sich wie eine Erklärung an. »So sehen sie früher oder später immer aus, wenn wir sie haben.« Johanna rührte sich nicht. Sie spürte, wie sich die Stille aus dem Nebenzimmer auf sie übertrug, es fühlte sich fast an wie in einem Vakuum. Im krassen Gegensatz dazu standen die Alltagsgeräusche, die vom Flur und aus den anderen Zimmern wie durch einen Nebel zu ihr drangen. Sie fühlte sich wie auf einer Insel, und für einen Moment lang glaubte sie, bei Neuss eine ähnliche Stimmung zu entdecken, obwohl sie durch eine Wand von ihm getrennt war. Und mit einem Mal fühlte sie sich ihm ganz nah.
»Warum tust du das?« Markus flüsterte. Es schien, als wolle er die Stille nicht zerreißen, sie aber durch seine ruhige Art zur Vernunft bringen. Johanna erinnerte sich daran, dass sie mit Markus immer in Ruhe hatte sprechen können, erst recht, wenn es Probleme gegeben hatte. Sie kannte kaum jemanden, der wie Markus in der Lage war, einer explosiven Stimmung erfolgreich die Spannung zu nehmen, indem er an die Vernunft appellierte. Aber genau das war es ja. Dieses Mal *war* sie ver-

nünftig. Sie hatte sich nicht von ihrer Abneigung gegen Diekmann leiten lassen. Sie wollte ihm keine Steine in den Weg legen, aber sie konnte nicht tatenlos zusehen, wenn er sich von seinen Emotionen gefangen nehmen ließ und beinahe zu illegalen Mitteln griff. Markus' Stimme wurde eindringlicher, als sie nicht sofort antwortete.

»Also, sag schon, warum tust du das?«

»Sieh dir diesen Mann genau an.« Johanna deutete mit der Hand vage in Neuss' Richtung. »Ich bin sicher, dass er sich immer mehr zurückzieht und von alledem, was seit seiner Festnahme um ihn herum geschehen ist, nichts verstanden hat. Ich glaube, dass seine Festnahme für ihn eine Art traumatisches Erlebnis war und er nicht in der Lage ist, sich selbst daraus zu befreien.«

»Meinst du nicht, dass du dir zu viele Sorgen um ihn machst?«

Johanna ging nicht weiter auf seine Frage ein, sondern öffnete ihre Faust, in der sie noch immer die Tablettenpackung festhielt.

»Weißt du, was das ist? Das sind Tabletten, die Neuss dringend braucht, um seine Krankheit im Zaum zu halten und ein einigermaßen normales Leben führen zu können. Bei seiner Festnahme habt ihr nichts weiter gefunden und im Mülleimer in seiner Wohnung habe ich keine leere Packung gesehen. Ich glaube, dass er seit geraumer Zeit keine Pillen mehr nimmt.«

Markus dachte einen Moment darüber nach. »Also glaubst du, dass er gar nicht vernehmungsfähig ist?«

»So ist es.«

»Hast du das Diekmann gesagt?«

»Das wäre wohl eher Perlen vor die Säue werfen, oder?« Johanna hatte die Mundwinkel verbittert nach unten gezogen. »Aber immerhin konnte ich ihn überzeugen, Dr. Breutigam anzurufen, und dann sehen wir weiter. Ich gehe fast davon aus, dass Neuss noch heute wieder in die Psychiatrie eingeliefert wird.«

Sie seufzte tief und drehte sich um. Ihre Glieder fühlten sich ein bisschen steif an. Sie hatte, gebannt von dem Schauspiel, das sich ihr im Zimmer nebenan bot, ziemlich lange unbeweglich hier gestanden. Johanna lehnte sich mit dem Rücken gegen den Spiegel und ließ die Arme locker kreisen.

»Ich glaube, ich brauche ein wenig Abstand von der ganzen Sache. Der Tag heute hat mich ziemlich mitgenommen, ich bin noch nie so hautnah eingebunden gewesen.«

»Aber du hast doch schon Gutachten erstellt?«

»Ja, aber das ist etwas anderes. Ich lese dann bereits erstellte Gutachten, spreche mit dem Patienten und schreibe dann meine Meinung auf, aber das hier …«, sie machte eine Handbewegung, die den ganzen Raum einschloss, »das hier hat mich komplett gefangen genommen. Ich habe die Bilder der Frauen gesehen, ich habe mit den Familienangehörigen gesprochen und ich habe gesehen, wie viel Kummer und Leid dieser ganze Fall ausgelöst hat. Eben das macht es so schwer. Ich denke genau wie ihr. Ich weiß, dass ein so schwer kranker Mensch nie wieder alleine auf die Straße sollte, aber ich sehe auch den Kranken in ihm, der in gewisser Weise nicht für das verantwortlich ist, was er getan hat. Vielleicht würde ich anders denken, wenn ein Mensch, den ich liebe, so einem Monster in die Hände fällt.«

»Siehst du? Du sprichst selbst von Monstern.«

»Natürlich.« Sie drehte sich zu Markus um und sah ihn scharf an. Nichts wünschte sie sich in diesem Moment mehr, als ihm den inneren Zwiespalt klar zu machen, in dem sie sich befand.

»Das, was ein so kranker Mensch tut, würde ein normaler Mensch niemals tun können. Verstehst du denn nicht? Das ist es doch genau, was uns voneinander unterscheidet. Die Gesunden von den Kranken, die Guten von den Bösen. Du weißt, dass es so ist, aber du kommst nicht gegen deine Gefühle an. Du hast Angst, du trauerst, du verspürst so etwas wie Hass und natürlich willst du Rache, obwohl du so etwas wie Gerechtigkeit nicht erzielen kannst. Aber was willst du sonst tun? Vielleicht die Todesstrafe wieder einführen? Ja, dafür wäre ich auch, wenn mir jemand einen Menschen nehmen würde, der mir nahe steht. Aber wenn es andere trifft, versuchen wir Abstand zu gewinnen, objektiv zu bleiben. Und genau das ist meine Aufgabe: die Sache mit Abstand zu betrachten.«

»Aber was ist, wenn sie ihm attestieren, dass er nichts dafür kann und man ihn nicht einbuchten darf?«

»Er ist Wiederholungstäter, er würde diesmal für immer in der Psychiatrie verschwinden. Aus dem Knast würde er nach spätestens fünfzehn Jahren wieder rauskommen. Das wäre dann Gerechtigkeit, nicht das, was Diekmann hier abziehen will, das ist bloß Rache für die Hilflosigkeit, die Neuss ihm beschert hat. Hilflosigkeit – weil er sich vorwirft, das Leben von mindestens drei der vier Frauen nicht gerettet zu haben. Er will nicht Rache für die Opfer, er will Rache für sich selbst! Dafür, dass sein Ruf gelitten hat, für seine Gefühle, vielleicht sogar für seine schlaflosen Nächte, die ihm die Bilder der Toten bereitet haben. Findest du das okay?« Ihre Stimme war lauter und ein wenig schrill geworden. Markus blieb noch immer ruhig. Er sah sie an, und Johanna musste daran denken, dass sie sich fast einmal in ihn verliebt hatte.

»Viele würden sich nicht die Gedanken machen, die du dir machst. Du nimmst die ganze Sache zu persönlich. Natürlich ist es gut, denn es macht dich so menschlich, aber du machst dir diese unausgesprochenen Ängste zu stark zu Eigen, und wenn du nicht aufpasst, wirst du eines Tages daran kaputtgehen. Natürlich verspüren wir Trauer und Hass. Bei jedem neuen Fall. Aber man muss sich auch eine Art Schutzschild zulegen. Wir wünschen uns doch in den seltensten Fällen so etwas wie Rache. Im Prinzip sind wir doch schon froh, wenn es Gerechtigkeit gibt. Und seien es nur zehn Jahre Knast.« Er wandte den Blick ab und sah wieder in das Nebenzimmer. Neuss hatte sich noch immer nicht gerührt.

▣

Diekmann hatte einen Großteil seiner Leute nach Hause geschickt. Der Hauptteil der Arbeit würde erst nächste Woche beginnen. Am Montag. Die Berichte über die Festnahme und die Hausdurchsuchung waren geschrieben, der Haftbefehl lag vor. Es gab also nichts, was sofort hätte erledigt werden müssen. Mittlerweile war es drei Uhr am Samstagmorgen. Johanna lächelte grimmig in sich hinein. Am letzten Sonntag hatte sie zu Hause gesessen und war in Selbstmitleid versunken, weil sie allein gewesen war. Heute war sie nicht allein, aber sie konnte sich plötzlich Schöneres vorstellen, als am Wochenende um diese Uhrzeit im Polizeipräsidium ihre Zeit zu vergeuden. Sie fragte sich allen Ernstes, was besser war: zu Hause auf ein leeres Bett zu starren oder mitten in der Nacht in einem verräucherten Büro des Polizeipräsidiums zu sitzen, um auf einen wutschäumenden Arzt zu warten und sich mit dem Chef der Mordkommission in die Haare zu kriegen. Im Geiste machte sie sich eine Notiz, sich nie wieder über ihr leeres kaltes Bett zu beschweren.

▣

Diekmann selbst bekam Johanna erst einmal nicht zu Gesicht. Er ging ihr aus dem Weg. Doch die Konfrontation mit ihm würde spätestens dann beginnen, wenn der Arzt eingetroffen war. Dr. Breutigam war zu Hause angerufen worden, und er hatte zugesagt, so schnell wie möglich zu kommen. Bis dahin gönnte sich Johanna ein wenig Ruhe. Sie suchte sich im Aufenthaltsraum einen Liegesessel und nahm sich eine der Wolldecken mit der Aufschrift »Polizei«, die zumindest dem Geruch nach seit ihrer Herstellung nicht mehr gewaschen worden waren. Sie rollte sich so bequem es ging zusammen und schloss die Augen. Fast augenblicklich schlief sie ein. Als plötzlich jemand geräuschvoll die Tür aufriss, hatte sie das Gefühl, sich gerade erst hingelegt zu haben.

»Dr. Breutigam ist da.« Es war Markus. Sie hatte gar nicht gewusst, dass er noch im Hause war.

»Ja … Moment … bin gleich so weit.« Für einen Moment lang hatte sie die Orientierung verloren.

»Lass dir Zeit. Fünf Minuten hast du noch, dann geht's im Besprechungszimmer los.« Er drehte sich um und verließ den Raum, ohne die Tür wieder zu schließen. Wahrscheinlich ging er davon aus, dass sie dann nicht wieder einschlafen würde. Johanna rieb sich die Augen und versuchte, wach zu werden. Ein Blick auf die Uhr zeigte ihr, dass sie tatsächlich zwei Stunden tief und fest geschlafen hatte. Sie fragte sich, was der Arzt so lange getrieben hatte, schließlich war er um drei Uhr angerufen worden. Sie streckte sich noch einmal und stand dann auf. Auf dem Weg in den Besprechungsraum machte sie einen kurzen Abstecher in ihr Büro. Ein Blick in den Spiegel bestätigte, dass sie genauso aussah, wie sie sich fühlte. Vollkommen zerschlagen. Die Augen waren klein, verquollen und gerötet, ihre Schminke war zerlaufen. Sie leckte ihren Zeigefinger an und fuhr mit ihm unter das untere Augenlid, um die schwarze Wimperntusche, die sich dort in den kleinen Fältchen gesammelt hatte, wegzuwischen. Dann fuhr sie mit Daumen und Mittelfinger über die Augenbrauen, um sie einigermaßen in Form zu bringen. Als sie einen Schritt zurücktrat, um sich eingehend zu betrachten, fand sie, dass sich ihr Aussehen nicht viel verbessert hatte. Sie war noch immer blass und sah hundsmiserabel aus. Ihre Kleidung war zerknittert und der saure Schweißge-

ruch, der ihr in die Nase stieg, machte es nicht besser. Hoffentlich bemerkte das niemand. Vor der Tür zum Besprechungsraum hörte sie erregte Stimmen. Eine davon gehörte unverkennbar Diekmann. Die andere musste die von Dr. Breutigam sein. Sie klang hoch und ein wenig schrill. Er schien sehr verärgert zu sein.
Entschlossen drückte sie die Türklinke herunter und trat in den großen, zu dieser Zeit noch kalten Raum. Sie sah Diekmann und Breutigam, die sich wie zwei Kampfhähne gegenüberstanden. Auf der rechten Seite registrierte sie leicht verdeckt von Dickmann Markus' kräftige Gestalt.
»Guten Morgen, Herr Dr. Breutigam.« Sie versuchte ein Lächeln und ging mit ausgestreckter Hand auf den Psychiater zu, der sie jedoch nur mit einem wilden Blick bedachte. Er war nachlässig gekleidet. Seine Haare klebten leicht fettig an seinem Kopf, und er hatte anscheinend nicht einmal die Zeit gehabt, sich zu duschen.
»Das wird Konsequenzen haben, das verspreche ich Ihnen«, presste er zwischen den Zähnen hervor.
»Bitte?« Johanna hob die Augenbrauen und blieb, noch immer leicht lächelnd, vor Breutigam stehen. »Sie als Psychologin hätten wissen müssen, dass er nicht vernehmungsfähig ist. Ich habe Herrn Neuss eben gesehen. Er hat sich völlig zurückgezogen, er reagiert nicht einmal mehr auf mich. Ich fürchte, Sie haben meinem Patienten einen irreparablen Schaden zugefügt.«
»Aber, aber, Herr Dr. Breutigam, wir wollen doch einmal klarstellen, dass er nicht mehr ihr Patient ist. Zumindest haben Sie das selbst gesagt. Außerdem verstehe ich ihre Aufregung nicht. So wie sich uns die Situation darstellte, schauspielert Herr Neuss. Er wirkte vollkommen normal, als er hierher gebracht wurde. Er antwortete klar und deutlich auf unsere Fragen, weigerte sich allerdings, eine Aussage zu machen.« Johanna sah

ihn kalt an. »Wenn Sie tatsächlich glauben, dass wir ihm einen irreparablen Schaden zugefügt haben, dann wäre es doch einmal an der Zeit zu überlegen, welcher Teufel Sie geritten hat, als sie ihn entließen. Er scheint dann wohl doch noch nicht so weit gewesen zu sein, nicht wahr?« Sie wandte sich von ihm ab und sprach dann, an einen Tisch gelehnt, die Arme locker vor der Brust verschränkt, weiter. »Ich möchte Sie darauf hinweisen – aber ich denke, das hat bereits Herr Diekmann getan«, sie zeigte mit einer Hand auf Diekmann, der sie grimmig anstarrte, »dass Neuss des Mordes verdächtigt wird.«

»Er macht bereits einen katatonischen Eindruck.« Breutigam war noch immer wütend, aber seine Stimme klang jetzt eine Spur ruhiger und etwas verunsichert. Er schien einzusehen, dass eine Beschwerde unweigerlich auf ihn selbst zurückfallen musste, und er wusste, dass man ihn früher oder später fragen würde, wie er einen solchen Menschen aus der Psychiatrie habe entlassen können.

»Katatonisch?« Johanna verdrehte die Augen. Sie lächelte wieder und runzelte die Stirn, als müsse sie angestrengt nachdenken. »Ich fürchte, meine Herren«, sie wandte sich an Diekmann und Markus, »dieses Schauspiel hat uns Herr Neuss vorenthalten.« Sie blickte Breutigam fest in die Augen. »Wollen Sie mir allen Ernstes unterstellen, dass ich mich unterlassener Hilfeleistung schuldig gemacht habe? Herr Dr. Breutigam«, sie löste sich von ihrem Platz am Tisch und ging langsam auf den Arzt zu, wobei sie ihre Nase heftig mit Daumen und Zeigefinger rieb, als müsse sie sich ihre Worte sorgfältig überlegen. »Ich bin Polizeipsychologin. Ich mache diesen Job nicht erst seit heute. Glauben Sie mir, ich weiß, was ich tue.« Sie stand jetzt ganz dicht vor ihm und durchbrach damit ganz bewusst seine Intimsphäre, so dass er, in die Defensive gedrängt, mit einem unsicheren Lächeln einen Schritt zurücktrat.

»Nun, ich … natürlich, ich meine …«

»Herr Dr. Breutigam. Ich schlage vor, Sie kümmern sich ihren Vorstellungen entsprechend um Herrn Neuss. Was können Sie abgesehen davon noch für uns tun?«
Breutigam schluckte und Johanna bemerkte ein paar Schweißperlen auf seiner Stirn. Sie hatte unwissentlich ins Blaue geschossen und einen Volltreffer gelandet. Auch er schien überlegt zu haben, dass er mit der Entlassung von Neuss möglicherweise einen nicht wieder gutzumachenden Fehler begangen hatte. Jetzt baute sie ihm eine goldene Brücke, über die sie alle gefahrlos gehen konnten, und Breutigam nahm das Angebot dankend an.
»Ich möchte ihn zur Beobachtung ins Krankenhaus einweisen.«
»Und ich kann mich darauf verlassen, dass er unter Ihrer besonderen Aufsicht steht?«
Johanna hatte sich wieder von ihm abgewandt und ging mit auf dem Rücken verschränkten Händen auf und ab.
»Selbstverständlich. Er kommt natürlich in die geschlossene Abteilung.«
»Ich sehe, wir verstehen uns. Einen schönen Tag noch Herr Dr. Breutigam.«
Diekmann gab Markus ein Zeichen, damit er den Psychiater aus dem Raum führte, um mit ihm die Übergabeformalitäten zu klären. Breutigam nickte und beeilte sich, den Raum zu verlassen. Erst als sich hinter ihm und Markus die Tür geschlossen hatte, entspannte sich Johanna. Sie atmete hörbar aus.
»Sie haben ihn angelogen. Ich fürchte, ich muss mich bei Ihnen bedanken.«
Diekmanns Stimme klang steif, und man merkte ihm an, welche Überwindung es ihn kostete, das zu sagen. Johanna überlegte einen Moment, dann drehte sie sich langsam zu ihm um.
»Wissen Sie, auch ich habe einen Ruf zu verlieren. Ich habe also nicht Ihren Arsch gerettet, sondern meinen Kopf aus der Schlinge gezogen, Sie Idiot.«

Ihre letzten Worte kamen aus ihrem tiefsten Inneren, das konnte man hören.

Johanna hatte den ganzen Samstag verschlafen. Die zwei Stunden, die sie im Präsidium geschlafen hatte, hatten alles nur noch schlimmer gemacht. Sie hatte nicht einmal mehr die Kraft zu duschen, sondern zog nur ihre Sachen aus, ließ sie einfach dort liegen, wo sie zu Boden gefallen waren, und legte sich aufs Bett. Und noch bevor sie beide Beine im Bett hatte, war sie bereits eingeschlafen. Irgendwann gegen Mittag war sie kurz aufgestanden und hatte sich etwas zu essen gemacht. Nachdem sie den Telefonstecker aus der Wand gezogen und den Anrufbeantworter ausgeschaltet hatte, kroch sie wieder unter ihre Decke und schlief weiter. Gegen sieben Uhr abends wachte sie dann endgültig wieder auf. Sie blieb noch einen kleinen Moment liegen und beobachtete, wie das letzte Tageslicht hinter den Jalousien verschwand. Auch wenn es tagsüber hin und wieder noch erstaunlich warm war, konnte nichts darüber hinwegtäuschen, dass es Herbst geworden war. Sie streckte sich und fuhr sich mit der Hand durch ihre kurzen Stoppeln. Schließlich warf sie die Bettdecke zur Seite und schwang die Beine aus dem Bett. Sie strich mit der Hand über ihre Waden und stellte fest, dass sie sich wieder rasieren musste. In der letzten Woche hatte sie so ziemlich alles vernachlässigt. Ihre Zeit hatte immer nur für eine kurze Dusche gereicht. Sie gähnte noch einmal und knipste dann das Licht an. Auf dem Weg ins Badezimmer schaltete sie Telefon und Anrufbeantworter wieder an. Sie ließ das Wasser in der Dusche laufen, bis es heiß genug war, und mischte etwas kaltes Wasser dazu. Eine ganze Weile stand sie bewegungslos unter dem harten Strahl und ließ sich das Wasser über den Kopf rieseln. Auch wenn sich allmählich Erleichterung in ihr breit machte, weil sie inzwischen selbst überzeugt war, dass alles vorbei war, dachte sie doch mit leisem

Bedauern an die Tretmühle, in die sie sich ab Montag wieder begeben würde. Wieder und wieder würde sie sich die Sorgen anderer Leute anhören und wieder und wieder würde es sie langweilen. Aber immerhin würde sich ihr Leben wieder einigermaßen normalisieren, und sie würde sich Gedanken machen können, wie es weiter gehen sollte. Außerdem hatte sie trotz aller Reibereien mit Diekmann gute Arbeit geleistet, und das bedeutete, dass sie vielleicht das nächste Mal, wenn es knifflig wurde, wieder zu einem Fall hinzugezogen werden würde.
Sie seifte sich ein und wusch sich die Haare. Als sie gerade ein Badetuch um ihren nassen Körper gewickelt hatte, klingelte das Telefon. Sie beeilte sich, abzunehmen, bevor der Anrufbeantworter ansprang.
»Hallo, mein Schatz, hier ist Stefan.« Seine aufgesetzte Fröhlichkeit war unverkennbar.
»Oh, hallo.« Sie verdrehte die Augen. Stefan war eigentlich so ziemlich der Letzte, mit dem sie heute sprechen wollte.
»Ich wollte dich nur fragen, ob ich dich morgen abholen soll?«
»Abholen?« Johanna versuchte sich krampfhaft daran zu erinnern, wann sie sich mit Stefan verabredet hatte.
»Du erinnerst dich? Wir sind morgen bei deiner Mutter zum Mittagessen eingeladen.«
»Oh ja, richtig.« Sie hatte es tatsächlich schon wieder vergessen.
»Wie wäre es, wenn wir uns dort treffen?«
»Ist mir auch recht, ich habe vorher noch etwas zu erledigen. Gegen zwölf?«
»Ja, ich denke, das ist okay. Ciao.«
Sie legte auf noch bevor Stefan etwas erwidern konnte. In diesem Moment beschloss sie, sich bei passender Gelegenheit von Stefan zu trennen. Wann genau das sein würde, würde ihr Mut entscheiden. Sie trocknete sich ab und suchte sich einen neuen

Schlafanzug aus dem Schrank. Dann schlüpfte sie mit einem großen Becher Schokoladeneis wieder in ihr Bett, schaltete den Fernseher ein und löffelte ihr Eis. Mit einem Berg von Kissen im Rücken sah sie sich einen alten Film an, in dem Doris Day als vermeintliche Agentin eine komische Figur abgab. Sie fühlte sich rundum wohl, und als sie nach Ende des Films das Licht löschte, schlief sie zufrieden ein.

Ihre Mutter musterte sie skeptisch. »Du siehst schlecht aus. Geht es dir nicht gut? Vielleicht liegt es auch an den Haaren. Ich werde mich nie daran gewöhnen, dass du wie ein Gassenjunge herumläufst. Was sagt eigentlich Stefan dazu? Ich kann mir nicht vorstellen, dass ihm das gefällt?«

Johanna seufzte. Ihre Mutter ließ wirklich keine Gelegenheit aus, sie zu kritisieren. Sie fragte sich, ob sich alle Singles in ihrem Alter von ihren Müttern so etwas bieten ließen – zum Glück besuchte sie ihre Mutter höchstens einmal im Monat. Da ließ sie dann all das vom Stapel, was sich wochenlang in ihr aufgestaut hatte. Auch wenn es sie nervte, Johanna hatte erkannt, dass ihre Mutter nur eine verbitterte alte Frau war, die so ihrer Einsamkeit Luft machte. Genau genommen war sie noch gar nicht so alt. Sie war vor zwei Monaten sechzig geworden, aber Johannas Mutter war eine der Frauen, denen man es nie recht machen konnte, die aussahen, als seien sie schon als alte Menschen zur Welt gekommen. Sie war eigenen Angaben zufolge mit einem Mann verheiratet gewesen, den sie nie geliebt hatte, und hatte zwei Kinder zur Welt gebracht, die sie beide tief enttäuscht hatten.

So hatte sie dann fast ein ganzes Leben lang zu Hause gesessen und sich maßlos gelangweilt. Johanna dachte manchmal, dass es vielleicht besser gewesen wäre, wenn ihre Mutter arbeiten hätte gehen müssen; so aber hatte sie nur darauf gewartet, dass ihr Mann abends nach Hause kam. Geld war immer im Überfluss vorhanden gewesen, so dass ihre Mutter sich nicht einmal mehr über eine neue Bluse, die sich andere Leute mühsam zusammensparen mussten, freuen konnte. Und genauso unzufrieden und anklagend stand sie nun mit verkniffenem Mund vor Johanna und musterte sie misstrauisch.

»Hallo, Mutter.« Ihre Mutter hielt ihr die Wange hin, so dass ihr Johanna pflichtschuldig einen Kuss darauf drücken konnte. Sie schob sich an ihrer Mutter vorbei ins Haus. Es war eine Eigenart ihrer Mutter, die Tochter erst dann hineinzulassen, wenn sie mit ihrer Schimpftirade fertig war. Wahrscheinlich ahnte sie, dass Johanna ihr sonst keine Aufmerksamkeit mehr schenken würde.

Frau Jensen schien sehr zufrieden mit sich, und bat ihre Tochter, ihr in der Küche zu helfen. Auch eine der Eigenheiten ihrer Mutter. Wenn Johanna eingeladen war, dann hatte sie in der Küche zu helfen. Das war schon immer so gewesen. Das Bestreben ihrer Mutter war es von Anfang an gewesen, aus ihrer Tochter eine Hausfrau zu machen. So war Johanna auch schon als Jugendliche dann und wann den Freundinnen ihrer Mutter als herzige kleine Hausfrau präsentiert worden. Es war ihr peinlich gewesen. Bis zum heutigen Tag hatte sich an dieser Angewohnheit ihrer Mutter nichts geändert.

Sie hantierte gerade in der Küche, als sie die Türklingel vernahm und Frau Jensen ihren Schwiegersohn in spe mit einer Herzlichkeit und einem Überschwang begrüßte, die ihre Tochter von ihr nicht kannte. Da wurde dem »lieben Jungen«, wie sie ihn immer nannte, die Wange getätschelt, mit todtrauriger Stimme bemängelt, dass der »arme Junge« viel zu dünn war, was im Allgemeinen einen strafenden Blick in Johannas Richtung zur Folge hatte, und ihm wurde natürlich sofort ein Stuhl hingeschoben, damit sich der »arme Mann«, der den »ganzen Tag so schrecklich schuftete«, erholen konnte. Johanna spürte, wie die jahrelang verdrängte Wut wieder in ihr aufstieg. Sie

hätte heulen können. Sie hielt sich mit beiden Händen am Küchentisch fest, bis ihre Knöchel weiß hervortraten, und atmete mehrmals tief durch. Dann nahm sie die Schüssel mit den dampfenden Kartoffeln und brachte sie ins Esszimmer.
»Hallo, Stefan.« Sie brachte sogar ein kleines Lächeln zustande. Ein Blick auf Stefan genügte. Er hatte sich wieder sehr viel Mühe mit seinem Aussehen gegeben. Einerseits, weil er glaubte, das seiner gesellschaftlichen Stellung schuldig zu sein, andererseits, weil er bei Johannas Mutter Eindruck schinden wollte. Johanna verglich ihn insgeheim mit Joachim, der auf eine lässige Art und Weise schick war, verdrängte diesen Gedanken aber so schnell wieder, wie er gekommen war.
Sie stellte erst die Schüssel ab und drehte sich dann zu ihm um. Er kam mit ausgebreiteten Armen auf sie zu, doch sie drehte ihr Gesicht im letzten Moment so geschickt weg, dass seine Lippen nur noch ihre Wange berührten. Stefan sah sie irritiert an, sagte aber nichts.
»Wir können essen.« Die Stimme ihrer Mutter unterbrach das wortlose Zwiegespräch. Das Gespräch bei Tisch wurde sofort von ihrer Mutter an sich gerissen. Johanna stocherte lustlos in ihrem Schweinebraten, eines der Lieblingsessen ihrer Mutter, die außer Pfeffer und Salz keine Gewürze kannte und sich immer nur zwischen Schweine- und Rinderbraten entscheiden musste. Johanna hörte nur mit halbem Ohr hin, aber was sie hörte, drehte ihr den Magen um. Gerda Jensen erkundigte sich eingehend nach den schweren beruflichen Strapazen, die Stefan durchzustehen hatte, obwohl Johanna genau wusste, dass ihre Mutter von dem, was Stefan erzählte, nicht den blassesten Schimmer hatte.
»Ich hatte auch eine schwere Woche.« Johannas Stimme klang trotzig. Stefan und ihre Mutter verstummten augenblicklich und sahen Johanna an, Stefan eher überrascht, ihre Mutter beinahe feindselig. Gerda Jensen bedachte ihre Tochter mit einem

scharfen Blick, wie sie es schon früher immer getan hatte, und wandte sich dann wieder Stefan zu.
»Wir haben den Mörder.« Johanna ließ sich nicht aus der Ruhe bringen und schob ihr Gemüse mit der Gabel von der einen auf die andere Seite des Tellers. Ihre Mutter rang um ihre Fassung und holte tief Luft. Sie schätzte es nicht, in ihren Reden unterbrochen zu werden.
»Findest du nicht, mein Kind, dass du deinem Verlobten ein wenig mehr Aufmerksamkeit schenken solltest?«
»Meinst du nicht, Mutter, dass auch mir das gut tun würde?«
»Erzähl, Johanna.« Stefan lächelte gezwungen, als er sie ansprach. Beinahe gerührt bemerkte Johanna, dass er versuchte, zwischen ihr und ihrer Mutter zu vermitteln.
»Stefan, bitte.« Gerda legte eine Hand leicht auf den Arm ihres Wunschschwiegersohnes. »Ich finde nicht, dass wir Johannas kindischer Trotzreaktion nachgeben sollten.«
»Weißt du was, Mutter?« Johanna ließ Messer und Gabel klirrend auf ihren Teller fallen und registrierte mit Genugtuung, dass ihre Mutter zusammenzuckte. »Ich bin mittlerweile fünfunddreißig Jahre alt und mit Sicherheit nicht mehr kindisch, aber ich habe dein Affentheater jetzt satt. Ein für alle Mal!« Sie stand auf und warf die Serviette aufs Tischtuch. »Und noch was. Ich schlage vor, dass du Stefan am besten selbst heiratest, ich tue es jedenfalls nicht. Guten Tag.«
Sie drehte sich abrupt um und verließ den Raum. Dabei hatte sie in ihrer Aufregung einen Stuhl umgeschubst, und ihr Herz klopfte so laut, dass sie glaubte, alle im Zimmer müssten es hören. Sie schnappte sich ihre Jacke vom Garderobenständer und verließ Türen schlagend das Haus ihrer Mutter, das sie, da war sie ganz sicher, nicht mehr so schnell betreten würde.

Erst als ihre eigene Wohnungstür krachend hinter ihr ins Schloss fiel, wurde sie ruhiger. Sie warf die Schlüssel achtlos auf ein kleines Tischchen, das im Flur stand, blieb einen Moment mitten im Raum stehen, die Hände in die Hüften gestemmt. Es war doch verrückt. Obwohl sie Psychologie studiert hatte und meisterhaft die Gefühle anderer Leute analysieren konnte, stand sie den Emotionen ihrer eigenen Mutter beinahe machtlos gegenüber. Sie fühlte sich jetzt wieder, wie sie sich als kleines Mädchen so oft gefühlt hatte, wenn Ohnmacht und Wut die Oberhand gewannen und ihr die Luft zum Atmen abschnürten, wenn sie außer ein paar trockenen Schluchzern nichts herausbekam, wenn sie ihrer Mutter am liebsten entgegengeschleudert hätte, dass sie sie hasste, obwohl das natürlich nicht stimmte. Aber als Kind war in ihr oft das Verlangen gewesen, ihrer Mutter wehzutun, so weh, wie ihre Mutter ihr immer tat. Mitunter war das kleine Mädchen dann tatsächlich in die Luft gegangen, hatte geschrien und geweint, bis seine Stimme versagte. Doch die Frau, die Johanna geboren hatte, hatte ihr dann nur verächtlich an den Kopf geworfen, dass sie hysterisch sei. Und kaum hatte sie das gesagt, hatte sie sich auch schon wieder abgewandt, so als hätte sie bereits das Interesse an ihrer Tochter verloren.

Nur ihr Vater und Hannes, ihr Bruder, hatten sie verstanden und versucht, sie so gut zu trösten, wie es eben ging. Beim Gedanken an Hannes, ballte sie ihre Hände zu Fäusten, bis die Fingernägel schmerzhaft in ihr Fleisch schnitten. Die Tränen liefen ihr unter den geschlossenen Augenlidern über die Wangen, und ein kleines Schluchzen entrang sich ihrer Kehle. Sie keuchte, und für einen Moment hatte sie das Gefühl, ein Dampfkochtopf zu sein, der jeden Augenblick explodieren konnte. Sie rieb sich ungeachtet der Wimperntusche die Augen und straffte den Rücken. Manchmal war der seelische Schmerz so stark, dass ihr die Schultern wehtaten. So auch jetzt. Sie rollte die Schultergelenke abwechselnd und stieß die Luft durch ihre gespitzten Lippen aus. Danach fühlte sie sich viel besser, fast wie befreit. Sie legte den Kopf nach hinten und dachte an die vergangene Stunde. Genau genommen hatte sie eben mit Stefan Schluss gemacht, aber sie bezweifelte, dass er oder ihre Mutter das tatsächlich ernst nahmen. Sie überlegte, ihren Entschluss am Telefon noch zu bekräftigen, sollte sich Stefan wider Erwarten bei ihr melden. Sie wusste, dass er wahrscheinlich wieder mal beleidigt war und schmollen würde. Aber er war ihr so was von egal! Sie wollte endlich ihr eigenes Leben leben! Sie schleuderte ihre Schuhe von den Füßen und betrachtete ihre Zehen, die sich in den Socken bewegten. Es war wieder einmal Sonntag. Ein Sonntag, den sie alleine zu Hause verbrachte, aber anders als sonst, empfand sie das Alleinsein heute mehr als Wohltat denn als Fluch. Sie wollte einfach entspannen und sich durch nichts und niemanden dabei stören lassen.

Als Erstes goss sie sich ein großes Glas Rotwein ein. Sie öffnete eine der Flaschen, die sie zu einem horrenden Preis in einer der exquisiten Weinhandlungen der Stadt erstanden hatte. Schwer und dunkelrot leuchtete der Cabernet in ihrem Glas. Dann ging sie zu ihrer Stereoanlage und legte das »Requiem« von Mozart ein; das war Musik, die ihr unter die Haut ging. Dann zog sie ihren Bademantel an und kuschelte sich in ihren Lieblingssessel. Sie lehnte den Kopf zurück, lauschte den mächtigen Klängen der Musik und schloss die Augen. Eine Ruhe durchströmte sie, von der sie geglaubt hatte, sie nie wieder spüren zu können. Sie hatte den Eindruck, als sei ihr eine tonnenschwere Last von den Schultern genommen. Es war das erste Mal seit Jahren, dass sie sich in dieser Weise gegen ihre Mutter aufgelehnt hatte. Seit der Sache mit Hannes hatte sie immer das Gefühl gehabt, ihrer Mutter beistehen zu müssen, zumal ihr Vater zu diesem Zeitpunkt längst tot gewesen war. Sie rechnete kurz nach. Es waren jetzt fast genau zehn Jahre, die sie sich ihrer Mutter in gewisser Weise unterordnete.

Nicht anders sah es mit Stefan aus. Auch gegen ihn hatte sie sich nie aufgelehnt. Sie hatte immer nur still vor sich hin gelitten, eine Art Märtyrerdasein geführt. Sie schüttelte sich unwillkürlich. Das alles musste ein Ende haben. So konnte sie nicht weiterleben. Trotzdem verspürte sie Angst. Wenn man alles veränderte, was blieb dann noch? Sie wollte nicht das Gefühl haben, die vergangenen Jahre in den Sand gesetzt zu haben, auf der anderen Seite wollte sie so aber auch nicht mehr weitermachen. Der Weg, den sie heute eingeschlagen hatte, war der Richtige, das spürte sie genau, auch wenn sie ein leichtes Kribbeln in der Magengegend fühlte. Irgendwann musste sie eingenickt sein, denn als sie die Augen öffnete, war die CD zu Ende und sie fror erbärmlich. Sie nahm den Gedankenfaden wieder auf und fragte sich, ob die vergangene Woche diese Veränderung in ihr bewirkt hatte oder ob das nur der berühmte Tropfen gewesen war, der das Fass zum Überlaufen gebracht hatte. Sie konnte es nicht sagen; aber irgendwie war es ein gutes Gefühl.

▣

Markus war vom Fußball auf dem Weg nach Hause. Seine Mannschaft hatte heute zwar nicht gewonnen, aber er hatte manchmal sowieso den Eindruck, dass es für keinen in der Mannschaft wirklich wichtig war, irgendein Fußballspiel zu gewinnen. Er war Mitglied im Club »FC Rosa Wolke«, in dem nur Schwule spielten. Flo machte sich nichts aus Fußball, aber mitunter kam er trotzdem mit, der eigentliche Spaß begann nämlich immer erst nach dem Spiel, wenn sie zusammensaßen und viel lachten. Heute allerdings hatte er sich über seine Abrechnung hergemacht, die schließlich nicht, wie er seufzend erklärte, von Heinzelmännchen gemacht wurde.
Wenn sonntags gespielt wurde, so wie heute, oder an den Tagen, an denen sie trainierten, ließ Markus das Auto zu Hause stehen, weil er wusste, dass er dann das eine oder andere Bier

trank; er schlenderte dann von der Bahn nach Hause. Er war, bevor er zur Kripo kam, jahrelang bei der Schutzpolizei gewesen und wusste, was Alkohol am Steuer anrichten konnte. Das hatte ihn zum absoluten Verfechter der Null-Komma-null-Promille-Grenze werden lassen. Markus lächelte. Heute war er tatsächlich ein wenig beschwipst; einer seiner Mannschaftskameraden hatte Geburtstag gehabt, was sie fleißig begossen hatten. Er hatte Flo gesagt, dass es ein wenig später werden könnte, aber der hatte nur gelächelt und geantwortet, dass ihm das sogar ganz recht sei, weil er ihn dann wenigstens nicht bei den Abrechnungen stören würde.
Markus fühlte große Dankbarkeit, wenn er an Flo dachte. Flo war seine große Liebe, die er um ein Haar verloren hätte. Damals, als er nicht bereit gewesen war, öffentlich dazu zu stehen, dass er schwul war. Erst Johanna hatte ihm geholfen, auf den »rechten Weg« zu kommen. Johanna war seine beste Freundin, obwohl es mitunter mit ihr nicht ganz einfach war. So wie heute, wenn er zwischen zwei Stühlen stand und auf dem einen Diekmann und auf dem anderen Johanna saß. Er seufzte. Er konnte beide verstehen, aber er war nicht dazu bereit, sich auf die eine oder andere Seite zu schlagen. Er versuchte, zu vermitteln und die Wutausbrüche abzufangen, bevor es zwischen den beiden Sturköpfen zum offenen Kampf kam, aber mehr konnte und wollte er auch nicht tun.
»Entschuldigen Sie bitte, könnten Sie mir wohl kurz helfen?« Markus schreckte aus seinen Gedanken auf. Er war nur noch eine Häuserecke von zu Hause entfernt, als er angesprochen wurde.
»Ja, natürlich.« Er lächelte freundlich.
»Oh, verdammt, ich habe eine meiner Kontaktlinsen im Auto verloren. Ohne die Linsen, bin ich praktisch blind. Ob Sie mir wohl helfen könnten, sie zu suchen? Wenn Sie mit meiner Taschenlampe leuchten, könnte ich den Boden vorsichtig abtas-

ten. Wissen Sie, sie muss genau unter dem Fahrersitz liegen. Wenn Sie vielleicht von hinten …«
Der blaue Kombi stand mit offenen Türen und Warnblinkanlage auf dem Gehweg. Markus sah in ein Gesicht, in dem das eine Auge unablässig blinzelte. Die Person, die dazu gehörte, vollführte etwas fahrige Bewegungen mit den Armen.
»Natürlich. Sie haben aber auch ein Pech, dass die Straßenbeleuchtung hier so spärlich ist.« Markus blickte nach oben zu der kaputten Laterne und grinste verständnisvoll. Er hatte eine Zeit lang aus Eitelkeit gefärbte Kontaktlinsen getragen, weil er damals der Meinung war, dass ihm blaue Augen weitaus besser stünden. Erst als ihn diese Quälgeister immer mehr gedrückt hatten und Flo ihm versicherte, dass er mit dunklen Augen vollauf zufrieden war, hatte er es aufgegeben, sich diese Folterinstrumente in die Augen einzusetzen.
»Wie kann ich Ihnen behilflich sein?«
»Wenn Sie vielleicht hier …« Markus wurde zur hinteren Tür des Wagens dirigiert, die offen stand. Die Rückbank war herausgenommen worden, um einigen Möbelstücken Platz zu machen.
»Ich bin gerade beim Umziehen, müssen Sie wissen. Na ja, und eben ist halt ein bisschen was verrutscht. Ich wollte aussteigen und nachsehen, und dabei habe ich mir den Kopf gestoßen und die eine Kontaktlinse verloren. Es ist wirklich zum Mäuse melken.« Markus' Gegenüber wirbelte mit der Hand herum, um ihm anzuzeigen, dass das Pech heute eine Schraube ohne Ende war.
Markus grinste noch breiter. »Ich kenne das. Meinem Freund geht es immer ähnlich. Er ist nicht gerade einer von der geschickten Sorte. Geben Sie mir die Taschenlampe, ich leuchte dann von hinten und sie tasten von vorne.« Er streckte die Hand aus und nahm die Taschenlampe in Empfang. Dann kniete er sich dicht an der Tür vor den Wagen. Ein Knie ruhte

schmerzhaft auf dem unteren Holm. Markus schob den Kopf hinter den Fahrersitz und hielt ihn so schräg, dass er mit der einen Wange beinahe das Bodenblech berührte. Er wollte gerade die Taschenlampe in Position bringen, als er fühlte, wie ihn etwas in den Hals stach. Er versuchte noch, mit der Hand danach zu schlagen, konnte aber innerhalb von Sekunden seine Bewegungen nicht mehr koordinieren. Panik stieg in ihm hoch. Er wollte schreien, sich aufrichten, aber seine Beine versagten ihren Dienst, und ein dichter schwarzer Schleier legte sich langsam über ihn.

11

Das Telefon riss Johanna aus dem Tiefschlaf. Sie tastete nach dem Telefonhörer, der, wie immer, irgendwo auf oder in ihrem Bett lag. Als sie den Hörer fand, zog sie ihn ans Ohr, ohne die Augen zu öffnen.

»Hm.«

»Johanna, bist du das?«

Johanna war zu verschlafen, um die Stimme zu erkennen. »Wer ist da?«, knurrte sie.

»Johanna, ich bin es, Flo. Ich mache mir schreckliche Sorgen um Markus. Er ist immer noch nicht zu Hause.« Flos Stimme klang tatsächlich ängstlich. Johanna grabschte nach ihrem Nachttischchen und bekam das Kabel ihrer kleinen Lampe, das sich irgendwie unter ihrem Kissen verfangen hatte, zu fassen. Sie knipste das Licht an und schaute auf die Uhr.

»Es ist zehn Minuten nach zwei.« Sie blinzelte etwas, um sich an die plötzliche Helligkeit zu gewöhnen.

»Ja, und Markus müsste schon seit Stunden zu Hause sein. Er war heute beim Fußball.«

»Vielleicht ist er mit seinen Kumpels versackt?« Johanna setzte sich auf und rieb sich die Augen. Es war wirklich verdammt früh, und sie hatte so schön geschlafen.

»Nein, ich habe schon bei einigen seiner Mannschaftskameraden angerufen. Sie haben zwar etwas getrunken, aber Markus ist um halb acht gegangen. Er hätte um kurz nach acht hier sein müssen. Er ruft immer an, wenn er sich verspätet.« Flos Stimme klang jetzt ein wenig weinerlich. Man merkte ihm die Sorgen an, die er sich machte. Johanna zwang sich, die Augen aufzuhalten. Es war wirklich nicht Markus' Art, so lange weg-

zubleiben, ohne ein Wort zu sagen. Sie hatte ihn immer als sehr zuverlässigen Freund gekannt.
»Hast du noch irgendjemanden angerufen?«
»Ja, ich hab noch in unserem Stammlokal angerufen, aber da hat er sich heute nicht blicken lassen. Johanna, ich habe wirklich ein wenig Angst um ihn.«
»Okay, bleib ganz ruhig. Ich komme zu dir, okay? Und mach mir einen starken Kaffee, ja?«
»Oh, du bist ein Schatz.« Man hörte die Erleichterung aus Flos Stimme heraus. Johanna spürte, dass er sich in seiner Angst sehr allein fühlte, und auch wenn sie glaubte, dass Markus bald, wahrscheinlich ziemlich beschwipst, nach Hause kommen würde, so war sie doch sofort bereit, Flo beizustehen.
Sie stand auf und putzte sich schnell die Zähne. Nachdem sie wahllos ein paar Klamotten aus dem Wäschekorb mit der sauberen Wäsche herausgewühlt hatte, saß sie zehn Minuten später in ihrem Auto und fuhr durch die dunkle, nasse Nacht zu Flo. Das schöne Wetter schien nun endgültig der Vergangenheit anzugehören. Der erste Herbststurm hatte eingesetzt, und der Regen peitschte gegen die Scheibe. Ihre Scheibenwischer schafften es kaum, der Wassermassen Herr zu werden. Johanna beugte sich weit vor Richtung Windschutzscheibe, um überhaupt etwa erkennen zu können. Die Straße glänzte nass und war mit feuchtem Laub bedeckt.
Als sie ankam, fand sie das Haus hell erleuchtet; kaum hatte sie den Motor ausgemacht, stand auch schon Flo in der Haustür. Er stand frierend, die Arme um den Oberkörper geschlungen, in dem hellen Lichtschein, der aus dem Flur durch die offene Tür fiel. Johanna lief auf ihn zu und gab ihm zur Begrüßung einen Kuss auf die Wange. »Um Himmels willen, lass uns bloß reingehen. Es ist verdammt kalt hier draußen.« Flo trat einen Schritt zur Seite und ließ Johanna in den Hausflur huschen. Dann schloss er die Tür und blieb im Flur stehen.

»Er hat sich noch immer nicht gemeldet.« Er beantwortete Johannas Frage, bevor sie sie stellen konnte.
»Lass uns erst einmal reden, dann sehen wir weiter.« Sie gingen beide ins Wohnzimmer. Flo erzählte, was er schon am Telefon gesagt hatte. Johanna hörte sich alles noch mal an und spürte plötzlich, wie sie ein kalter Schauder überlief. Markus war jetzt seit sechs Stunden überfällig. Das war nicht seine Art. Flo hatte ihre Reaktion bemerkt und legte besorgt eine Hand auf Johannas Arm. »Was hast du? Ist irgendwas?«
»Nein, nein, mir ist nur ein bisschen kalt.« Sie wollte Flo nicht beunruhigen, zumal sie auch gar nicht genau wusste, wie sie ihre Gefühle beschreiben sollte. Unwillkürlich zog sie ihre Jacke ein wenig enger um den Körper.
»Was machen wir denn jetzt?« Flo saß halb auf der Sofakante und schaute Johanna flehend an.
»Wenn ich das wüsste.« Johanna rieb sich mit beiden Händen fest übers Gesicht, so als könne ihr das helfen, logisch und klar zu denken. Sie hatte wirklich keine Ahnung. Sie könnten natürlich alle Krankenhäuser anrufen, aber selbst wenn sie es schafften, bezweifelte sie, dass man ihnen tatsächlich Auskunft erteilen würde. Auch die jeweiligen Polizeiwachen würden nichts sagen, das wusste sie. Es gab nur eine Möglichkeit. Und auch wenn ihr diese Möglichkeit nicht behagte, musste sie ihren Stolz überwinden. Hier ging es schließlich um Markus und nicht um sie selbst. Sie seufzte.
»Also gut, ich denke, ich werde Diekmann anrufen.«
»Aber was ist, wenn ich mir umsonst Sorgen mache und Markus wieder auftaucht. Meinst du nicht, dass Diekmann dann sauer ist?« Johanna konnte Zweifel in Flos Augen sehen.
»Machst du dir nun Sorgen oder nicht?«, fuhr sie ihn ungehalten an und bereute es sofort wieder.
»Ja, schon …«
»Na, also. Hat Markus hier ein Telefonregister?«

»Er hat eine Liste mit den Nummern aller Kollegen, falls er zu einem Einsatz gerufen wird. Warte, ich hole sie schnell.« Flo sprang hektisch auf und lief zurück in den Flur. Aus der Schublade eines kleinen antiken Tischchens, auf dem auch das Telefon stand, holte er einen dünnen Hefter. Er kam zurück und reichte ihn Johanna, die noch immer auf dem Sofa saß. Er selbst stand händeringend vor ihr. Johanna klatschte mit einer Hand auf den Plastikeinband und versuchte möglichst ruhig zu wirken. Dann sagte sie:
»Bitte, Flo, setz dich. Versuche, dich zu beruhigen, ja? Du machst mich wahnsinnig, wie du da so rumläufst, und außerdem bringt es nichts, wenn wir jetzt beide in Panik geraten. Also setz dich hin.« Die letzten Worte sprach sie langsam und eindringlich, was tatsächlich Wirkung zu haben schien. Flo ließ sich wieder auf die Sofaecke sinken. Er wartete ab, die Hände fest ineinander verschränkt. Johanna blätterte in dem kleinen Ordner. Ihre Finger glitten von Name zu Name. Endlich hatte sie Diekmann gefunden.
»Hier ist er.« Sie nahm den Hörer auf und versuchte umständlich zu wählen und gleichzeitig die Seite mit Diekmanns Nummer mit der anderen Hand festzuhalten. Während sie darauf wartete, dass jemand abnahm, tippte sie nervös mit den Fingernägeln auf die Tischplatte. Nach einer kleinen Ewigkeit sprang Diekmanns Anrufbeantworter an. Seine Stimme klang ein wenig hohl und verzerrt durch die Technik. Auch Johannas Stimme klang auf dem Ansagetext ihres eigenen Gerätes immer ein bisschen verschnupft. Nach dem angekündigten Piepton, fing Johanna an zu sprechen.
»Herr Diekmann, hier ist Johanna Jensen. Ich bitte Sie, nehmen Sie ab. Ich bin bei Markus, der spurlos verschwunden ist. Herr Johannsen und ich machen uns große Sorgen. Wir brauchen Ihre Hilfe. Ich …«
»Ja?«

Dieses kleine Wort reichte schon, um Johanna zu zeigen, dass Diekmann nicht gerade erfreut über ihren Anruf war.
»Herr Diekmann, Gott sei Dank, Sie sind zu Hause! Markus ist verschwunden.«
»Verschwunden?«
»Ja. Er wollte um kurz nach acht zu Hause sein und hat sich bis jetzt nicht gemeldet, was ganz und gar nicht seine Art ist.« Diekmann sagte nichts. Als die Stille anfing, unangenehm zu werden, befürchtete Johanna, dass er aufgelegt hatte.
»Sind Sie noch da?«
»Ja, ja, ich überlege. Hat er vielleicht einen über den Durst getrunken?«
»Flo hat die Mannschaftskameraden angerufen, und die haben gesagt, dass er um halb acht aufgebrochen ist, um nach Hause zu gehen. Hier ist er aber bisher nicht angekommen.«
»Gut. Ich werde mich in den Krankenhäusern erkundigen. Ich melde mich so schnell wie möglich bei Ihnen. Sie bleiben bei Florian!«
Bevor Johanna etwas erwidern konnte, hatte er das Gespräch unterbrochen. Sie war unendlich erleichtert. Es war, als habe er ihr eine große Verantwortung von den Schultern genommen. Sie fragte sich, ob Diekmann das selbst auch als Verantwortung empfand, und schalt sich gleich darauf. Dieser Druck war nur entstanden, weil sie nicht recht gewusst hatte, was zu tun war. Sie hatte keine Ahnung, wo sie hätte anfangen sollen. Bei Diekmann war das anders. Er als Polizist hatte andere Möglichkeiten, vielleicht kannte er auch dieses Gefühl von Hilflosigkeit nicht, von Machtlosigkeit, das einem die eigenen Grenzen aufzeigte. Sie drehte sich lächelnd zu Flo um und drückte ihm beruhigend die Hand.
»Es wird alles gut. Diekmann kümmert sich jetzt um alles und meldet sich hier so bald wie möglich.« Flo drückte ihre Hand. Er kniff die Lippen fest zusammen – vielleicht um seine Tränen

zurückzuhalten, vielleicht aber nur, um so auszudrücken, dass es schon gut gehen würde. Johanna stellte verwundert fest, dass auch Flo, genau wie Markus, grenzenloses Vertrauen zu Diekmann zu haben schien.

Die nächsten Stunden zogen sich endlos hin. Flo kochte eine Kanne Kaffee nach der anderen und lief ansonsten unruhig auf und ab. Johanna gelang es zwischendurch, ihn zur Ruhe zu bringen, indem sie ein Kartenspiel vorschlug, aber schon nach einiger Zeit sprang Flo auf, warf die Karten auf den Tisch und nahm seine unruhige Wanderung durch die Wohnung wieder auf. Johanna erkannte, dass es nur noch eine Möglichkeit gab, Flo zur Ruhe zu bringen.
»Erzähl mir von euch beiden.«
Flo drehte sich um und sah Johanna erstaunt an.
»Was genau willst du wissen? Du weißt doch eigentlich alles, schließlich warst du diejenige, die unsere Beziehung gerettet hat?«
»Das mag sein, aber das war der berufliche Teil, und den kenne ich fast ausschließlich aus Markus' Sicht. Erzähl du mir etwas aus deiner Sicht, von deinen Empfindungen.«
Flo ließ noch für einen Moment seinen Blick auf Johanna ruhen, wandte sich dann ab und begann wieder auf beinahe manische Art auf und ab zu gehen. Johanna wollte sich gerade frustriert damit zufrieden geben, dass ihr Trick nicht fruchtete, als Flo plötzlich anfing zu sprechen.
»Als ich ihn damals zum ersten Mal sah, habe ich mich sofort in ihn verliebt. Er strahlte so eine Ruhe aus.« Flos Stimme klang zärtlich, und sein Blick war verträumt nach innen gekehrt. Er brach seine Wanderung ab und blieb plötzlich beinahe entspannt mitten im Raum stehen.
»Am Anfang war er sehr schüchtern, und ich bemerkte schnell, dass er sogar sich selbst gegenüber Schwierigkeiten hatte, ein-

zugestehen, dass er schwul war. Aber, na ja, du weißt ja, wie so etwas läuft.« Flo kehrte zum Sofa zurück und ließ sich langsam nieder. Seine Bewegungen waren nicht mehr so hektisch, sein Atem ging ruhiger. »Ich dachte ›Florian, warte ab, du wirst ihn ändern, mit viel Liebe und blablabla‹.« Er lehnte sich mit im Schoß verschränkten Händen zurück und schien noch tiefer in sich hineinzuhorchen. Seine Augen verschleierten sich. »Es dauerte eine Weile, bis ich merkte, dass er sich nicht nur schämte, schwul zu sein, sondern sich auch für uns, also für mich schämte.« Flo seufzte tief. »Es war eine schwere Zeit. Er war so hin und her gerissen. Auf der einen Seite liebte er mich, auf der anderen Seite wollte er nicht anders sein als die anderen. Ich glaube, wenn du nicht dazwischengegangen wärst, hätte er sich entweder umgebracht oder er hätte geheiratet und wäre Vater geworden.«
»Ja, und zwischendurch wäre er in schummrige Schwulenshops geschlichen und mit einem schlechten Gewissen wieder herausgekommen«, setzte Johanna hinzu. Flo nickte. Er überlegte eine Weile, doch dann fuhr er fort zu erzählen. »Ja, wahrscheinlich. Nun, auf jeden Fall ging er dann plötzlich zu dir. Zuerst habe ich gedacht, dass unsere Beziehung hiermit vorbei sei. Er wirkte noch ruhiger, zog sich noch mehr in sich selbst zusammen. Ich hatte das Gefühl, dass ich nie wieder Zugang zu ihm finden würde. Aber schließlich schien er regelrecht aus einem Dornröschenschlaf zu erwachen, und unsere Beziehung lebte wieder auf. Es ging langsam, aber ich merkte fast jeden Tag kleine Fortschritte. Es war fast wie ein Wunder.« Flo sah zu Johanna hinüber. In seinen Augen konnte Johanna die tiefe Dankbarkeit erkennen, die damals beide für sie empfunden hatten. Gott sei Dank war daraus Freundschaft geworden, denn sie hätte nicht mit ewiger Dankbarkeit leben können. So etwas war schon beinahe demütigend.
»Und wie ist es heute?« Johannas Stimme war kaum mehr als

ein Flüstern. Sie wollte die Ruhe, die eingekehrt war, nicht durch ein lautes Wort zerstören.
»Heute? Ich bin fast sicher, dass wir den Rest unseres Lebens zusammenbleiben werden. Wie du weißt, wollten wir ja auch ›heiraten‹.« Er blickte Johanna leicht lächelnd an, doch dann kehrte wieder die Angst in seine Augen zurück. Sie erschraken beide, als die Türklingel laut bimmelte.
»Ich mach auf.« Johanna war schon aufgesprungen und auf dem Weg zur Tür. Sie nahm sich fest vor, Markus mit einer heftigen Ohrfeige zu begrüßen, falls er vor der Tür stehen sollte. Als sie aber die Tür schwungvoll aufriss, stand Diekmann vor ihr. Es regnete noch immer, und er hatte zum Schutz vor dem Regen den Jackenkragen hochgeschlagen. Das Wasser lief ihm bereits in den Nacken. Sein Haar war nass, und in seinen Augen spiegelte sich Besorgnis, was Johanna noch nie zuvor an ihm bemerkt hatte.
»Kann ich reinkommen?« Ohne eine Antwort abzuwarten, schob Diekmann sich an ihr vorbei ins Haus. »Und?« Flo war in den Flur getreten und sah Diekmann ängstlich an.
»Ob ich wohl einen Kaffee bekommen könnte? Es ist verdammt kalt und nass draußen.«
»Ja, natürlich. Einen Moment bitte, Herr Diekmann.« Flo eilte in die Küche und setzte neuen Kaffee auf. Der alte, der in der Thermoskanne vor sich hin schwappte, war nur mehr eine ungenießbare Brühe.

▣

Als das Telefon geklingelt hatte, war er hellwach gewesen. Er war am Fenster gestanden und hatte in den dunklen Sturm hinausgesehen. Es war eine jener Nächte, in denen er nicht schlafen konnte. Er hatte das manchmal nach schwierigen Fällen. Die Gesichter der Opfer und die Gesichter der Mörder ließen ihn dann nicht zur Ruhe kommen. So wie in diesem Fall. Er

hatte im Geist die toten Frauen vor sich gesehen und sie mit dem leeren Blick und dem unbewegten Gesicht jenes Mannes, den sie als Mörder verhaftet hatten, verglichen. Es waren die Gesichter, die er nicht miteinander in Einklang bringen konnte. Irgendwie hoffte er, etwas zu finden, das die ganze Sache wenigstens im Ansatz erklären konnte. Sobald dieser Psychiater, Dr. Breutigam, es erlauben würde, wollte er sich Neuss mal zur Brust nehmen. Außerdem hatte er sich gefragt, ob die Gedanken dieses Mannes genauso stumpf wie seine Augen waren und ob ein Mörder eine Rechtfertigung brauchte, um weiterleben zu können. Außerdem hatte er daran gedacht, was die Jensen ihm gegenüber einmal über die eigene Realität von Serienmördern erwähnt hatte. Er hatte sich eine Art Parallelwelt vorgestellt, in der es kein Gut und kein Böse gab. Oder zumindest keinen Unterschied zwischen diesen beiden Komponenten einer funktionierenden Gesellschaft, die verhinderten, dass die Anarchie die Oberhand gewann. Manchmal glaubte er, dass es die falsche Entscheidung gewesen war, die Mordkommission zu übernehmen. Dabei ging es ihm nicht um Bandenkriege oder Milieumorde. Auch wenn es zynisch klang, aber in diesen Fällen kamen meist nur Menschen um, die es sich selbst zuzuschreiben hatten.
Es ging ihm um Fälle wie diesen. Fälle, in denen wehrlose, unschuldige Menschen umkamen, nur weil ein Irrer seine perversen Gelüste ausleben wollte. Oder Fälle, in denen Säuglinge, die irgendwo ausgesetzt worden waren, einen grausamen und einsamen Tod sterben mussten. Aber auch hierfür hatte diese verdammte Psychologin mit Sicherheit eine Erklärung. Er war froh gewesen, dass er sie endlich los war. Es hatte ihn förmlich angeekelt, wie sie trotz allem immer eine Entschuldigung gesucht hatte für das, was da draußen geschehen war.
Als der Anrufbeantworter angesprungen war und er die Stimme der Jensen gehört hatte, war er versucht gewesen, das Tele-

fon an die Wand zu schmeißen – als könne er sie allein dadurch zum Schweigen bringen. So manches Mal hätte er sie wirklich erwürgen können. Aber da war etwas in ihrer Stimme gewesen, das ihn aufhorchen ließ. Es war um einen seiner besten Mitarbeiter gegangen, und er wusste, wie zuverlässig Markus war. Dass er einfach so mir nichts, dir nichts verschwand, konnte er sich nicht vorstellen. Er hatte ohnehin nicht schlafen können, also hatte er abgehoben.

▣

Diekmann hatte seine Jacke ausgezogen und sie über die Heizung gehängt. Sie war nicht nur außen, sondern auch innen nass geworden. Er ließ sich dabei viel Zeit, denn er wusste nicht genau, wie er Florian gegenübertreten sollte. All seine Nachforschungen waren erfolglos geblieben. Markus war in keines der Krankenhäuser eingeliefert worden, und keine der Polizeiwachen in Hamburg – er hatte sogar bis nach Bergedorf telefoniert –, wusste etwas von einem etwaigen Unfall. Flo kam mit einem Tablett sauberer Tassen aus der Küche und stellte es auf dem Wohnzimmertisch ab. Er drehte sich um und sah Diekmann hoffnungsvoll an.
»Und? Haben Sie etwas herausgefunden?«
Diekmann schüttelte den Kopf. Er kam langsam näher und blieb vor Flo stehen. »Es tut mir Leid, Florian. Ich kann Ihnen noch nichts Genaueres sagen. Auf jeden Fall ist Markus in keinem Krankenhaus und er hatte auch keinen Unfall. Aber ich denke, wir sollten uns setzen, ja?« Das krampfhafte Lächeln auf Flos Gesicht verschwand, und seine Angst, die für einen Moment von Hoffnung überdeckt gewesen war, kehrte zurück.
»Hören Sie, Florian. Ich habe eine Fahndung nach Markus erlassen. Ich befürchte, dass sein Verschwinden etwas mit seiner Arbeit zu tun haben könnte.

»Mit seiner Arbeit? Was soll das denn heißen?«
Diekmann ging nicht weiter auf Flos Frage ein, sondern stellte ihm seinerseits gleich ein paar Fragen.
»War Markus in letzter Zeit verändert? Ich meine, war er niedergeschlagen oder ängstlich oder so etwas?«
»Nein.« Florian schüttelte verständnislos den Kopf.
»Hatte er Feinde, die ihn vielleicht bedroht haben? Hat er sich irgendwie dahingehend geäußert?«
»Nein, aber ich verstehe nicht ...« Plötzlich runzelte Flo die Stirn und schien zu begreifen, in welche Richtung Diekmanns Fragen abzielten. »Sie meinen, er ist entführt worden? Das ist es doch, was sie glauben, nicht wahr?«
Diekmann blähte die Backen auf und atmete geräuschvoll aus.
»Ich befürchte es, ja.«
»Oh Gott.« Flo schlug beide Hände vors Gesicht. Johanna kam und kniete sich vor Flo. Sie zog seinen Kopf zu sich herunter und streichelte ihm über das Haar, während sie beruhigend auf ihn einsprach. Flo schien sich im Moment nicht trösten lassen zu wollen, denn er hatte sich versteift und ließ sich nur widerstrebend von Johanna festhalten. Ganz langsam fing Florian zu weinen an. Plötzlich hob er den Kopf und rieb sich energisch die Augen trocken.
»Was werden Sie nun unternehmen?«
Diekmanns Stimme klang sanft, als er weitersprach. »Ich weiß es noch nicht genau. Eines scheint mir zumindest sicher: Markus lebt. Hätten seine Entführer ihn umbringen wollen, hätten wir seine Leiche schon gefunden. Ich habe den Weg zum Sportverein schon von ein paar Polizisten absuchen lassen. Sie haben nichts gefunden. Ich gehe davon aus, dass sich die Entführer bald melden werden. Deshalb möchte ich hier ein paar Gerätschaften aufbauen lassen, um das Telefon abzuhören und Gespräche zurückverfolgen zu lassen. Einverstanden?« Diekmann versuchte, beruhigend zu lächeln. Seine Stimme war fast zu ei-

nem Flüstern herabgesunken. Er berührte Flos Arm leicht und zwang ihn geradezu, ihm ins Gesicht zu sehen.
»Ja, sicher.« Flo hatte sich wieder gefasst und Diekmann konzentriert zugehört. Allein Diekmanns Vermutung, dass Markus noch am Leben war, hatte ihm Mut gemacht. Johanna fragte sich, ob das Diekmanns wahre Überzeugung war, oder ob er sich nur einer barmherzigen Lüge bedient hatte, um Flo zu beruhigen. Vielleicht klammerte er sich auch nur selbst an diese Möglichkeit, um nicht der Tatsache ins Auge sehen zu müssen, dass sich Gewalt, mit der sie beinahe täglich zu tun hatten, auch gegen sie selbst richten konnte. Plotzlich tat Diekmann etwas, womit Johanna nicht gerechnet hatte. Er fasste Florian bei den Händen und redete ruhig, aber eindringlich auf ihn ein.
»Ich verspreche Ihnen, ich werde alles tun, um Markus zu finden. Okay?«
»Mmh.« Flos Augen hatten sich wieder mit Tränen gefüllt, aber er nickte tapfer. Diekmann legte vorsichtig den Arm um ihn, als habe er Angst, ihm wehzutun. Florian ließ es sich einen Moment gefallen und richtete sich dann wieder auf.
»Ich danke Ihnen.« Er versuchte ein Lächeln.
Johanna hatte die Szene staunend beobachtet. Wieder etwas, was sie Diekmann nicht zugetraut hatte. Sie hätte schwören können, dass er Schwule in seinem tiefsten Inneren verachtete. Aber noch ein anderes Gefühl war während dieser Szene in ihr hochgestiegen. Ein Hauch von Eifersucht.

Wenn Johanna gedacht hatte, dass das Wohnzimmer in eine technische Kommandozentrale verwandelt wurde, dann hatte sie sich gründlich getäuscht. Anstelle der von ihr erwarteten Gerätschaften, wurden lediglich zwei Laptops aufgestellt. Das Telefon wurde aufgeschraubt und bekam eine Wanze eingesetzt. Dann wurden die Computer einigen Tests unterzogen.

Aber das war's dann auch schon. Die Techniker waren freundlich. Sie schienen nicht zu Diekmanns Leuten zu gehören, von denen in der Zwischenzeit auch schon einige eingetroffen waren. Sie waren alle blass und müde, aber die Tatsache, dass einer von ihnen wahrscheinlich in Schwierigkeiten steckte, verlieh ihnen Kräfte, die Johanna nur erahnen konnte. Sie erschienen ihr wie eine Herde Kühe, die ein Junges schützen wollte. Die Techniker hingegen blieben unter sich. Sie stellten die Geräte ein, hielten sich aber sonst abseits. Sie sprachen zwar leise miteinander, aber wie es schien nur über technische Fragen. Schließlich kam einer von ihnen zu Diekmann und verkündete, dass man fertig sei. Diekmann nickte. »Vielen Dank.« Er wandte sich an Florian. »Wenn es klingelt, gehen Sie ran. Wenn es die Entführer sind, müssen Sie versuchen, sie so lange wie möglich am Apparat zu halten. Verstanden? Egal, was passiert, versuchen Sie, sie in ein Gespräch zu verwickeln.«
Florian nickte. Er hing mit den Augen wie ein kleines Kind, das sich von einem Erwachsenen ein tröstendes Wort erhoffte, an Diekmann.
Dann wandte sich Diekmann an seine Leute. Er blickte einen nach dem anderen an und entschied sich für einen jungen blonden Hünen, der mit unerschütterlicher Miene und mit vor dem Körper verschränkten Armen zwischen seinen Kollegen stand. Johanna wusste, dass er noch nicht sehr lange zu Diekmanns Belegschaft zählte.
»Bernd, Sie werden die Fußballkameraden von Markus anrufen und versuchen, sich ein genaues Bild über den zeitlichen Ablauf zu verschaffen, ja?«
Der junge Mann nickte und wandte sich an Florian. »Könnten Sie mir bitte eine Liste all dieser Leute geben?« Er sprach betont höflich, vermied es aber dabei, Florian direkt in die Augen zu sehen. Johanna war sich sicher, dass dies nicht aus Anteil-

nahme mit dem am Boden zerstörten Flo geschah. Sie glaubte viel eher, dass der junge Polizist noch nicht sehr viel mit Schwulen zu tun gehabt hatte und möglicherweise Angst vor einem Angriff auf seine Männlichkeit hatte. Er schien sich als »richtigen« Mann zu betrachten und jetzt ein wenig verlegen zu sein, so als fürchte er, von Florian als Objekt taxiert zu werden. ›Geschieht dir recht‹, dachte Johanna. ›Jetzt kannst du mal sehen, wie es Frauen geht, die du vielleicht abends bierselig anglotzt und dir vorstellst, wie sie ohne Klamotten aussehen.‹

»Natürlich«, sagte Florian und wischte sich eine Träne aus den Augenwinkeln. Er griff nach dem kleinen Schnellhefter, der noch immer auf dem Tisch lag, wo Johanna ihn abgelegt hatte. Der junge Mann nahm ihn, wie es Johanna schien, mit spitzen Fingern entgegen. Diekmann kniete vor Florian und legte ihm eine Hand aufs Knie.

»Florian, ich muss Sie bitten, hier im Wohnzimmer zu bleiben. Wir müssen sicherstellen, dass Sie das Gespräch sofort entgegennehmen, wenn das Telefon klingelt. Entführer schätzen es nicht, lange zu warten, und ich möchte diese Leute nicht reizen. Verstehen Sie, was ich meine?«

Florian nickte. »Sicher. Ich könnte jetzt ohnehin nicht allein sein.« Er lehnte sich in die Polster des zierlichen Sofas zurück und schloss für einen Moment die Augen. Johanna saß neben ihm und wusste nicht, was sie tun sollte. Sie wollte Florian trösten, wusste aber, dass es für ihn jetzt keinen Trost gab. Sie konnte nur dasitzen und abwarten. Und für Flo da sein, wenn er sie brauchte. Plötzlich legte er eine Hand auf ihren Arm, als hätte er ihre Gedanken gelesen.

»Würdest du bitte bei mir bleiben, Johanna?«

»Sicher.« Johanna atmete erleichtert auf und entspannte sich ein wenig. Gemeinsam saßen sie da und warteten. Johanna betete zu Gott, dass nicht das Unaussprechliche eingetreten war.

Die Stunden flossen zäh dahin. Niemand meldet sich außer ein paar Freunde von Markus und Flo, die wissen wollten, ob sie etwas tun konnten oder ob es etwas Neues gab. Jedes Mal, wenn das Telefon klingelte, kam Bewegung in die kleine Gruppe Menschen, die verstreut im Zimmer vor sich hin dösten. Die einen starrten angespannt auf das Telefon, die anderen richteten sich auf und machten sich an den Computern zu schaffen. Johanna selbst hielt jedes Mal die Luft an.
Florian schien mit der Zeit immer ruhiger zu werden. Bei jedem neuen Anruf zitterte seine Stimme weniger. Irgendwann stand er auf und machte sich in der Küche zu schaffen. Er versuchte sich abzulenken – Johanna ließ ihn gewähren. Sie wusste, dass er das jetzt brauchte, und beließ es dabei. Es hätte ihn wahrscheinlich nur zusätzlich aus der Fassung gebracht, wenn sie ständig hinter ihm her geschlichen wäre, um ihm mit mitleidigem Blick beizustehen.
Während Flo sich zusehends entspannte, machte sich in Johanna immer größere Nervosität breit. Sie begann im Zimmer auf und ab zu laufen und beobachtete die anderen. Die Techniker unterhielten sich leise oder spielten Karten. Einer von Markus' Kollegen ließ unablässig ein Jo-Jo auf und nieder schnellen. Diekmann saß auf dem Sessel und hatte den Kopf auf die Rückenlehne gelegt. Er schien zu schlafen, aber Johanna erkannte, dass er angespannt war und nur auf diese Weise versuchte, Kraft zu schöpfen. Er schien sich bewusst darüber zu sein, dass dies nur die Ruhe vor dem Sturm war. Die anderen hatten es sich so weit wie möglich auf zusammengeschobenen Stühlen oder auf dem Fußboden bequem gemacht. Keiner sprach ein Wort.
Johanna versuchte, sich auf das regelmäßige Ticken der hässlichen alten Standuhr zu konzentrieren, deren Schläge die Stille durchbrachen. Sie glaubte, das gleichmäßige Geräusch körperlich zu spüren, und obwohl es ihre Nervosität noch steigerte,

hatte sie ständig Angst, dass die Uhr stehen bleiben könnte – so als ob dann alles zu Ende sein könnte.
»Frühstück.« Flos Stimme riss sie aus ihren Gedanken, und sie zuckte zusammen. Auf einmal rückte das Geräusch der Uhr in weite Ferne, und Johanna schien es, als ob sie aus einer Art Trance erwachte. Die anderen bewegten sich mit leisem Gemurmel. Alle hatten anscheinend Hunger gehabt, aber keiner schien sich getraut zu haben, das auch laut zu sagen. Florian hatte so ziemlich alles zubereitet, was in seiner Küche vorhanden war, und auch wenn es eine merkwürdige Mischung war, stürzten sich alle hungrig auf die Teller. Florian ging herum und schenkte überall dort Kaffee nach, wo die Becher leer waren. Er selbst aß und trank nichts. Auch Johanna stocherte nur in ihrem Essen herum, und als sie fertig war, ging sie zu Florian in die Küche.
»Wie geht es dir?«
Flo seufzte und wischte emsig seine Arbeitsplatte sauber. »Soweit ganz gut.« Er drehte sich auf einmal ruckartig zu Johanna um.
»Sie werden ihm doch nichts tun, oder? Sonst hätte die Polizei ihn doch schon …«, er schluckte, » … ich meine, dann hätte man doch …«
»Nein, ich glaube auch, dass Markus am Leben ist. Du musst Vertrauen haben. Hörst du?« Johanna strich ihm über das Haar. Sie konnte sich nur im Ansatz vorstellen, wie es ihm ging. Aber die Angst schnürte auch ihr die Kehle zu.
»Florian, pass auf, ich muss kurz nach Hause, ein paar Sachen holen. Wenn du nichts dagegen hast, komme ich wieder und bleib hier, bis Markus wieder da ist, okay?«
»Das wäre lieb. Beeil dich, ja?«
»Klar.« Johanna versuchte ein leichtes Lächeln und strich Florian noch einmal über die Wange. Sie spürte seine Bartstoppeln über ihren Handrücken kratzen. Dann wandte sie

sich ab und ging zurück ins Wohnzimmer, um ihre Tasche zu holen. Die Kollegen wirkten nun alle ein bisschen frischer und gestärkt. Sie saßen zusammen und besprachen die nächsten Fahndungsmaßnahmen. Ständig klingelte irgendwo ein Handy, wenn neue Nachrichten eintrafen. Niemand hatte etwas gesehen, niemand hatte etwas gehört und, was vielleicht das Wichtigste war, niemand hatte Markus' Leiche gefunden. So ruhig es in diesem Wohnzimmer im Moment auch war, es war eine trügerische Ruhe, das wusste Johanna. Draußen lief die Suche auf Hochtouren.

Sie raffte schnell ihre Tasche und ihre Jacke zusammen und verließ unbeobachtet das Haus. Leise zog sie die Haustür hinter sich ins Schloss. Das Stimmengemurmel verebbte langsam, und sie hatte den Eindruck, als würde sie zusammen mit der Geräuschkulisse auch einen Teil der Spannung zurücklassen.

Mittlerweile war es Tag geworden, nasse Kälte empfing sie. Sie hatte noch nicht einmal auf die Uhr gesehen. Einen Moment lang blieb sie noch vor der Tür stehen, dann holte sie ein paarmal tief Luft. Sie lockerte ein wenig ihre verspannte Nackenmuskulatur und ging dann zu ihrem Wagen, der noch genauso dastand, wie sie ihn letzte Nacht verlassen hatte. Nur die Auffahrt war jetzt voller. Die Polizeibeamten, die zuletzt gekommen waren, hatten ihre Fahrzeuge zum Teil auf dem Rasen abstellen müssen. Johanna musste ziemlich lange rangieren, bis sie schließlich quer über den Rasen zur Straße fahren konnte. Sie dachte daran, dass ihr Flo deswegen wahrscheinlich irgendwann die Hölle heiß machen würde, und notierte sich im Geiste, dass sie die neue Rasensaat bezahlen würde. Auf dem Weg nach Hause löste sich ihre Anspannung immer mehr. Ihre Erschöpfung war so groß, dass sie ihre Müdigkeit kaum noch wahrnahm. Der tote Punkt war überwunden, aber die geistige Erschöpfung lähmte den Verstand. Sosehr sie es

auch versuchte, sie konnte doch keinen klaren Gedanken fassen. Der Blick zur Uhr bestätigte ihr, dass sie sich durch die Rushhour quälen musste. Es war erst halb neun. Schließlich stellte sie den Wagen vor ihrer Haustür ab und ging mit schweren Schritten zum Eingang. Vor der Tür lag ein kleines Päckchen. Wahrscheinlich hatte niemand den Paketboten reingelassen, so dass er gezwungen war, seine Fracht auf die Matte vor der Tür zu legen. Johanna bückte sich ein wenig, um den Adressaten zu entziffern. Erstaunt stellte sie fest, dass auf dem Karton ihr Name stand. Sie hob es auf und drehte es um. Ein Absender war nicht zu erkennen.
In ihrer Wohnung warf sie zuerst ihre Jacke auf den Garderobenständer und ging dann in die Küche. Dort legte sie das Paket auf den Tresen und sah es eine Zeit lang an. Schließlich nahm sie ein Küchenmesser aus dem Messerblock und begann, das Klebeband, das die Pappe umschloss, sorgfältig aufzuschneiden. Als sie eine Seite des Kartons gelöst hatte, quoll ein wenig Seidenpapier hervor. Sie zog das Papier ganz heraus und wickelte es auf. Eine mit roten Flecken übersäte, zusammengerollte Plastiktüte kam zum Vorschein. Sie rollte sie auf und blickte hinein. Als sie realisierte, was da so sorgfältig eingewickelt vor ihr lag, erstarrte sie einen Moment. Dann ließ sie das Ding entsetzt fallen und stieß sich vom Küchenschrank, an dem sie gelehnt hatte, ab. Dabei kam sie ins Straucheln und fiel auf den Boden. Irgendwo hörte sie jemand stöhnen und schluchzen zugleich. Es dauerte einen Moment, bis sie ihre eigene Stimme erkannte. Plötzlich überkam sie Panik, und sie zog sich schnell hoch und stolperte mehr, als dass sie lief, ins Wohnzimmer. Sie zuckte zusammen und hörte sich selbst aufschreien. Tränen liefen ihr über das Gesicht, als sie auf allen vieren zum Telefon krabbelte. In dem Moment, in dem sie zum Hörer greifen wollte, klingelte es.
Sie riss das Mobilteil von der Basisstation und schrie in den

Hörer: »Hilfe, bitte helfen Sie mir!« Sie kniete immer noch auf dem Boden und schluchzte.
»Ah, schöne Frau, ich nehme an, du hast es gefunden?« Die Stimme am anderen Ende hörte sich merkwürdig verfremdet an. Johanna spürte, wie sie vor lauter Entsetzen am ganzen Körper zu zittern begann.
»Wer ist da?« Sie konnte plötzlich nur noch flüstern.
»Du hast es gefunden, ja? Sag, dass du es gefunden hast.« Die Stimme hörte sich unwirklich an. Sie war metallisch und irgendwie künstlich. Und sie klang bedrohlich.
»Wer sind Sie?« Johanna merkte selbst, wie sie langsam hysterisch wurde.
»Erkennst du es?«
Johanna warf das Telefon von sich, als ekle sie sich davor, und rutschte dann so weit wie möglich von dem Gerät weg.
»Nein, nein, nein!« Sie hielt sich mit beiden Händen die Ohren zu.
»Johanna? Bist du da? Mach sofort auf.« Wie durch einen Nebel, der sich langsam lichtete, registrierte sie, dass jemand gegen die Tür trommelte.
»Mach auf. Was ist los, Johanna?«
Mit einem Schrei rappelte sie sich auf, und stürzte zur Tür. Sie riss die Tür auf und fing sofort wieder an zu schreien.
»Da … in der Küche … das Telefon.« Erst jetzt erkannte sie, wer an ihre Tür getrommelt hatte. Joachim stürzte an ihr vorbei in die Küche. Sie hörte ihn stöhnen. Dann kam er rückwärts wieder heraus.
»Was, zum Teufel, ist das?« Er sah sie entsetzt an und zeigte mit der Hand in Richtung Küche. Er war kreidebleich geworden und schluckte krampfhaft. Johanna merkte, wie sie selbst mit einem Schlag ruhiger wurde. Sie wischte sich ein paar Tränen aus dem Gesicht und ging langsam auf ihn zu.
»Ein Finger. Das ist Markus' Finger.«

Wilde Träume hatten ihn geweckt. Nur mit großer Mühe bekam er die Augen ein Stück auf. Er hatte das Gefühl, wach zu sein, aber seine Augenlider ließen sich nicht öffnen. Seine Zunge klebte am Gaumen, dick und geschwollen. Er versuchte sich an das zu erinnern, was geschehen war, aber er wusste nicht einmal, wo er sich befand. Tiefe Dunkelheit herrschte ringsherum, und er konnte nichts erkennen. Die Erinnerung fiel schwer. Plötzlich überlief ihn ein eisiger Schauer. Er konnte sich nicht einmal an seinen Namen erinnern. In jäher Panik wollte er aufspringen, aber er schaffte es nicht, sich zu bewegen. Erst jetzt bemerkte er, dass er an Händen und Füßen gefesselt war. Nur langsam erwachte sein Bewusstsein. Er hob den Kopf und sah an sich herunter. Eine Kanüle steckte in seinem rechten Arm. Es war so dunkel, dass er seine Füße fast nicht mehr sehen konnte. Vorsichtig bewegte er seine Zehen, einen nach dem anderen, damit das Blut wieder zirkulieren konnte. Konzentriert versuchte er jeden Muskel, jedes Glied zu bewegen. Es war, als könne er mit dem Gefühl auch seine Erinnerung zurückrufen. Schließlich konnte er seine Füße, seine Beine und seinen Hintern wieder fühlen. Er zählte die Finger seiner linken Hand. Finger für Finger kehrte Leben in seine Hände zurück. Kalt waren sie. Die Fesseln waren eng, zu eng. Dann stutzte er. Seine rechte Hand fühlte sich anders an. Sie war verbunden. Unter dem Verband versuchte er den Daumen zu bewegen, den Zeigefinger zu krümmen. Er streckte den Mittelfinger, versuchte den schmalen Reif an seinem Ringfinger zu spüren. Und dann …

Heiße und kalte Schauer überliefen ihn. Die Angst schwappte über ihn hinweg wie eine riesige Welle. Schweiß trat ihm auf die Stirn. Beweg dich, kleiner Finger, beweg dich. Aber so sehr er sich auch bemühte, der kleine Finger rührte sich nicht. Er begann zu stöhnen wie ein verwundetes Tier. Es war kalt, und er fror. Er hatte Angst. Das erste Mal seit langer Zeit sprach er leise ein Gebet. Keine Litanei, sondern Worte, die ihm gerade in den Sinn kamen. Wirr, voller Angst. Seine Lippen baten lautlos um Hilfe. Gott, lass mich nicht allein.

12

»Markus' Finger?«, echote Joachim. Er stand fassungslos vor Johanna und verstand nichts von dem, was Johanna gesagt hatte. Johanna stand einfach nur da. Ihre Arme hingen schlaff an ihrem Körper herunter, ihr Gesicht war bleich, bis auf die Wangen, die unnatürlich rot wirkten.
»Wir vermuten, dass Markus gestern Abend entführt wurde. Zumindest ist er spurlos verschwunden. Die Polizei sucht nach ihm, aber keiner hat etwas gesehen. Wir wissen auch nicht, worum es hier eigentlich geht. Was für ein Wahnsinn!«
Ihre letzten Worte gingen in einem Aufstöhnen beinahe unter. Sie ließ sich auf einen Sessel fallen und vergrub ihr Gesicht in den Händen. Ratlos stand Joachim eine Weile vor ihr. Johanna fühlte sich verloren, sie hatte Angst und wollte getröstet werden. Sie wollte, dass sie jemand in den Arm nahm und ihr versprach, das alles gut werden würde. Aber Joachim stand einfach nur da und sah verstört auf sie herab. Sie konnte seinen Blick förmlich spüren. Dann ging er in die Hocke und löste sanft ihre Hände von ihrem Gesicht.
»Was ist hier passiert, Johanna? Fang noch mal ganz von vorne an.« Er sprach langsam und schien jede Silbe zu betonen, so als ob er sie und sich selbst damit beruhigen könnte. Johanna schloss für einen Moment die Augen und versuchte sich auf das Geschehene zu konzentrieren.
»Das Päckchen da«, sie machte eine vage Handbewegung«, lag vor der Haustür, als ich hier ankam. Ich nahm es mit nach oben, und dann rief dieser Mann an, nachdem ich es geöffnet hatte.«
»Welcher Mann?«
»Ich weiß es nicht. Er fragte nur, ob ich erkannt hätte, was in

dem Päckchen war. Ich fing dann an zu schreien, und ich hatte Angst. Ich war völlig konfus.«

Joachim drehte sich um und sah das Telefon auf dem Fußboden liegen. Er hob den Hörer auf und horchte hinein, aber der andere Teilnehmer hatte bereits aufgelegt. Nur ein monotones Tuten war zu hören. Behutsam legte Joachim das Gerät zurück auf die Ladestation und wandte sich Johanna zu.

»Du musst dich jetzt zusammenreißen und die Polizei rufen, okay?«

Erstaunt sah Johanna auf. Daran hatte sie noch gar nicht gedacht. Ihr schwirrte der Kopf. Nichts mehr in ihrem Hirn hatte einen Zusammenhang, alles purzelte wild durcheinander.

▣

Diekmann saß in seinem Auto und fluchte leise vor sich hin. Es war zum Aus-der-Haut-Fahren. Zuerst fuhr diese Verrückte ohne ein Wort zu sagen nach Hause und dann rief sie an, um ihm weiszumachen, dass ihr irgendjemand Markus' kleinen Finger vor die Tür gelegt hatte. Er hatte ja schon immer gewusst, dass Psychologen selbst am nötigsten Hilfe brauchten. Wahrscheinlich hatte sich nur irgendjemand einen Spaß mit ihr erlaubt. Vielleicht ein ehemaliger Patient, der sich auf diese, zugegeben, recht makabere Art und Weise für die ihm angediehene Behandlung bedanken wollte. Warum sollte der Entführer sich ausgerechnet bei Johanna Jensen melden? Es gab keinen vernünftigen Grund, und auch die Jensen hatte ihm diese Frage nicht beantworten können. Diekmann fuhr nur zu ihr, weil sie bereits am Telefon hysterisch geworden war und zu schreien angefangen hatte. Er hasste es, wenn Frauen hysterisch wurden, da er selbst mit einer Frau verheiratet gewesen war, deren zweiter Vorname Hysterie gelautet hatte. Es reichte ihm, er hatte genug von so etwas. Und nun saß

er genau wegen einer solchen Frau im Wagen und quälte sich durch den Verkehr. Er würde Johanna versprechen, sich um die Sache zu kümmern, und hoffen, sie dadurch ruhig stellen zu können.
Er hatte Florian allein lassen müssen, aber das ließ sich in diesem Fall nicht ändern. Eine junge Kollegin würde sich um ihn kümmern, eine, von der Diekmann wusste, dass sie lesbisch war, tolerant und dass sie keine Probleme mit Florian haben würde, wie vermutlich viele andere Kollegen. Das war auch so ziemlich das Einzige, was er Johanna Jensen hoch anrechnete: Sie war tolerant. Wenigstens das. Diekmann hatte Florian nicht gesagt, warum er wegfahren musste. Er hatte etwas von einer Theorie erzählt, die Johanna ihm auseinander setzen wolle, und war heilfroh gewesen, dass Flo nicht genauer nachgefragt hatte, warum Johanna dann nicht selbst vorbeikomme.
Der Regen hatte ein wenig nachgelassen, und vereinzelte Sonnenstrahlen blitzten zwischen den schnell dahinziehenden Wolken hervor. Diekmann war alles andere als spirituell veranlagt, aber er fasste dies als gutes Omen auf, als eine Art silbrigen Hoffnungsschimmer am Horizont. Gleichzeitig erschrak er vor seinen Gedanken. Sie zeigten ihm, dass er sich gerade an jeden kleinen Strohhalm klammerte. Markus war noch nicht lange verschwunden, aber er war sicher, dass derjenige, der einen Bullen entführte, kein Lösegeld wollte.
Diekmann hatte Angst.

▣

Als Diekmann bei der Psychologin klingelte, öffnete ihm Joachim, der sich nach Johannas Zusammenbruch relativ schnell wieder gefasst und die Regie übernommen hatte. Johanna saß bewegungslos in ihrem Sessel und starrte in das Glas Kognak, das Joachim ihr gegeben hatte. Joachim kannte Diekmann nur aus Erzählungen, aber er war ihm sofort unsympathisch. Diek-

mann starrte ihn missmutig an, wodurch sich Joachims erster, flüchtiger Eindruck noch bestätigte.
»Mahlzeit? Wo ist sie?«, fragte Diekmann, und seine Worte klangen eher drohend als übermäßig interessiert.
Joachim sagte nichts, sondern trat einen kleinen Schritt zur Seite. Diekmann schob sich, die Hände tief in seine Jackentaschen vergraben, an ihm vorbei. Er ging durch den kleinen Flur und blieb dann unvermittelt stehen. Es war, als müsste Diekmann innerlich noch einmal die Schultern straffen, bevor er dazu bereit war, ins Wohnzimmer zu gehen und Johanna anzusprechen.
»Und wo ist er jetzt, dieser verdammte Finger?«
Johanna sah langsam auf und zeigte zur Küche.
»Da. Gehen Sie schon, er beißt nicht.« Ihre Stimme klang höhnisch. Johanna wusste sehr wohl, was in Diekmanns Kopf vor sich ging. Er hatte ihr den Kampf angesagt, so viel war sicher. Diekmann sah sie noch einen Moment aus zusammengekniffenen Augen an, drehte sich dann um und verschwand in der Küche. Lähmende Stille senkte sich über die Wohnung. Als Diekmann zurückkam, hielt er die Tüte mit dem abgeschnittenen Finger in die Luft. Sein Gesicht war bleich, seine Stimme freundlich, als er sagte: »Ich glaube, Sie hatten Recht.« Sein Blick wanderte zwischen dem Inhalt der Tüte und Johanna hin und her. »Das muss Markus' Finger sein. Zumindest hat dieser Finger hier denselben verwachsenen Nagel, wie Markus' kleiner Finger. Was zum Henker geht hier vor sich?« Seine Stimme klang heiser.
Johanna stand auf und ging auf Diekmann zu.
»Ich habe es Ihnen doch gesagt, oder? Was glauben Sie eigentlich? Dass ich hysterisch bin? Dass ich einen Knall habe? Ich laufe im Allgemeinen nicht herum und erzähle irgendwelche wilden Horrorgeschichten. Das ist es doch, was sie glauben, oder? Eines sollten Sie sich wirklich merken: Sie sind *nicht* Mr.

Perfect und Sie sind *nicht* der Nabel der Welt. Sie sind nur ein arroganter Scheißkerl, der seinen Mitmenschen mit seinen Vorurteilen und seinen schlechten Erfahrungen das Leben schwer macht. Aber jetzt ist es an mir, Ihnen das Leben schwer zu machen. Jetzt bin ich dran.« Bei den letzten Worten hatte sie ihm ihren Zeigefinger schmerzhaft in die Brust gebohrt.

»Ich denke, das reicht.« Mit diesen Worten meldete sich Joachim zum ersten Mal seit Diekmanns Ankunft zu Wort. Schnell trat er zu den beiden Kampfhähnen und schob Johanna beiseite.

»Und wer sind Sie, wenn ich fragen darf?«, sagte Diekmann.

»Joachim Wille.«

»Er ist ein Freund von mir«, fügte Johanna hinzu. Doch kaum hatte sie die erklärenden Worte ausgesprochen, hätte sie sich auch schon ohrfeigen können. Es ging diesen aufgeblasenen Kerl schließlich nichts an, wer sich in ihrer Wohnung aufhielt.

»Seit wann sind Sie hier? Haben Sie etwas mitbekommen?«

»Nein, Joachim kam erst später hinzu«, fiel Johanna ihm ins Wort. »Ich meine, er kam erst, nachdem ich das Päckchen geöffnet und mit dem Mann telefoniert hatte.«

»Ja«, meldete sich nun Joachim zu Wort. »Ich hörte Johanna schreien und lautes Gepolter in der Wohnung. Also lief ich schnell nach oben und trommelte gegen die Tür.«

»Wie bist du überhaupt reingekommen?« Johanna sah Jo erstaunt an.

»Eine Nachbarin kam gerade aus der Tür und ließ mich rein. Wieso?«

»Schon gut.« Johanna drehte sich wieder zu Diekmann. »Was hielten Sie davon, wenn Sie den Finger untersuchen ließen, damit wir endlich eine Bestätigung bekommen, dass es sich tatsächlich um Markus' Finger handelt?«

»Sagen Sie mir nicht, wie ich meine Arbeit zu machen habe.« Diekmanns Ton wurde wieder drohender. »Als Erstes werde

ich meine Leute informieren, damit sie hier anrücken und ihr Telefon anzapfen können.«
»Nein«, zischte Johanna und wandte sich Joachim zu. »Joachim tu mir bitte einen Gefallen. Geh zu Flo und kümmere dich um ihn. Ich werde wohl die nächsten Tage nicht dazu kommen, okay?«
»Sicher.« Joachim lächelte leicht und beugte sich dann zu Johanna hinab, um ihr einen Kuss auf die Wange zu hauchen. »Wenn etwas ist, weißt du ja, wo du mich findest.« Er drehte sich um und verließ, ohne sich von Diekmann zu verabschieden, die Wohnung. Als er die Tür ins Schloss gezogen hatte, horchte Johanna noch eine Weile auf Joachims Schritte, die sich langsam entfernten.
»Was soll das heißen, ›nein‹? Was wollen Sie damit sagen?«
Johanna seufzte. »Setzen Sie sich und hören Sie mir zu.«
Widerstrebend ließ Diekmann sich auf einen unbequemen Chippendale-Stuhl fallen, der eigentlich nur zu Dekorationszwecken an der Wand stand. Die Plastiktüte mit seinem makabren Inhalt legte er neben sich auf das Tischchen, auf dem die Vase stand, in die Joachim seinen Blumenstrauß gestopft hatte. Johanna selbst blieb stehen. Sie schauderte beim Anblick des Fingers und wandte schnell wieder den Blick ab. Mit beiden Händen rieb sie sich kurz über das Gesicht und versuchte sich zu sammeln. Sie wusste, dass Diekmann das, was sie vorhatte, nicht billigen würde.
»Zuallererst muss ich Ihnen sagen, dass wir vermutlich den falschen Mann festgenommen haben.«
»Sie glauben wohl, dass Sie verdammt klug sind?«, explodierte Diekmann. »Natürlich haben wir den Falschen festgenommen, verdammt noch mal! Das sieht doch ein Blinder mit Krückstock. Jetzt sagen Sie mir schon endlich, was der mysteriöse Anrufer zu Ihnen gesagt hat!«
»Er hat mich gefragt, ob ich ›es‹ erkannt habe, und damit

meinte er sicherlich den Finger. Er hat keinen Namen genannt und in keiner Weise versucht, sich irgendwie näher vorzustellen. Nicht, dass ich glauben würde, dass Entführer sich normalerweise vorstellen, aber irgendwie habe ich das Gefühl, dass er davon auszugehen schien, dass ich sofort wüsste, wer er sei.«

»Wie klang seine Stimme.«

»Künstlich, irgendwie blechern. So wie die Stimmen der Leute, die ein Fernsehinterview geben, aber nicht erkannt werden wollen.«

»Stimmenverzerrer.« Diekmann nickte.

»Es ist doch merkwürdig. Da entführt einer Markus, aber anstelle bei ihm zu Hause anzurufen, wendet er sich an mich. Ich denke, unser Entführer will ein Spielchen mit uns spielen und uns beweisen, dass er besser ist, als wir alle zusammen. Vielleicht hat er uns bei der Pressekonferenz gesehen und beschlossen, zunächst einmal die Psychologin auszutricksen. Ich weiß noch nicht, was er will, aber wir sollten uns auf sein Spiel einlassen. Er hat nicht umsonst den Finger geschickt. Er sucht Kontakt zu mir, so interpretiere ich das.«

»Was schlagen Sie vor?« Diekmann sah Johanna skeptisch an, aber Johanna merkte, dass er sich etwas entspannt hatte. »Der Entführer rief mich an, kurz nachdem ich die Wohnung betreten hatte. Das könnte also bedeuten, dass er sich hier irgendwo in der Nähe aufhält und mich beobachtet. Ich gehe aber nicht davon aus, dass Markus auch hier in der Nähe ist. Das heißt für mich aber auch, dass er uns nicht sagen wird, wo er Markus versteckt hält, selbst wenn wir ihn möglicherweise festnehmen können, weil wir seine Anrufe verfolgen konnten. Lassen Sie uns die Anrufe erst einmal zurückverfolgen, um ein Bewegungsbild zu erstellen, und dann sehen wir weiter.«

»Das kommt nicht infrage.« Diekmann schüttelte energisch den Kopf und stand auf. Wütend stieß er seine Fäuste in die Jackentasche. Johanna funkelte ihn an: »Wir haben aber keine andere Chance. Ich vermute, dass er Markus irgendwo außerhalb versteckt hält. Irgendwo, wo ihn niemand hören oder sehen kann. Möglichkeiten gibt es ja genug. Ich werde mich auf sein Spiel einlassen. Ich glaube nicht, dass er tatsächlich Markus haben will. Was er will, weiß ich noch nicht, aber auf keinen Fall Markus, so viel ist mir klar geworden.«

Diekmann ließ seinen Kopf in den Nacken fallen und dachte konzentriert nach. »Und wie soll Ihrer Meinung nach das Ganze funktionieren?«

»Ich denke, unser Entführer ist beleidigt, weil wir einen anderen festgenommen haben. Er glaubt vielleicht, mit den Morden ein Kunstwerk geschaffen zu haben, und ist jetzt wütend, weil wir jemanden festgenommen haben, der geisteskrank ist. Wir dürfen ihn nicht weiter reizen, also müssen wir uns auf ihn einlassen, vielleicht ein Treffen arrangieren. Solange wir den Kontakt zu ihm aufrechterhalten können, wird er Markus nichts tun. Da bin ich sicher.«

Diekmann drehte den Kopf und sah sie über die Schulter hinweg an.

»Es geht um einen meiner Leute, verdammt noch mal! Ich habe keine Lust auf die waghalsigen Experimente einer Möchtegern-Psychologin, die am Ende schief gehen.«

»Jetzt hören Sie aber auf! Markus ist einer meiner besten Freunde, und ich habe nicht vor, mit seinem Leben zu spielen. Ich will ihn genauso wie Sie sicher aus den Fängen dieses Wahnsinnigen bringen.«

Diekmann drehte sich um und ließ seinen Kopf gegen die Wand sinken. Verzweifelt stieß er mit der Stirn mehrmals gegen die Wand, bevor er sich wieder zu Johanna umdrehte. Sie wusste, dass er sich die Entscheidung nicht leicht machte. Zu viel stand hier auf dem Spiel.

»Also gut. Lassen Sie uns dieses Mal nach ihren Bedingungen vorgehen.«

»Und noch etwas.«
»Was?« Diekmann runzelte die Stirn. Sofort war das alte Misstrauen wieder in ihm erwacht.
»Können wir die Sache so lange wie möglich geheim halten?« Johanna sah ihn fragend an.
»Was genau meinen Sie?«
»Ich meine die Entführung und alles, was damit zusammenhängt. Sie wissen schon, die Presse macht alles nur noch schlimmer. Können Sie sich noch an den Fall Reemtsma erinnern? Da hat wochenlang niemand etwas gewusst. Vielleicht hat ihm das im Endeffekt das Leben gerettet. Ich meine, die Presse macht viel Wind, und wenn die Leute sich dann in die Ecke gedrängt fühlen, kann das fatale Folgen haben. Wir sollten versuchen, auf diese Weise Ruhe in das Ganze zu bringen. Wir haben sonst nicht die geringste Chance. Bisher hat der Täter alle Trümpfe in der Hand.«
Für einen Moment sagte niemand etwas. Diekmann konnte sich gut an diesen prominenten Entführungsfall erinnern. Philipp Reemtsma, der Erbe des Zigarettenimperiums, war auf seinem eigenen Grund und Boden überfallen und entführt worden; die Öffentlichkeit hatte nichts davon erfahren. Selbst die Presse war ahnungslos gewesen. Die Geheimhaltung hatte ausnahmsweise funktioniert, und soweit Diekmann wusste, war auch kein Psychologe zu dem Fall hinzugezogen worden. Ein Pastor hatte schließlich als Mittelsmann fungiert, und nach ein paar Wochen war das Opfer, zumindest körperlich unversehrt, wieder aufgetaucht. Die Spätfolgen waren zu der damaligen Zeit noch nicht abzusehen gewesen. Diekmann fixierte einen Punkt auf dem Fußboden und wippte auf den Fersen hin und her.
»Nun gut. Aber da wäre noch etwas. Sie sagen Florian so wenig wie möglich. Ich werde die Telefonüberwachung bei ihm noch einige Zeit aufrechterhalten. Er soll nicht wissen, dass Markus

gefoltert wird. Und davor scheint der Entführer zweifelsohne nicht zurückzuschrecken.«
Johanna fror bei seinen Worten. Nach dem ersten Schock hatte sie versucht, die Sache mit Markus' Finger professionell und möglichst distanziert und emotionslos zu betrachten. Dabei hatte sie verdrängt, dass er Markus irgendwann abgeschlagen worden war und er dabei wahrscheinlich bei Bewusstsein gewesen war. Wenn Diekmann also von Folter sprach, hatte er nicht ganz Unrecht. Es war ein grausiger Gedanke, mit eigenen Augen zusehen zu müssen, wie ein unschuldiger Mensch verstümmelt wurde, damit irgendjemand seine abartige Veranlagung oder seine Rachegedanken an ihm stillen konnte.
Sie wandte sich ab und umschlang ihren Oberkörper mit beiden Armen. Entsetzliche Einsamkeit machte sich in ihr breit. Am liebsten hätte sie geweint. Das Gefühl von Hilflosigkeit war schmerzhaft zu spüren, und sie fragte sich, ob Diekmann sich ebenso fühlte. Für den Moment konnten sie nichts anderes tun, als einfach dazusitzen und abzuwarten, bis der Entführer sich wieder meldete. Ein scheußliches Gefühl, das ihr zeigte, wie allein man sein konnte. Auch Markus war jetzt allein und hatte vermutlich keine Chance, etwas an seiner Situation zu ändern. Er hatte niemandem etwas getan. Eine Welle der Traurigkeit erfasste sie, und sie spürte, wie ihr die Tränen in die Augen stiegen. Sie fühlte sich beinahe wie ein Kind, das sich nach den warmen und tröstenden Armen seiner Mutter sehnte, obwohl sie selbst nicht genau wusste, wie sich das eigentlich anfühlte – trotzig schluckte sie ihre Tränen hinunter und verbat sich das aufflackernde Gefühl. Sie war dabei, Angst und Trauer mit Selbstmitleid zu verwechseln. Angst um Markus, aber auch davor zu versagen, nicht das zu erreichen, was sie eigentlich wollte. Am meisten Angst hatte sie aber davor, durch ein falsches Wort oder durch eine falsche Einschätzung den Tod von Markus zu verursachen. Plötzlich hatte sie den Eindruck, au-

ßerhalb zu stehen, die Szene aus der Ferne zu beobachten, die sich in ihrem Wohnzimmer abspielte. Sie hatte förmlich das kleine Mädchen vor Augen, das im Begriff war, sich die Bettdecke über den Kopf zu ziehen, weil es Angst vor Gespenstern hat. Johannas Gespenst war der dunkle Schatten. Der Schatten, in dem ihre Welt in Schutt und Asche zerfiel.

»Ich muss für eine Stunde weg. Kommen Sie alleine klar?«, riss Diekmann sie aus ihren Gedanken, wofür sie ihm fast dankbar war.

»Ja. Sicher.« Sie rieb sich über die Arme und hob den Kopf. »Wie geht es weiter?« Sie bemühte sich um einen möglichst neutralen Tonfall.

»Ich bringe später einen Techniker mit, der das Telefon präpariert. Und dann«, er seufzte, »heißt es abwarten.«

▣

Florian hasste es, zum Nachdenken gezwungen zu sein. Er hatte sich so lange abgelenkt, wie es ging. Aber jetzt blieb nichts mehr zu tun, und er war gezwungen, einfach nur dazusitzen und nachzudenken. Er hatte sich über die Gefahren, die das Leben eines Polizisten mit sich brachte, nie größere Gedanken gemacht. Zu Beginn seiner Beziehung zu Markus hatte er immer Sorge gehabt, dass irgendwann nachts das Telefon läutete und ihm jemand sagte, dass Markus verletzt im Krankenhaus lag. Diese Angst hatte er merkwürdigerweise immer nur nachts gehabt, wenn er allein in ihrem gemeinsamen Bett lag, während Markus irgendwo in der Stadt seinen Dienst versah. Aber im Laufe der Jahre war diese Angst immer stärker verblasst und schließlich ganz verschwunden. Nie war ihm in den Sinn gekommen, dass auch tagsüber etwas passieren könnte. Immer war es die Dunkelheit gewesen, die die Geister mit sich gebracht hatte. Fast wünschte er sich, die Zeit um einige Stunden

zurückdrehen zu können, als er Johanna angerufen hatte, weil er vor Sorge nicht hatte schlafen können. Diese Sorgen hatten sich manifestiert, und die Gewissheit, die er nun erhalten hatte, war gleichzeitig Ungewissheit, die quälend an ihm nagte. Nicht zu wissen, was Markus passiert war, machte ihn wahnsinnig.
Er betrachtete die Menschen um sich herum. Alle waren nett zu ihm, einige ein wenig steif, wie der junge Mann, der die Telefonliste des Fußballvereins von ihm verlangt hatte. Dieser Typ Mensch hatte ganz offensichtlich Angst, das einem der Schwanz abfallen könnte, wenn man nett zu einem Schwulen wäre. Was ihn noch vor ein paar Jahren in helle Wut versetzt hätte, konnte er jetzt fast ein wenig nachsichtig belächeln. Diese Menschen konnten nichts dafür. Vielleicht wäre er ebenso geworden, wenn er nicht schwul wäre.
Er hatte eigentlich nie große Probleme damit gehabt, schwul zu sein. Er war ohne Vater groß geworden. Seine Mutter und er hatten immer ein sehr inniges Verhältnis zueinander gehabt, und als er seiner Mutter eröffnet hatte, dass er »vom anderen Ufer« war, hatte sie nur gelächelt und ihm über das Haar gestrichen. Sie hatte es immer schon geahnt, fand es aber schön, dass er das Vertrauen gehabt hatte, es ihr selbst zu sagen. Sie war stolz auf ihn. Das Einzige, was sie bedauerte, war die Tatsache, keine Enkelkinder zu bekommen. Zurzeit lebte sie auf Mallorca, und wenn sie sich gegenseitig besuchten, war es wie bei anderen Familien auch – warum auch nicht. Sie verstand sich großartig mit Markus und sah mitunter gespielt neugierig auf Flos Bauch, um zu fragen, wann sie denn endlich Großmutter werden würde. Bei dem Gedanken an seine Mutter stiegen Flo Tränen in die Augen. Sie war es gewesen, die ihm über die anfänglichen Schwierigkeiten mit Markus hinweggeholfen hatte. Denn wie so viele Menschen hatte auch Markus in einer Welt gelebt, der er sich in ihrer Realität nicht stellen wollte. Er hatte ein Leben im Verborgenen geführt, und Flos Versuch, ihn da

herauszuholen, hätte beinahe übel geendet. Er hatte sich maßlos geschämt und seinen Körper verachtet, als ob er verstümmelt oder entstellt sei. Flo hatte damals viel von ihm verlangt, das war ihm heute klar, aber es hatte sich gelohnt. Letztendlich war es das Gefühl gewesen, das Markus für seinen Freund gehegt hatte, denn ohne diese innigen Gefühle hätte er vermutlich nie gelernt, seine Angst und seine Scham zu überwinden. Sie hatten beide um ihre Beziehung gekämpft und sie hatten gewonnen. Nichts hatte es gegeben, was ihre Liebe getrübt hätte.
Bis jetzt.
Sie hatten in Harmonie gelebt und hatten ein Verhältnis zueinander, das auf gegenseitigem Verständnis und auf Toleranz basierte. Und Florian bemerkte plötzlich, für wie selbstverständlich er diese Beziehung genommen hatte. Die erzwungene und unnatürliche Trennung, die sie jetzt durchlebten, ließ eine Einsamkeit entstehen, die Florian fast empfindungslos gegenüber Mitgefühl werden ließ, das ihm andere Leute entgegenbrachten.
Vor ein paar Minuten war Joachim gekommen, der zu trösten versuchte, wo es keinen Trost gab; er hatte erzählt, dass Diekmann und Johanna eine Spur verfolgten, doch Flo bezweifelte das. Er wollte jedoch nicht weiter darüber nachdenken, warum beide nicht zurückkamen.
Und eigentlich war es ihm auch egal. Wenn nur Markus wiederkäme.

Diekmann hatte eine Kälte beschlichen, die er nicht beschreiben konnte. Er wusste nur, dass die Angst ihn antrieb. Dieser Fall überforderte ihn. Er hatte das Gefühl, die Kontrolle zu verlieren, nichts mehr beeinflussen zu können, einfach nur dasitzen zu müssen und anderen die Dinge zu überlassen. Schon als die Jensen zum ersten Mal das Präsidium betreten hatte, hatte

er gewusst, dass das nicht gut gehen konnte. Aber wenigstens hatte er damals noch alles im Griff gehabt.
Als er jedoch gerade Markus' Finger gesehen hatte, wusste er, dass er verloren hatte. Irgendwie beschlich ihn ein unbestimmtes Schuldgefühl und eine Ahnung, nichts mehr ausrichten zu können. Er hatte vorgehabt, diese Psychologin vor seinen eigenen Karren zu spannen und jetzt schien es so, als sei *er* auf sie angewiesen. Aber egal, was sie beide taten, Diekmann war plötzlich sicher, dass sie immer nur hinterherlaufen würden und keine Chance hätten, dem Killer zuvorzukommen.
Verzweiflung stieg in ihm hoch, die er sofort wieder ganz hinten in seinem Herzen versteckte. Er musste an Florian denken und seinen Gesichtsausdruck, als er begriff, dass Markus irgendetwas zugestoßen war. Und plötzlich dämmerte ihm, woran seine eigene Ehe gescheitert sein könnte. Die gleiche Angst, die er heute Nacht in Flos Augen gesehen hatte, hatte seine Frau gespürt. Sie hatte damals versucht, es ihm zu erklären, aber er hatte nicht zuhören wollen. Zu sehr war er damals damit beschäftigt gewesen, Karriere zu machen und sich den richtigen Kick zu verschaffen. Jeder Polizist wurde irgendwann süchtig nach dem Adrenalinstoß, der Mischung aus Angst und Abenteuerlust, die einem das Herz bis zum Hals schlagen ließ. Irgendwann war er dann nach Hause gekommen, und seine Frau und seine Tochter waren verschwunden. Und mit ihnen der halbe Hausstand. Plötzlich war alles unvollständig. Die Plattensammlung, die Schlafzimmermöbel, die Wohnzimmergarnitur, sein ganzes Leben.
Ein Hupen schreckte ihn aus seinen Gedanken hoch, und bevor er richtig nachdenken konnte, musste er eine Vollbremsung machen, um einen Unfall zu vermeiden. Die junge Frau, die er beinahe gerammt hätte, machte ihrem Ärger und ihrem Schrecken Luft, indem sie ihm einen Vogel zeigte. Er winkte ihr

wie zur Entschuldigung leicht zu, doch im Rückspiegel konnte er sehen, dass sie immer noch schimpfte.
Er versuchte sich auf den Verkehr zu konzentrieren, konnte aber nicht verhindern, dass seine Gedanken immer wieder zu jenem Objekt abschweiften, das in eine Plastiktüte gewickelt neben ihm auf dem Beifahrersitz lag. Übelkeit stieg in ihm hoch, und für einen Augenblick befürchtete er, sich übergeben zu müssen. Es war nicht so sehr der Anblick des Fingers, als vielmehr das Entsetzen darüber, wozu Menschen fähig waren, und wieder fragte er sich, ob er an der ganzen Sache Schuld trug, obwohl er wusste, dass es keinen Sinn machte, sich darüber den Kopf zu zerbrechen. Es war passiert, und seine Aufgabe war es nun, zu retten, was zu retten war, und zu versuchen, sich und alle anderen aus diesem Albtraum zu befreien.

▣

Als Diekmann wiederkam, hatte sich Johanna geduscht und umgezogen. Die Unruhe, die sie anfangs gehindert hatte, ruhig zu überlegen, hatte sie wie ein ungeliebtes Kleidungsstück abgelegt. Sie stand einer Aufgabe gegenüber, die es zu bewältigen galt, und sie war entschlossen, eben dies zu tun. Sie hatte Diekmann einen Haustürschlüssel gegeben, denn wenn sie recht behielt, würde sich diese ganze Sache ein paar Tage hinziehen und Diekmann würde die ganze Zeit in ihrer Wohnung ein und aus gehen müssen.
Als er kam, stand sie gerade in der Küche und bereitete eine Kleinigkeit zu essen.
»Ich habe den Finger im Labor abgegeben«, informierte sie Diekmann. »Der Laborleiter ist mir noch einen Gefallen schuldig, so dass ich zuerst Bescheid bekomme und nicht die Presse.« Diekmanns Lippen verzogen sich leicht zu einem freudlosen Lächeln.

»Fein.« Johanna war dabei, ein paar Brote zu belegen. Sie hatte jetzt nicht die Ruhe zu kochen, und ein paar Brote würden es schließlich auch tun. Sie sah kurz auf und bemerkte, dass Diekmann jemanden mitgebracht hat. »Das ist Rainer Hahn. Er ist Telekommunikationstechniker und sehr verschwiegen. So wie es aussieht, werden wir drei hier ein paar Tage zusammen hausen.«

»Hallo.« Johanna nickte in Rainers Richtung, der ein wenig verloren in ihrem Flur stand. »Kommen Sie, ich zeige Ihnen alles. Ich bin übrigens Johanna.« Sie reichte ihm die Hand und ging an ihm vorbei ins Wohnzimmer, wo er erst einmal seine Taschen abstellte. Dann zeigte sie ihm den Rest der Wohnung. Danach überließ sie ihn seinem Schicksal, und er fing sofort an, seine Taschen auszupacken. Allerlei technische Ausrüstung kam zum Vorschein.

Zurück in der Küche, stellte sie mit Erstaunen fest, dass Diekmann sich nützlich gemacht hatte. Er hatte seine Jacke auf den Kühlschrank gelegt und fortgefahren, Brote zu schmieren.

Mechanisch nahm sie die Jacke und hängte sie im Flur an den Garderobenständer. Dann ging sie zurück in die Küche und holte eine Flasche Wein aus dem Kühlschrank.

»Auch ein Glas Wein?« Sie hielt die Flasche hoch und sah Diekmann fragend an.

»Gern.« Er hatte kurz hochgeblickt und legte dann weiter eifrig Wurst und Käse auf die Brote.

»Ich muss doch noch irgendwo Gurken und Tomaten haben. Moment«, sie griff in die Gemüseschale des Kühlschranks, holte ein paar Tomaten, verschrumpelte Radieschen und eine Gurke hervor. Dann hob sie ihr Glas und prostete Diekmann zu.

»Auf dass alles gut geht.« Er hielt in seiner Arbeit inne und erhob ebenfalls sein Glas. »Auf Markus.«

»Ja, auf Markus«, bekräftigte Johanna.
Gemeinsam beendeten sie ihre Küchenarbeit und trugen alles hinüber ins Wohnzimmer. Johanna spürte nach dem ersten Bissen nagenden Hunger, und auch Diekmann schien es nicht anders zu gehen. Nachdem sie alle Brote verspeist hatten, lehnte Diekmann sich zurück und drehte sein Glas gedankenverloren zwischen den Fingern.
»Was meinen Sie, wann er sich melden wird?«
Johanna zuckte mit den Achseln. »Ich habe keine Ahnung. Ich kann mir nicht vorstellen, dass er sich an einen bestimmten Zeitplan hält. Ich schätze, er wird aus dem Bauch heraus handeln.«
Völlig unvermittelt wechselte Diekmann das Thema. »Wie haben Sie Markus und Flo eigentlich kennen gelernt?«
»Ich war Markus' Psychologin. Als ich sein damaliges Problem erkannt hatte, musste ich ihn an einen Kollegen überweisen, da ich nicht mehr viel für ihn tun konnte. Sein Problem lag tief, und ich war nicht spezialisiert genug.«
»Das muss gewesen sein, bevor er an meine Dienststelle gekommen ist, oder?«
»Ja. Er war sehr uneins mit sich selbst.«
»Ja, und auch andere waren uneins mit ihm. Ich weiß noch, dass mich sein damaliger Chef anrief und mich warnte, ich hätte es mit einem ›warmen Bruder‹ zu tun. Die Liste an Vorurteilen ist lang.«
»Hatten Sie keine?«
»Zumindest nicht gegen Schwule. Natürlich hat jeder Mensch Vorurteile. Das finde ich ziemlich normal. Kritisch wird es in meinen Augen erst dann, wenn wir uns aus Verbohrtheit oder Hass nicht eines Besseren belehren lassen. Bei vielen Menschen steigert sich ein Vorurteil, das vielleicht aus Unwissenheit entstanden ist, bis hin zum Hass und Gewalt und … na ja, Sie wissen ja, was da passieren kann. Asylantenheime brennen

wieder, Menschen werden zu Tode gehetzt, und vieles mehr. Nein, ich versuche immer, offen zu bleiben und dazuzulernen. Wie steht es mit Ihnen?«

»Meinen Sie, ob ich dazulerne oder ob ich Vorurteile habe?«

»Beides.«

»Also gut, beides.«

»Für eine Psychologin ganz schön flexibel.«

»Wie war das mit den Vorurteilen? Sie müssen ganz schön schlechte Erfahrungen mit Psychologen gemacht haben.«

»Eigentlich nicht. Wenn ich ehrlich sein soll, habe ich noch nicht sehr viel mit Psychologie zu tun gehabt.«

»Na, dann sind wir ja beim richtigen Thema.« Johanna lächelte ein wenig ironisch.

»Sie haben Recht. So viel zum Thema Vorurteile. Nein, verstehen Sie, was mich ärgert, sind die Fälle, in denen Gewalttäter von Psychiatern und Psychologen auf freien Fuß gesetzt werden. Denn wenn sie es nicht tun würden, würden Sie sich eingestehen müssen, dass manche Menschen einfach nicht therapierbar sind und auch Psychologen nichts ausrichten können. Mir kommt es immer so vor, als ob sie sich selbst und anderen etwas beweisen wollten. Von zehn Fällen gehen neun schief, und unschuldige Menschen werden verletzt, gedemütigt oder sogar getötet, weil ein Psychologe sie als harmlos oder ungefährlich eingeschätzt hat. Aber wenn ein Psychologe in einem Fall Erfolg hatte, dann heißt es sofort ›Seht her, es funktioniert‹. Das ist es, was ich aus tiefstem Herzen ablehne und verachte. So kann man meines Erachtens nicht mit unschuldigen Menschenleben umgehen.«

»Ja, da bin ich Ihrer Meinung. Ich glaube auch, dass die Psychologie vielen Menschen dazu dient, sich zu profilieren, aber glauben Sie mir, wir sind nicht alle so.«

»Wie sind Sie, Johanna?«

»Keine Ahnung. Ich glaube von mir behaupten zu können,

dass ich einschätzen kann, wann es besser ist, einen Rückzug zu machen.«
Sie schwiegen beide für einen Moment. Rainer hatte sich zu seinen Gerätschaften zurückgezogen und las in einer Zeitschrift. Johanna nahm an, dass es sich um eine Computerzeitschrift handelte.
»Wissen Sie, ich hab so etwas noch nie erlebt. Ich dachte immer, das gibt es nur in Filmen, um den Gruseleffekt bei den Zuschauern zu steigern.« Sie sah Diekmann nicht an, als sie weitersprach.
»Sie meinen den Anrufer?«
»Ja. Ich habe völlig die Nerven verloren. Ich habe geschrien und geheult und hatte plötzlich diese unsinnige Angst, dass er irgendwo hier in der Wohnung sein könnte. Blöd, nicht?«
»Nicht unbedingt. Sie müssen aber doch eigentlich am besten wissen, dass uns Ängste oder andere Gefühle jederzeit überrennen können. Solche Dinge kann man nicht steuern. Glauben Sie mir, auch ich habe im Dienst noch hin und wieder Angst. Das ist nichts, wofür man sich schämen muss.«
Genau das war es, was Johanna empfand. Nachdem sie sich beruhigt hatte, hatte sie sich geschämt. Sie hatte den Kopf verloren und zugelassen, dass ihre Angst sie kontrollierte, und das, wo sie noch nicht einmal wusste, wie es Markus eigentlich ging. Sie konnte nur erahnen, welche Todesängste er durchlitt. Ein Blick auf die Uhr zeigte ihr, dass es erst früher Nachmittag war. Die Zeit verging zäh, und noch hatte sie keine Ahnung, wie wichtig Zeit für die oder den Entführer war oder sein könnte. Sie glaubte, dass Markus' Entführer möglicherweise kein konkretes Zeitempfinden hatte.
Als das Telefon klingelte, setzte sie sich kerzengerade hin und warf unwillkürlich Diekmann einen fragenden Blick zu. Der Techniker hatte seine Zeitung achtlos auf den Boden geworfen und machte sich an seinem Laptop zu schaffen. Er hob war-

nend eine Hand, die er nach einem letzten prüfenden Blick auf den Bildschirm wieder fallen ließ, so als ob er ein Startzeichen für ein Rennen geben würde. Diekmann drehte sich zu Johanna um und nickte. Mit weichen Knien stand sie auf und ging auf das Telefon zu. Die Entfernung zwischen ihr und der einzigen Verbindung zu Markus' Entführer, der vermutlich auch die vier Frauen ermordet hatte, schien immer größer zu werden, je näher sie dem Gerät kam. Sie drückte den Knopf für die Lautsprecheranlage und nahm das Gespräch entgegen.

»Hallo?« Ihr war, als hätte sie einen Klumpen im Hals. Ihre Stimme klang rau, und auch nachdem sie sich geräuspert hatte, wurde es nicht besser.

»Hallo?« Ihre Stimme klang jetzt lauter als beabsichtigt.

»Johanna, bist du es? Hier ist deine Mutter.« Johanna atmete erleichtert auf und beobachtete aus den Augenwinkeln, wie sich die Männer augenblicklich entspannten.

»Mutter, es geht jetzt nicht. Ich möchte dich bitten, in der nächsten Zeit nur auf meinem Handy anzurufen.«

»Aber warum denn? Ist etwas passiert?«

Johanna drehte sich fragend zu Diekmann um. Er schüttelte den Kopf und zuckte gleichzeitig mit den Schultern. Anscheinend wollte er nicht, dass sie ihrer Mutter die Wahrheit sagte, wusste aber nicht, was sie stattdessen sagen könnte.

»Johanna, ich rede mit dir.« Die Stimme ihrer Mutter wurde nun beinahe schrill, und auch der ärgerliche Unterton war nicht mehr zu überhören.

»Es tut mir Leid, Mutter, es geht jetzt nicht. Mein Telefon ist nicht ganz in Ordnung, und die Telekom hat zugesagt, es zu testen. Das kann aber ein paar Tage dauern. In der Zwischenzeit wollen sie etwas ausprobieren, und deshalb soll die Leitung frei bleiben.« Ihre Begründung klang zugegebenermaßen etwas an den Haaren herbeigezogen, das merkte sie selbst, aber in der Eile war ihr keine plausiblere Erklärung eingefallen.

»Das glaubst du doch selbst nicht?« Der Tonfall ihrer Mutter verschärfte sich, aber Johanna hatte jetzt nicht die Nerven, sich mit ihr auseinander zu setzen.
»Ich sagte doch, es tut mir Leid.« Hastig drückte sie den Ausknopf des Geräts und beendete somit das Gespräch. Sie seufzte. Ihre Mutter war jetzt wahrscheinlich so beleidigt, dass sie sich in der nächsten Woche nicht mehr melden würde und stattdessen darauf wartete, dass ihre Tochter reumütig auf Knien angekrochen kam.
»Ich muss schon sagen, ein wirklich herzliches Verhältnis.« Diekmann klang eher erstaunt als belustigt. Johanna lag eine scharfe Entgegnung auf der Zunge, aber sie schluckte sie sogleich herunter. Schließlich hatte er ja Recht. Es war nicht zu überhören gewesen, dass das Verhältnis zwischen ihrer Mutter und ihr nicht zum Besten bestellt war.
»Ich fürchte, sie mag mich nicht besonders, und wenn ich ehrlich bin, ich sie auch nicht.«
»War das schon immer so?«
Johanna nickte. »Ich glaube schon. Aber als mein Vater noch lebte, war vieles einfacher.« Was genau einfacher gewesen war, führte sie jedoch nicht weiter aus.
»Ihr Vater ist tot?«, fragte Diekmann noch einmal nach.
»Ja, schon seit zehn Jahren. Mitunter vermisse ich ihn schrecklich. Im Gegensatz zu meiner Mutter. Sie scheint es ihm fast übel zu nehmen, dass er gestorben ist. Wahrscheinlich deshalb, weil er sie vorher nicht um Erlaubnis gefragt hat.« Ihr letzter Satz sollte witzig klingen, aber der traurige Unterton war unverkennbar und ihr Lächeln nur gequält. Johanna fragte sich, warum sie einem Menschen, mit dem sie gestern noch eine handfeste Auseinandersetzung gehabt hatte, ihre Geschichte erzählte, ihre Gefühle und privaten Begebenheiten, die ihn und andere nichts angingen, offenbarte. Vielleicht, gerade weil sie sonst immer alles in sich hineinfraß und eigentlich nicht den

Mut besaß über Privates zu sprechen. Aber in der momentanen Situation kam ihr einfach alles andere lächerlich vor. Vielleicht kam aber auch das Gefühl hinzu, als Tochter und eigenständiger Mensch gründlich versagt zu haben. Und – so seltsam es auch klingen mag – das Gefühl, genau zu wissen, dass Diekmann unter keinen Umständen Dinge, die sie ihm privat erzählt hatte, ausnutzen würde. Wahrscheinlich würde er sie einfach vergessen.

»Ich hatte noch einen älteren Bruder, müssen Sie wissen. Aber den mochte meine Mutter eigentlich auch nicht besonders.«

»Und wo ist ihr Bruder jetzt?«

»Er ist tot.« Sie ließ sich wieder neben Diekmann auf das Sofa fallen und betrachtete ihre Hände, die in ihrem Schoß lagen. »Mitunter ist es so, als wäre er nie dagewesen. Er war nicht so, wie meine Mutter erhofft hatte, und so spricht sie einfach nicht mehr über ihn. Niemals. Weder im Guten noch im Schlechten.«

»Sie ist verbittert.« Das war eine Feststellung. Johanna sah Diekmann erstaunt an, doch er wirkte vollkommen ernst. Einen Moment lang glaubte sie, eine unbekannte Saite in ihm zum Klingen gebracht zu haben, beinahe so, als wüsste er aus eigener Erfahrung, worüber sie sprach.

»Ja, das ist sie wohl. Aber keiner weiß genau warum. Ich nehme an, nicht einmal sie selbst weiß es. Vielleicht gibt es sogar etwas, das ihr gefehlt hat, aber ich glaube, allein der Gedanke, etwas verpasst zu haben, macht sie wahnsinnig.«

»Und Sie?«

»Ich?« Diekmanns dunkle Augen sahen sie durchdringend an, und sie glaube, so etwas wie Interesse darin zu lesen.

»Haben Sie das Gefühl, etwas zu verpassen?«

»Nein, aber ehrlich gesagt, mache ich mir darüber auch keine Gedanken. Vielleicht bin ich noch zu jung dafür. Aber selbst wenn es mal so weit kommen sollte, glaube ich nicht, dass ich

verbittert sein werde. Ich werde, denke ich, so eine Art Bilanz ziehen und sehen, was unter dem Strich rauskommt. Um eine Sache zu trauern, die man vielleicht verpasst hat, ist dumm und macht nur Kummer. Ganz abgesehen davon: Wie kann ich etwas vermissen, das ich nicht kenne? Nein, ich habe nichts verpasst, außer vielleicht die Gelegenheit, mich von meiner Geschichte und damit von meiner Mutter zu distanzieren. Aber das bekomme ich schon noch irgendwann hin.«
Als das Telefon erneut klingelte, zuckte Johanna erschrocken zusammen, so sehr war sie mit ihren Gedanken beschäftigt gewesen. Sie wartete auf ein Zeichen von Diekmann und stand dann auf. Langsam, als ob sie so das Unvermeidbare noch einen Moment aufschieben könne. Sie streckte die Hand aus und meldete sich mit etwas sicherer Stimme.
»Hallo?«
»Hallo.«
Sie erkannte diese künstliche Stimme sofort, die nun blechern durchs Zimmer schallte.
»Wie geht es dir, mein Kind?«
»Gut.« Johanna holte tief Luft. Ihr Körper schmerzte, so sehr hatte sie sich die ganze Zeit verkrampft. Ihre Lungen schienen kaum noch Platz zu haben, sich mit Luft zu füllen.
»Wie … wie geht es Ihnen?«
Sie hörte ein leises Lachen, gespenstisch verzerrt.
»Immer höflich. Das gefällt mir. Dir nicht auch?«
»Es … es erleichtert vieles.«
»Glaubst du, dass es auch in diesem Fall die Sache erleichtern wird?«
»Ich weiß nicht.« Johanna hatte ihre Hände ineinander verschränkt. Sie spürte, wie sie langsam feucht wurden, aus Angst, einen Fehler zu begehen. Sie stand hier und sprach mit einem Kidnapper und Mörder. Es war, als stünde er direkt neben ihr und hauchte ihr seinen heißen Atem ins Ohr. Sie erschauerte unwillkürlich und fragte sich, wie weit weg er war? Von wo aus

rief er an? Er kannte sie, aber sie ihn nicht – das machte es beinahe unerträglich. Was wusste er über sie?«

»Bist du allein?«

»Ja.« Ihre Antwort kam eine Spur zu hastig. Wieder erklang sein leises Lachen.

»Du lügst, mein Kind. Dieser gut aussehende Polizist ist bei dir und ein etwas weniger gut aussehender Mann. Was machen die bei dir? Sollten sie etwa herausfinden wollen, wo ich mich aufhalte? Und mich dann festnehmen? Vergiss es? Wenn du das zulässt, wird Markus sterben?«

»Was wollen Sie?«

»Denk darüber nach.«

Klick. Der Mann hatte aufgelegt.

Johannas Finger verharrten einen Moment auf dem Gerät. Nur langsam gelang es ihr, sich wieder zu bewegen. Doch sie fühlte sich, als ob alles um sie herum in Zeitlupe ablief.

»Tinsdaler Heideweg.« Rainers Stimme riss sie aus ihrer Starre.

»Bitte?« Sie drehte sich um.

»Er hat von einer Telefonzelle im Tinsdaler Heideweg angerufen.«

»Mein Gott, das ist nur drei Straßen weiter.«

Diekmann zog sein Handy aus der Tasche. »Ich werde schnell ein paar meiner Leute hinschicken, um Fingerabdrücke nehmen zu lassen.«

»Nein.« Johanna ging schnell auf ihn zu, und sah ihn beschwörend an. »Was ist, wenn er noch in der Nähe ist?«

»Das wird er nicht sein.« Diekmann streifte sie nur mit einem kurzen Blick.

»Und wenn doch?«

»Unser Mann scheint doch recht intelligent zu sein, oder? Er wird wissen, dass wir das überprüfen werden. Wir werden ihn bestimmt nicht mehr dort antreffen.«

»Ihr Wort in Gottes Ohr.«

»Glauben Sie, ich habe vor, Markus in Gefahr zu bringen?«

Diekmann starrte sie an. »Was denken Sie eigentlich von mir?« Seine Stimme hatte wieder die gewohnte Schärfe angenommen, durch die sein Gesicht kantig und verschlossen wurde. Die pochende Ader an seinem Hals zeigte, wie sehr er unter Druck stand.

»Tut mir Leid. Ich habe einfach nur Angst.«

Diekmann senkte den Blick und holte tief Atem. »Mir tut es auch Leid. Ich wollte nicht so heftig sein. Vergessen Sie es einfach.« Er presste die Lippen aufeinander und suchte weiter nach der Telefonnummer. Als er sie gefunden hatte, tippte er sie schnell ein und sprach schon nach kurzer Zeit hektisch auf seinen unsichtbaren Gegenüber ein.

Johanna nahm dies alles nur wie durch eine dicke Nebelwand wahr. Immer mehr entfernte sich ihr Geist, ihre Gedanken, ihre Gefühle von ihrem Körper. Sie stand in der Mitte des Raumes und fühlte sich, als ob sich die Welt allein um sie drehte. Alles was sie wahrnahm, war eine große leere Taubheit. Ihre Gedanken fühlten sich wie in Watte gepackt an. Diekmanns Stimme kam von einem anderen Stern, und sie verstand nicht genau, was er sagte. Sie spürte nicht, wie ihr der Speichel aus dem leicht geöffneten Mund tropfte, sah nicht den kleinen Speichelfaden, der sich langsam ihr Kinn entlang abseilte. Ihr Körper wurde taub, ihr Kopf leer. Ganz leer.

▣

Es hatte sich nichts verändert. Der Raum war stockdunkel und er war immer noch gefesselt. Er wusste nicht, wie er in diesen Raum gekommen war, konnte sich nicht an seinen Namen erinnern. Nur ganz langsam kehrte ein Teil seiner Erinnerungen zurück. Er drehte den Kopf zur Seite und starrte in die undurchdringliche Schwärze. Er hatte jegliches Zeitgefühl verloren. Die Angst war verschwunden. Gleichgültig lag er da und versuchte seinen Körper zu spüren und sich an sein Leben zu erinnern. Von Zeit zu Zeit kam eine Gestalt, schwarz wie sein Gefängnis, an sein Lager. Nur an den weiß blitzenden Augäpfeln, die hinter der schwarzen Maske hervorstachen, erkannte er den Menschen, der sich dahinter verbarg. Ein stechender Geruch nach Exkrementen und Urin stieg ihm in die Nase. Er hatte sich angepisst und sein Hintern lag in der eigenen Scheiße. Aber es war ihm egal. Schlaf war das Einzige, was er wirklich brauchte und herbeisehnte.

13

Eine schallende Ohrfeige brachte sie wieder zur Besinnung. Diekmann sah sie mit gerunzelter Stirn an, und auch Rainer hatte sich unsicher von seinem Platz erhoben und sah sie besorgt an. Mühsam hob sie den zentnerschweren Arm und wischte sich wie ein Kind, das in Ermangelung eines Taschentuches den Rotz mit dem Ärmel im Gesicht verschmierte, den Speichel von Mund und Kinn.
»Ja?« Das Sprechen fiel ihr schwer. Sie sah sich verwirrt um.
»Was ist los mit Ihnen? Machen Sie mir ja nicht schlapp.« Diekmanns Stimme klang trotz der Besorgnis, die in ihr schwang, ungeduldig, obwohl er versuchte, dies so gut es ging zu verbergen.
Johanna griff hinter sich, bis sie Halt an einem kleinen Sessel fand, der hinter ihr stand. Sie krallte sich daran fest und zog sich mühsam auf die Sitzfläche. »Ich hatte Recht, er ist hier irgendwo.« Sie flüsterte und starrte an Diekmann vorbei auf das Telefon, als ginge von ihm eine schreckliche Bedrohung aus. Sie zog die Schultern hoch und umfasste mit beiden Armen ihren Oberkörper. »Er beobachtet uns und ist uns immer einen Schritt voraus. Wir haben keine Chance! Er wird ihn töten.« Ihre Stimme wurde tonlos.
»Nein, das wird er nicht.« Diekmann wurde lauter, um Johanna aus ihrer Depression zu reißen. »Wir werden ihm zuvorkommen, haben Sie verstanden, Johanna? Wir kriegen ihn, ganz sicher.«
»Aber er kennt uns, sieht jeden Schritt, den wir tun, und wir haben nicht die leiseste Ahnung, mit wem wir es hier zu tun haben.«
»Noch kennen wir ihn nicht, aber glauben Sie mir, wir kriegen

ihn. Sie haben selbst gesagt, dass er Markus am Leben lassen wird, so lange wir Kontakt zu ihm halten.«
Sie schwieg. Sie konnte keinen logischen Gedanken fassen. Sie fror, und sie rollte sich zusammen, bis ihr Kopf fast ihre Oberschenkel berührten.
»Hören Sie mir überhaupt zu?« Diekmann klang nun zornig. Er packte sie an den Schultern und riss sie hoch. »Verdammt noch mal, reißen Sie sich endlich zusammen!« Er schüttelte sie, dass ihr Kopf wild hin und her flog. Plötzlich ließ er sie los und drehte sich um. »Wir dürfen jetzt nicht aufgeben, wir dürfen Markus nicht aufgeben. Lassen Sie uns lieber darüber nachdenken, was wir als Nächstes tun können.« Er fuhr sich mit der Hand durch die Haare und holte tief Luft. Dann legte er den Kopf in den Nacken und versuchte sich zu sammeln.
»Wir können nur abwarten, reagieren. Aber sonst können wir doch nicht viel tun.« Johanna stand immer noch so da, wie Diekmann sie hingestellt hatte. Doch wenigstens schien nun wieder etwas Leben in ihre Augen zurückzukehren, auch wenn ihre Stimme noch brüchig und tonlos klang. Auf Diekmanns Ausbruch jedoch war sie nicht vorbereitet. Sie erschrak bis ins Mark, als er sich plötzlich umdrehte und wutentbrannt losschrie: »Jetzt halten Sie aber mal die Luft an! Was ist los mit Ihnen? Ist Ihnen als Kind die Holzwolle aus dem Teddy gefallen oder könnten Sie vielleicht mal einen Moment aufhören, nur an sich zu denken? Da draußen wartet jemand auf unsere Hilfe, und das Einzige, wozu Sie in der Lage sind, ist herumzujammern und hysterisch zu heulen. Sie sind ein Versager, Doktor. Ihr Täterprofil war Scheiße, und Ihre, ach so wissenschaftlich begründete und fundierte Arbeit hat dazu geführt, dass einer meiner Leute da draußen einem irren Killer in die Hände gefallen ist!« Er kam auf sie zu und blieb so dicht vor ihr stehen, dass seine Nasenspitze beinahe ihre Stirn berührte. »Ich habe noch nie jemanden erlebt, der solche Probleme hat wie Sie und

diese dann auch noch wie einen Schutzschild vor sich herschiebt. *Seht her, ich bin ein armes kleines Ding. Habt mich bitte alle lieb!*«, äffte er Johannas Stimme nach. »Wissen Sie, was man über Sie redet? Man hält sie für ein frustriertes Frauenzimmer, das endlich mal einen Kerl braucht. Wussten Sie das? Man lacht über Sie, und jetzt weiß ich auch, warum. Sie scheinen mit ihren Haaren auch Ihren Verstand abgeschnitten zu haben. Aber wir brauchen Sie hier, verdammt noch mal! Ist es Ihnen möglich, dieses eine Mal nicht an sich zu denken, sondern an die Menschen, die Sie hier brauchen? Ist das etwa zu viel verlangt oder geht das endlich in Ihren blöden Puppenschädel rein?« Diekmanns Mundwinkel verzogen sich verächtlich nach unten. »Ich finde Sie zum Kotzen.« Er wandte sich ab und verließ Türen schlagend das Zimmer. Die Spannung, die noch vor einigen Augenblicken beinahe körperlich zu spüren gewesen war, war wie weggeblasen. Befreiende Stille breitete sich langsam in der Wohnung aus.

»Machen Sie sich nichts draus. Er ist nun mal so. Er wird sich schon wieder beruhigen«, sagte Rainer, den Johanna beinahe vergessen hatte. Erst jetzt bemerkte sie, dass er Diekmanns Ausbruch mitbekommen hatte. Sie drehte sich erstaunt um. Rainer lächelte zaghaft und war anscheinend darum bemüht, sie aufzuheitern. »Ich hatte anfangs auch Probleme mit ihm, das ist nun mal so mit starken Persönlichkeiten. Er kann aber auch ein sehr guter Freund sein.«

▣

Diekmann fühlte sich auf verlorenem Posten. Mit diesem Jammerlappen, den man ihm aufs Auge gedrückt hatte, konnte er nicht viel anfangen. Er warf noch einen Blick zu den beleuchteten Fenstern von Johannas Wohnung, dann stieg er in sein Auto. Beinahe wütend drehte er den Schlüssel im Zündschloss herum und trat dann kräftig das Gaspedal durch. Der Motor heulte auf, als wolle er sich über die brutale Behandlung beschweren. Mit quietschenden Reifen fuhr er vom Bordstein herunter und drehte zunächst aus sicherer Entfernung ein paar Runden um besagte Telefonzelle. Als er sicher war, dass er nicht beobachtet wurde, stellte er den Wagen ab und stieg aus. Nervös klopfte er seine Jackentaschen nach einer Schachtel Zigaretten ab. Er brauchte jetzt dringend einen kräftigen Zug. Nachdem er nachdenklich ein paar Minuten geraucht hatte, betrachtete er die Zigarette in seiner Hand und dachte daran, dass er eigentlich vorgehabt hatte, das Rauchen aufzugeben. Jedes Mal fand er wieder eine Ausrede. Seine Gedanken schweiften zurück zu dieser Psychologin. Wenn er ehrlich war, dann hatte er es sogar genossen, sie zu ohrfeigen. Eigentlich hatte es ihm schon die ganze Zeit in den Fingern gejuckt, sie einmal kräftig durchzuprügeln. Gleichzeitig war er entsetzt über seine gewalttätigen Fantasien, die er sonst nur Gewaltverbrechern zugestand. Aber er konnte einfach diesen wehleidigen Gesichtsausdruck nicht mehr ertragen. Manchmal fürchtete er, sie könne jeden Moment in Tränen ausbrechen. Es machte ihn krank. Er stocherte mit der Schuhspitze in der Erde, die sich in den Ritzen des Bürgersteigs befand, herum. Es war zum Auswachsen. Er hatte sich keine Gedanken darüber gemacht, wie weit er ohne ihre Hilfe, mit den Ermittlungen gewesen wäre, aber er war fast sicher, dass die jetzige Entwicklung einzig und allein auf ihr Konto ging. Außerdem war er felsenfest davon überzeugt, dass Frauen wie sie es nur darauf angelegt hatten, es Männern wie ihm schwer zu machen. Er inhalierte noch einen letzten Zug seiner Zigarette, bevor er sie wegschnippte und ihr zusah, wie sie langsam verglühte. Dann hörte er ein Fahrzeug herankommen und erkannte ein Team der kriminaltechnischen Untersuchungsabteilung. Der ältere der beiden Männer war ihm bekannt, mit ihm hatte er schon oft zusammengearbeitet. Sein Kollege war jünger und schien neu im Team zu sein.

»Guten Tag, Herr Diekmann«, grüßte der beleibte ältere Mann und watschelte auf Diekmann zu. Dabei zog er seine Hose hoch, die jedoch sofort wieder unter seinen mächtigen Bauch rutschte. Sein rotes, etwas feistes Gesicht glänzte vor Schweiß.

»Hallo, Reinhard. Schön, dass Sie gekommen sind.«

»Als ich hörte, wer unsere Hilfe braucht, habe ich beschlossen, selbst zu kommen. Sie wissen ja, das junge Volk hat einfach keine Geduld, geschweige denn Erfahrung.« Er machte eine wegwerfende Handbewegung. »Hey, Frank, beweg dich.« Dabei machte er sich nicht einmal die Mühe, sich umzudrehen, sondern spuckte seine Worte förmlich über die Schulter. Diekmann musste daran denken, dass etwa fünfundneunzig Prozent der Kollegen, die an Reinhards Dienststelle arbeiteten, ihren Job schon seit mindestens zehn Jahren verrichteten; Reinhards Meinung nach waren alle, die nicht, wie er, bereits seit fünfundzwanzig Jahren dabei waren, Grünschnäbel.

»Also, Herr Diekmann, was gibt es dieses Mal? Hör gut zu, Junge, damit du nicht ständig nachfragen musst.« Die letzten Worte richtete er an den Jüngeren, der gerade alle Utensilien neben ihm auf den Boden gestellt hatte. Diekmann schätzte ihn auf Mitte dreißig. Er deutete mit dem Daumen auf die Telefonzelle und sagte: »Fingerabdrücke an Tür, Gerät, Hörer, das volle Programm. Ich warte solange hier.« Reinhard nickte zur Bestätigung und rollte dann schwer atmend auf das kleine Telefonhäuschen zu.

Diekmann sah noch einen Moment zu, wie Reinhard Anweisungen erteilte und dann konzentriert zu arbeiten begann. Mit riesigen puscheligen Pinseln fuhren sie schnell über die Oberflächen, als wollten sie die Zelle neu streichen. Dabei machten sie merkwürdig kreisende Bewegungen mit dem Handgelenk, die Diekmann einmal versucht hatte, nachzuahmen. Vergeb-

lich. Nach dem dreißigsten Versuch, war ihm der Pinsel in den Dreck gefallen.
Er beschloss, sich ein wenig umzusehen. Die Telefonzelle stand noch in dem Teil des Tinsdaler Heidewegs, der zum Stadtgebiet Hamburg gehörte. Ein paar hundert Meter weiter überschritt man die Landesgrenze nach Schleswig-Holstein. Rundherum befanden sich Felder. So weit das Auge blickte, Felder. Das nächste Haus, das eine ganze Ecke entfernt stand, war von so hohen Büschen umgeben, dass mit Sicherheit niemand gesehen haben konnte, wer hier in die Telefonzelle gegangen war. Er lauschte einen Moment. Das Einzige, was hier zu hören war, war der Wind, der sich in den umstehenden Bäumen verfing. Ein leises Rauschen, das einem das Gefühl gab, nur von Einsamkeit umgeben zu sein. Ansonsten war es still. Die meisten Vögel waren schon gen Süden gezogen oder hatten es sich in geschützten Nischen bequem gemacht. Der Wind fuhr durch seine Haare. Fast automatisch hob er die Hand, um sie zu ordnen. Dies hier war ein idyllisches Fleckchen Erde. Mitten in der Stadt, obwohl man sich beinahe auf dem Land fühlte. Man konnte sich inmitten der Natur und der wenigen gediegenen Häuschen, die sich hier befanden, kaum vorstellen, dass hier ein Irrer herumlief. Für einen Moment betrachtete er die Häuser in einiger Entfernung, die durch den Wind von Bäumen und Hecken freigegeben wurden. Es sah alles so friedlich aus, aber man wusste ja nie, was sich hinter den Fassaden tatsächlich abspielte. Auf einmal hatte er das Gefühl, beobachtet zu werden, und für den Bruchteil einer Sekunde konnte er sich vorstellen, wie es Johanna ergangen war, als sich der unheimliche Anrufer das erste Mal bei ihr gemeldet hatte. Aber er verscheuchte den Gedanken schnell wieder, denn Mitleid oder Verständnis für diese Frau waren wirklich das Letzte, was er wollte.
»Herr Diekmann?« Der junge Mann, der zusammen mit Rein-

hard gekommen war, stand in einiger Entfernung und winkte ihm zu. Diekmann straffte die Schultern, dann ging er rasch auf die beiden zu. Reinhard schüttelte unzufrieden den Kopf.
»Tut mir Leid, Herr Diekmann, aber dieses Mal kann ich Ihnen leider nicht helfen. Es gibt keine einzige Spur. Die Scheibe rund um den Griff, der Hörer und der Kartenschlitz sind abgewischt worden. Die übrigen Spuren bestehen aus verschiedenen, ich würde sogar sagen, älteren und sich überlagernden Fingerspuren, die wir nicht mehr sichern können. Ihr Mann hat ganze Arbeit geleistet.« Diekmann tätschelte Reinhard beinahe tröstend den Arm.
»Ist schon gut, Reinhard, mir tut es Leid, dass ich Sie umsonst bei diesem Wetter rausgejagt habe. Trotzdem, vielen Dank für Ihre Hilfe.«
»Das ist doch selbstverständlich. Für Sie würde ich sogar nachts von meiner Frau runterrollen.« Nach seinen letzten Worten verfiel Reinhard in wieherndes Gelächter, und Diekmann sah, dass der jüngere Assistent genervt die Augen verdrehte. Einen Moment hatte Diekmann Mitleid mit ihm. Aber nur für einen Moment.
»Dann noch einen schönen Abend euch beiden, und nochmals Danke.«
Diekmann hob grüßend die Hand und sah den beiden noch hinterher, als sie schon längst verschwunden waren. Erschöpft lehnte er sich dann an die Motorhaube und steckte sich noch eine Zigarette an. Nachdem er eine Weile lang nachgedacht hatte, tippte er seine Büronummer in sein Handy.
»Julika? Diekmann hier. Ich möchte Sie um etwas bitten. Bis auf weiteres sollen sich ein paar zivile Dienstwagen im Bereich Rissen und Wedel aufhalten und unauffällig Patrouille fahren. Unauffällig! Verstanden? Ich glaube, unser Mann ist hier irgendwo, und ich fürchte, dass demnächst alles ziemlich schnell gehen muss. Ich melde mich dann wieder.«

Er klappte das Handy zu und schob es entschlossen in seine Jackentasche zurück. Auf keinen Fall würde er diesem Weib das Ruder überlassen. Jetzt konnte das Spiel beginnen.

▣

Nun endlich war es so weit. Und alles war viel besser als erwartet.
Am Telefon war sie ja regelrecht hysterisch geworden. Sicher, man hatte einen Umweg nehmen und erst einmal diesen Bullen entführen müssen, aber das ließ sich nun mal nicht mehr ändern. Diese Frau hatte anscheinend kein schlechtes Gewissen und nicht die leiseste Ahnung, worum es sich wirklich drehte. Sie konnte sich offensichtlich wirklich nicht erinnern, aber jetzt ... ja, jetzt war man auf dem richtigen Weg. Schließlich hatte man bei der Planung diese Art Unwegsamkeiten nicht voraussehen können. Wer hätte denn schon wissen können, dass es sich als so schwierig gestalten sollte, diese Frau zum Nachdenken zu bringen. Und so hatte die Entführung des Polizisten eben improvisiert werden müssen.
Die ganze Sache musste überhaupt wie eine schnelle Fahrt über Land gesehen werden.
Eine Fahrt, bei der man eine Landstraße entlangfuhr, auf eine Baustelle stieß, der Umleitung folgte, um dann irgendwann wieder auf den richtigen Weg zurückzukommen.
Das Gesicht im Spiegel nickte zufrieden. Ja, genauso musste man es sehen. Eine Umleitung. Mehr nicht.
Eigentlich konnte jetzt nichts mehr schief gehen. Egal wie viele Leute aufpassten, am Ende würde diese Frau verlieren, und keiner würde das verhindern können.
Wie einfältig sie waren! Glaubten sie doch allen Ernstes, man hätte Fingerabdrücke in der Telefonzelle hinterlassen!
Das Gesicht im Spiegel verzog sich zu einem amüsierten Grinsen. Eine Hand legte sich vor den Mund, als aus dem Kichern ein vergnügtes Glucksen wurde.
Also wirklich! Fast ein bisschen beleidigend. Man hatte bisher keinen Feh-

ler gemacht, warum also sollte man jetzt damit anfangen? Diese Leute waren wirklich zu dumm. Das machte die ganze Sache ja so schwierig. Wenn die Psychologin nicht so dumm wäre, wüsste sie längst, worum es ging, oder etwa nicht? Aber so waren nun mal viele Frauen. Hinter ihren hübschen Puppengesichtern war nichts als Hohlraum. Meistens jedenfalls. Das Gesicht im Spiegel wurde traurig. All das führte wieder zum Ausgangspunkt zurück.

Das Gesicht verzog sich zu einer hässlichen, bösen Grimasse, als es langsam die Zähne fletschte und die Hände, verborgen unter dem Spiegel, zu Fäusten ballte. Ein Knurren stieg tief aus der Kehle empor. Diese Frau, sie hatte alles verraten, alles, was gut und teuer war. Sie war bereit gewesen, Menschenleben zu verraten und zu opfern.

Aber alles hatte seinen Preis. Jetzt war es an ihr, dafür zu bezahlen!

▣

Eigentlich hatte Johanna angenommen, dass sie Diekmann schon von seiner schlechtesten Seite kannte, aber da hatte sie sich gründlich getäuscht. Ausdruckslos starrte sie Rainer an und machte einen Schritt in den Flur hinaus. Sie blickte die Wohnungstür an, als könne sie ihr eine Antwort geben. Für einen Moment versuchte sie sich einzureden, dass Diekmanns Reaktion nur die Folge der Sorgen war, die er sich um Markus machte. Schnell kam sie jedoch zu dem Schluss, dass Diekmann echte Abneigung gegen sie hegte. Für einen Moment verharrte sie reglos im Flur, dann seufzte sie tief. Er hatte ja Recht, sie hatte versagt. Da hatte sie endlich ihre Chance bekommen, und was tat sie?! Sie setzte sie mit Pauken und Trompeten in den Sand. Ein echter Schuss in den Ofen. Großartig. Sie hatte sich verrannt. Verrannt in ihren Ärger über Diekmann, verrannt in die Idee, es sich wieder einmal beweisen zu müssen. Koste es, was es wolle! Nur dieses Mal hatte nicht sie selbst den Preis dafür bezahlt, sondern jemand anderes. Jemand, der ihr nahe stand, der ihr wichtig war. Und es lag an ihr, die Sache wieder gerade zu biegen. Es tat weh. Aber eines war zumindest klar, etwas in ihrem Leben musste sich verändern. Oder besser gesagt: Alles in ihrem Leben musste sich ändern. So konnte es jedenfalls nicht weitergehen. Selbst sie hatte den Blick für das Wesentliche verloren, sofern sie ihn überhaupt je besessen hatte, weil sie in ihre eigenen Probleme und Problemchen verstrickt gewesen war. Auch wenn sie nicht bereit dazu war, ihr Leben zu ändern, ihr Leben würde sich zwangsläufig ändern, denn Diekmann würde nach dieser Sache bestimmt dafür sorgen, dass sie gefeuert wurde. Sie lächelte freudlos vor sich hin. Und genau das galt es, zu verhindern.

Sie holte tief Luft und sah an sich hinunter. Noch immer stand sie im Flur. Unverändert, bewegungslos. Dann drehte sie sich langsam um.

»Ich bin gleich wieder da, ich gehe mich nur kurz etwas frisch machen.«

Rainer nickte und hob die Hand. Er lächelte zaghaft. Mitleid, schoss es ihr durch den Kopf. Mitleid war nun wirklich das Letzte, was sie brauchte. Sie straffte die Schultern und ging hoch erhobenen Hauptes aus dem Zimmer. Also gut, bringen wir es hinter uns. Gehen wir in die letzte Runde.

So laut und unheilschwanger Diekmanns Abgang gewesen war, so leise und friedlich war seine Rückkehr. Johanna schreckte hoch, als sie die Haustür leise zuklappen hörte. Sie hatte in einer Zeitung geblättert, um die Zeit totzuschlagen. Ihr kurzes Haar war bereits getrocknet, und sie hatte eine frische Jeans und ein T-Shirt übergestreift. Sie sah kurz zu Rainer, der es sich in einem Sessel bequem gemacht hatte und nun mit zurückgelegtem Kopf leise vor sich hin schnarchte. Für ihn war das Ganze nur ein Job unter vielen. Für einen Moment beneidete ihn Johanna.

Plötzlich stand Diekmann im Raum, mit verkniffenem Mund und den Händen tief in den Jackentaschen vergraben.
Johanna blickte kurz hoch, widmete sich dann jedoch sofort wieder ihrer Zeitung. Leichtes Herzklopfen erinnerte sie daran, dass sie sich nicht gerade im Guten getrennt hatten, und sie überlegte, wie sie einen einigermaßen neutralen Zustand herstellen konnte.
»Haben Sie etwas gefunden?«
Diekmann sah sie einen Moment lang stumm an. Seine Falten auf der Stirn wurden noch tiefer, schien es Johanna, und nach einer beinahe endlosen Pause antwortete er widerwillig: »Nein. Es war alles weggewischt. Und hier? Alles ruhig?« Er deutete mit dem Kopf eine Bewegung an, die den ganzen Raum umschloss.
»Sie brauchen sich nur Rainer anzusehen«, antwortete Johanna.
Diekmann wippte einen Moment unschlüssig auf den Fersen und starrte seine Zehen an. Dann kam langsam Bewegung in seinen Körper. Er ließ sich neben Johanna auf das Sofa fallen.
»Er hat keinen einzigen Fingerabdruck hinterlassen, sondern alles sorgfältig abgewischt.«
»Kann ihn vielleicht jemand dabei beobachtet haben?«
Diekmann schüttelte leicht den Kopf. »Schwerlich. Die Telefonzelle wird anscheinend nicht mehr viel genutzt. Kein Wunder, im Zeitalter der Handys. Jedenfalls steht sie gut verborgen in einem ziemlich ausgestorbenen Winkel der Straße. Wenn da nicht gerade jemand mit seinem Hund auf dem Weg in die Feldmark vorbeikommt, kann man unbemerkt jede Menge Unfug treiben. Irgendjemand hat auch schon, wie es aussah, vor einiger Zeit versucht, die Telefonzelle anzuzünden.«
Sie beide vermieden es, auszusprechen, was zuvor zwischen ihnen geschehen war. Diekmann schien jedoch bemüht zu sein,

sein Verhalten wenigstens etwas wieder gutzumachen, indem er versuchte, freundlich zu sein. Und Johanna gab sich alle Mühe, nicht beleidigt zu wirken.
»Und was schlagen Sie jetzt vor?« Johanna hatte ihre Zeitung beiseite gelegt und die Arme vor der Brust verschränkt. Diekmann richtete sich leicht auf und rieb sich einmal kräftig über das Gesicht. »Ich weiß es nicht. Ich fürchte, wir müssen abwarten. Er wird sich mit Sicherheit bald wieder melden. Ist Ihnen inzwischen vielleicht etwas eingefallen?«
»Möglich. Wir sollten uns das Tonband noch einmal anhören. Ich glaube, mir ist da etwas aufgefallen.«
Bevor sie fortfahren konnte, bekam Rainer plötzlich einen Hustenanfall. Er hatte anscheinend das Atmen während des Schlafens vergessen und keuchte. Er blinzelte. Dann sah er Diekmann auf dem Sofa sitzen.
»Oh, 'tschuldigung. Muss wohl eingeschlafen sein.« Er setzte sich aufrecht hin. Leichte Röte stieg ihm in die Wangen. Es schien ihm peinlich, für einen Augenblick Mittelpunkt des Geschehens zu sein.
»Ist schon okay«, Diekmann lächelte, »nun sind Sie ja wieder wach, und wir sollten uns gemeinsam das Band noch einmal anhören.«
Dankbar sprang Rainer auf, ging zum Esstisch zu seinen Geräten und spulte das Band zurück. Diekmann nickte ihm zu. Wieder hörten sie die künstliche Stimme durch das Zimmer hallen. Dann hörten sie Johannas Antwort, vorsichtig und etwas steif.
»Bist du allein?«, fragte die Stimme.
»Ja.«
»Du lügst, mein Kind. Dieser gut aussehende Polizist …«
»Stopp.« Johannas Stimme klang energisch. Rainer drückte den Knopf, und augenblicklich war es wieder still in dem Zimmer.
»Haben Sie das gehört?«
»Was?« Diekmann schien irritiert, aber ausnahmsweise nicht

verärgert. »Er nennt mich *mein Kind* und spricht davon, dass Sie gut aussehend sind.«
»Stimmt.« Diekmann überlegte einen Augenblick. Dann schien er zu verstehen, was sie damit auszudrücken versuchte. »Sie meinen, das könnte bedeuten, dass es sich um einen älteren Mann handelte, der möglicherweise schwul ist?«
Johanna nickte triumphierend.
»Genau das meine ich.«
»Finden Sie das nicht etwas weit hergeholt? Aber egal, wir müssen alle Möglichkeiten durchgehen. Was machen wir jetzt?«
Diekmann sah albern aus, wie er da mit offenem Mund stand und laut nachdachte.
»Gute Frage. Ich schätze, wir sollten mal mit Flo sprechen. Vielleicht fällt ihm dazu etwas ein.«
»Dann müssen wir ihm aber sagen, was passiert ist.« Diekmann presste die Lippen zusammen. Er überlegte kurz. »Okay, wir warten noch einen Anruf ab und sprechen dann mit Flo.«
Als das Telefon klingelte, zuckte Johanna erschrocken zusammen. So schnell hatte sie nicht mit einem weiteren Anruf gerechnet. Das Läuten des Telefons erschien ihr plötzlich bedrohlich und aggressiv. Nachdem sie sich gemeldet hatte, erklang wieder die ihr inzwischen wohl bekannte blecherne Stimme.
»Ist er wohlbehalten wieder zurückgekehrt?«
Johanna streifte Diekmann, der angespannt wirkte und sich zu seiner vollen Größe aufgerichtet hatte, mit einem Seitenblick.
»Ja. Herr Diekmann ist hier.«
Die blecherne Stimme lachte leise. Es war mehr ein Kichern als ein Lachen, das Johanna kalte Schauer über den Rücken jagte.
»Ich habe ihn gesehen«, sagte die Stimme mit beinahe zärtlichem Unterton.
»Hat er seinen Leuten gesagt, das sie nach mir suchen sollen? Hofft er am Ende, dass ich immer von derselben Telefonzelle anrufe?«

Die Stimme schwieg, als erwarte sie eine Antwort. Johanna sah sich ratlos um.
»Antworte mein Kind.« Die Stimme wurde nun scharf und klang ungeduldig und bösartig. In Diekmanns Gesicht zuckte kein Muskel. Johanna beeilte sich zu antworten. Sie musste an das denken, was Diekmann ihr gesagt hatte. Man ließ einen Entführer niemals warten.
»Ich weiß es nicht.«
»Das solltest du aber. Schließlich geht es um Markus' Leben.«
»Wie geht es ihm?«
»Gut. Er schläft viel und isst kaum.« Trotz des Stimmenverzerrers hatte diese Stimme etwas hypnotisches, das Johanna vollkommen in Bann zog.
»Ist Markus gesund?«
»Ich sagte doch, dass es ihm gut geht«, bellte die Stimme ungeduldig, *»und ich sage nur noch einmal: Versucht nicht, mich zu finden, sonst TÖTE ICH MARKUS.« Hast du mich verstanden?«* Die Stimme kippte nun beinahe über vor Wut, die sie nur mühsam zu unterdrücken schien. Es war unheimlich.
»Ja … ja, ich habe verstanden. Entschuldigung. Es tut mir Leid.« Johanna spürte Panik in sich aufsteigen. Da war jemand, der sie alle bedrohte, jemand, der ganz nah war und gleich doch so fern.
»Hör gefälligst auf, dich zu entschuldigen, du wirst später noch Zeit dazu haben. Schlaf gut.«
Die Stimme flüsterte jetzt, und Johanna hatte plötzlich merkwürdigerweise den Eindruck, als spräche eine Mutter zu ihrem Kind, das aus einem Albtraum erwacht war und wieder in den Schlaf gewiegt werden sollte. Nach einer kleinen Pause war ein leichtes Knacken zu hören. Der Anrufer hatte aufgelegt. Johanna drehte sich zu Diekmann um.
»Was haben Sie Ihren Leuten gesagt, um Gottes willen?«
Diekmann wich ihrem Blick aus. Er hatte immer noch seine Ja-

cke an, und als Johanna ihn näher betrachtete, sah sie, dass seine Gesichtsmuskeln vor Müdigkeit ganz schlaff waren. Seine Haut war grau, und er sah auf einmal zehn Jahre älter aus.
»Ich habe lediglich die Anordnung gegeben, dass sich eine Reihe von Zivilfahndern in der Gegend aufhalten sollen.«
Johanna presste die Lippen zusammen. »Sie scheinen nicht ganz begriffen zu haben, dass es unserem Mann verdammt ernst ist. Blasen Sie die Aktion ab. Sofort.« Ihre Stimme vibrierte nun selbst vor verhaltener Wut.
»Außerdem sollten wir endlich mit Flo sprechen, meinen Sie nicht auch?« Johanna fixierte Diekmann scharf, der müde seine Augen mit einer Hand bedeckte. »Ja, Sie haben Recht, er muss endlich die Wahrheit erfahren. Ich sorge dafür, dass Flo schnell herkommt.« Er zog sein Handy aus der Tasche und tippte eine Nummer ein. Johanna konnte in Diekmanns Gesicht lesen, was sie selbst empfand. Irgendetwas war passiert. Irgendwann war die Sache außer Kontrolle geraten, und keiner konnte genau sagen, wann das geschehen war. Sie fragte sich, was passiert wäre, wenn man sie nicht zu den Ermittlungen hinzugezogen hätte. Eines war klar: Der Killer wollte *sie* sprechen, er wollte *mit ihr* verhandeln. Was hätte er aber gemacht, wenn sie nicht da gewesen wäre? Was wollte er von ihr? Im Nachhinein war ihr klar, dass der ganzen Sache ein perfekt durchdachter Plan zugrunde liegen musste. Die Polizei, genauer gesagt, Diekmann, hatten zu keinem Zeitpunkt auch nur den Hauch einer Chance gehabt. Der Mörder hatte gehandelt und sich dann entspannt zurückgelehnt, um zu beobachten, was passierte. Sie dachte an die toten Frauen, die sich alle so ähnlich sahen. Wie passte Markus da hinein? Wie passte sie selbst dazu? Und warum rief er gerade sie an? Fühlte sich der Mörder wirklich so unerreichbar, so unantastbar und sicher, wie er tat? Wenn dem so wäre, würde er über kurz oder lang immer wagemutiger werden und irgendwann einen Fehler ma-

chen. Das war so sicher wie das Amen in der Kirche. Bisher gab es keinen Hinweis auf den Täter. Die Nachforschungen der Polizei hatten nichts ergeben. Mörder, die vor Jahren verurteilt und inhaftiert worden waren und nun wieder auf freiem Fuß leben, waren entweder in der Zwischenzeit gestorben oder hatten ein einwandfreies Alibi. Sie wusste, dass Diekmann jemanden abgestellt hatte, um alte Fälle zu sichten. Fälle, bei denen Frauen getötet worden waren. Ehefrauen, Töchter, Schwestern. Es war eine Suche nach der Nadel im Heuhaufen. Aber es musste eine Antwort geben, eine Antwort, die nur in einem kranken Hirn geboren sein konnte. Sie ging zum Fenster und drückte ihre heiße Stirn gegen die kühlen Scheiben. Sie fühlte sich fiebrig. Einen Moment lang versuchte sie ihre Gedanken und ihr Bewusstsein auszuschalten. Wolken jagten am Himmel dahin, dunkel und unheilschwanger schossen sie wie im Zeitraffer hintereinander her. Sie wirkten wie schmutzige Watte, die zum Trocknen aufgehängt worden war. Es wurde bereits dunkel. Wie ein schwarzes Laken legte sich die Dämmerung über den Tag. Sie sah ein paar Menschen auf der Straße umherhasten, die sich schnell vor dem Regen ins Warme flüchten wollten. Sie wünschte, sie wäre auch jemand, der einfach nach Hause gehen und seine Probleme vergessen konnte. Fast wünschte sie sich in ihre Einsamkeit zurück und sehnte sich nach den kleinen Problemen, die sie bisher so wichtig genommen hatte. Zu wichtig. Ihre Stirn fühlte sich taub an, und die Kälte breitete sich auf ihren Wangen aus. Sie wandte den Blick ab, um nicht weiterhin Menschen beneiden zu müssen, die sie nicht kannte.
»Flo kommt her. Ihr Freund bringt ihn her.« Diekmanns Stimme riss sie aus ihren Gedanken.
»Mein Freund?« Sie hatte nicht bemerkt, dass er mittlerweile wieder neben ihr stand. Diekmann hatte seine Jacke ausgezogen, so dass man die Schweißränder unter seinen Achseln se-

hen konnte. Er sah sie nicht an, als er weitersprach. Seine Stimme klang heiser, aber Johanna war nicht mehr überrascht darüber, Angst aus seinen Worten zu hören. Er hatte Angst. Angst um Markus, und um ein Haar hätte sie tröstend seinen Arm gedrückt.
»Joachim. So heißt er doch?«
»Ja, aber er ist nicht mein Freund.« Sie starrte wieder aus dem Fenster.«
»Was ist er dann?«
»Geht Sie das was an?«
»Nein.« Es entstand eine Pause zwischen ihnen, aber ausnahmsweise warteten sie beide nicht auf einen Fehler oder ein Schwächezeichen des anderen. Sie standen einfach nur da und schwiegen.
»Ich habe Joachim bei Markus und Flo kennen gelernt, weil Flo mich verkuppeln will.« Sie wusste nicht genau, warum sie ihm nun eine Erklärung gab, aber sie hatte plötzlich das Bedürfnis danach. Sie zog ihre Schultern hoch, als wolle sie sich in sich selbst verkriechen.
»Ich dachte, sie seien liiert?«
»Ja, das dachte ich auch.« Sie lachte leise auf, verbittert und amüsiert zugleich. »Alle dachten das. Aber ich schätze, das ist inzwischen überholt.«
»Lieben Sie ihn denn nicht mehr?«
»Finden Sie Ihre Fragen nicht eine Spur zu persönlich?« Johanna wandte sich ihm zu und zeigte mit Daumen und Zeigefinger eine mikroskopisch kleine Spanne an. Dabei lächelte sie ihn an, um ihm zu verstehen zu geben, dass sie es nicht ernst meinte. Er verzog keine Miene, sie konnte aber sehen, wie es in seinen Augen schalkhaft aufblitzte. »Nein, eigentlich nicht.«
»Gut.« Sie wandte sich wieder dem Fenster zu und sprach weiter: »Ich weiß ehrlich gesagt gar nicht so genau, was Liebe ist.

Ich fand ihn einfach charmant. Sie wissen schon: amüsant, galant, gut aussehend …«

»Gut im Bett?«

»Nein. Er war im Bett eine Niete.«

Diekmann begann zu grinsen und lachte schließlich lauthals auf. »Sie sind mir ja eine! Sagen Sie, sind Sie immer so ehrlich?«

»Nein«, gestand sie, »leider nicht. Das heißt, eigentlich schon, aber ich halte meistens den Mund. Wenn ich dann allerdings was sage, kann ich ziemlich brutal sein.«

Die Türklingel ließ beide hochschrecken. Für einen Moment hatten sie sich eine Art Nische geschaffen, die es ihnen erlaubte, wieder Kraft zu tanken und sich auf das vorzubereiten, was unweigerlich auf sie zukommen würde.

»Das werden sie sein. Ich mache schnell auf.« Diekmann drehte sich um und verschwand in Richtung Flur. Kurz darauf hörte sie die Tür und ein paar Stimmen, die sich dem Wohnzimmer näherten. Sie stand noch immer am Fenster, unfähig, ihre Stellung aufzugeben, als wäre dieser Platz ein Symbol für den Freiraum, den sie für ein paar Minuten genutzt hatte. Als Erstes erschien Florian, Joachim folgte ihm. Sein Gesicht war ernst, und seine Augen suchten Johannas. Sie nickte ihm kurz zu, dankbar, dass er ebenfalls gekommen war. Johanna sah sofort, dass Florian erschöpft war. Man sah ihm die Sorgen und durchwachten Nächte deutlich an. Er hatte schwarze Ringe unter den geschwollenen Augen, und Johanna war sich sicher, dass diese nicht nur vom vielen Weinen kamen. Er schien Kopfschmerzen zu haben. Johanna glaubte bei seinem Anblick das dumpfe Pochen in seinem Kopf selbst zu hören und vor allen Dingen auch zu fühlen. Als er näher kam, sah Johanna, dass er am Ende seiner Kräfte war. Seine ganze Körperhaltung signalisierte Resignation, selbst wenn Johanna glaubte, einen Funken Hoffnung in seinen Augen aufglimmen zu sehen, als er sie ansah. Sie ging langsam auf ihn zu und nahm lächelnd seine Hände in die ihren.

»Markus geht es gut, Flo. Wir haben mit dem Kidnapper gesprochen.«

»Wisst ihr schon, warum er Markus entführt hat?« Florian blickte Johanna hoffnungsvoll an, doch sie schüttelte nur den Kopf.

»Nein, das wissen wir noch nicht.«

»Herr Diekmann hat gesagt, dass er die Aktion bei uns zu Hause abbrechen will, da er davon ausgeht, dass sich der Entführer nicht bei uns melden wird. Stimmt das?« Er hatte Johanna seine Hände entwunden und war einen Schritt zur Seite getreten. Johanna hatte das Gefühl, als hätte sie zwei Eiszapfen in den Fingern gehalten, die ihr nun entglitten waren. Florian schien im Moment körperliche Nähe, auch wenn sie tröstend gemeint war, unangenehm. Wahrscheinlich war sie ihm genau deshalb unangenehm, weil sie tröstend war, schoss es Johanna durch den Kopf.

»Ja, das stimmt. Der Kidnapper scheint Kontakt zu mir zu suchen.

»Warum?« Flo stand nun mit dem Rücken zu ihr.

»Das wissen wir noch nicht genau. Vielleicht hat er mich im Fernsehen gesehen und findet es nun reizvoll, es mit mir aufzunehmen.«

»Ja, aber warum?«

»Ich weiß es nicht.« Johannas Arme baumelten kraftlos herunter, als gehörten sie nicht länger zu ihr. »Ich vermute, er will uns zeigen, dass er besser ist als wir und dass er mit uns spielen kann.«

»Denkst du, dass es dieser Frauenmörder ist?«

»Ich fürchte, ja. Er ist recht ungeduldig. Aber ich weiß leider immer noch nicht, was er genau will.« Sie sah unsicher zu Diekmann. »Keiner weiß das«, schob sie abschließend hinterher.

»Wie soll es jetzt weitergehen?«
»Er hat mit uns Kontakt aufgenommen, und ich bin mir sicher, dass er bald seine Forderungen stellen wird.« – »Wie auch immer sie aussehen werden«, dachte Johanna im Stillen. Doch das sagte sie lieber nicht laut. Die Situation schien ihr schon ausweglos genug.
»Und du bist sicher, dass es Markus gut geht? Er ist nicht verletzt?«
Florians Frage warf Johanna für einen Moment aus der Bahn. Sie sah schnell zu Diekmann hinüber, der kaum merklich den Kopf schüttelte.
»Er ist okay.« Johanna hasste sich für die Lüge, aber wem nützte es, wenn sie Flo an dieser Stelle die Wahrheit über Markus' Finger sagte? Florian ganz bestimmt nicht.
Flo hatte sich ruckartig umgedreht und sah Johanna fest in die Augen. Sie verschränkte ihre Finger ineinander und holte tief Luft.
»Wir wollen dich etwas fragen, Flo, und ich möchte, dass du dir etwas anhörst.«
Florian schwieg und machte es Johanna damit noch schwerer.
»Ist das okay für dich?«
Er schwieg immer noch, dann richtete er sich ein wenig auf und nickte leicht. Er hatte Distanz zwischen sich und Johanna geschaffen, doch Johanna konnte noch nicht abschätzen, ob Misstrauen der Grund hierfür war oder ob Florian einfach nur versuchte, seine Fassung zu wahren.
»Also gut. Wir haben Grund zu der Annahme, dass es sich bei dem Täter um einen Homosexuellen handelt. Habt ihr … ich meine … die Kneipen, in denen ihr …«
»Wir verkehren nicht in Schwulenkneipen, wenn du das meinst. Wir trinken unser Bier in den gleichen Lokalen wie du.« In Florians Augen schlich sich eine Kälte, die Johanna bis dato unbekannt war.

»Gibt es jemanden, der vielleicht in einen von euch beiden vernarrt ist? Gab es Ärger in letzter Zeit?« Johanna ließ sich von Florians Blick nicht beirren, der inzwischen durch sie hindurchging und auf einen Punkt zwischen ihm und Johanna gerichtet zu sein schien. Er wirkte abwesend und frustriert zugleich.

»Florian?«

»Du meinst eine Art Dreiecksbeziehung?« Nur langsam hob er den Blick und sah sie durchdringend an. »Nein, wir hatten keine derartigen Probleme.«

»Hör dir bitte etwas an.« Johanna gab Rainer ein Zeichen, damit er das Band zurückspulte. Wieder hallte die Stimme des Mörders durch das Zimmer. Johanna ließ das Band an der gleichen Stelle stoppen wie zuvor.

»Es ist mir klar, dass du diese verzerrte Stimme nicht wiedererkennst, aber fällt dir vielleicht irgendetwas auf? Ich meine, vielleicht an der Wortwahl, oder so?«

»Nein.« Florians Stimme war zu einem Flüstern geworden. Für einen Augenblick sagte niemand ein Wort. Dann räusperte Flo sich und sagte: »Wenn es ein Schwuler gewesen ist, warum vergreift er sich dann an Frauen? Das ist doch unsinnig, oder?« Für einen Augenblick sah er Johanna fest in die Augen. Irgendetwas war in seinem Blick, das Johanna nicht recht zu deuten wusste, aber schließlich fiel es ihr ein: Florian machte *ihr* Vorwürfe.

»Florian, vielleicht hätten Sie ein paar Minuten Zeit für mich?« Diekmann mischte sich ein und forderte Flo auf, zu ihm zu kommen. Johanna verschwand in der Küche. Ein Kaffee konnte nicht schaden. Als sie gerade dabei war, den benutzten Kaffeefilter in den Müll zu werfen, stand Joachim stirnrunzelnd und mit vor der Brust verschränkten Armen vor Johanna.

»Was geht hier eigentlich vor sich?«

»Florian macht mir Vorwürfe.« Johanna seufzte.

»Und warum?«
»Ich habe ihm versprochen, bei ihm zu bleiben. Dann bin ich einfach mir nichts, dir nichts verschwunden, und als er jetzt hierher gekommen ist, musste er feststellen, dass wir hier ohne sein Wissen eine Art Kommandozentrale aufgebaut haben. Wie würdest du darauf reagieren? Er fühlt sich verraten.« Sie schaufelte Kaffee in den frischen Filter und füllte kaltes Wasser in die Maschine. Dann klappte sie den Deckel runter und legte den Schalter am unteren Ende der Maschine um. Jede ihre Bewegung wirkte mechanisch. Sie stand vor dem Schrank, hörte einen Moment lang zu, wie das Wasser zu kochen begann, und wunderte sich, dass sie in einer solchen Situation in der Lage war, sich auf Alltägliches zu konzentrieren. Beinahe genoss sie das Gluckern der Maschine.
»Und was ist hier sonst noch passiert?« Joachim ließ sich nicht so leicht abschütteln. Johanna blickte nur kurz zu ihm hinüber, um gleich wieder ihre volle Aufmerksamkeit dem Kaffee zu widmen. »Ich weiß nicht, was du meinst?«
»Komm schon, hier liegt doch etwas in der Luft?« Er hatte seine Arme ausgebreitet und fuhr sich ungeduldig durch das Haar. Johanna stieß sich seufzend vom Kühlschrank ab.
»Diekmann und ich kommen nicht miteinander klar. Er macht mir insgeheim Vorwürfe, dass es überhaupt so weit gekommen ist, und wenn ich ehrlich bin, mache ich ihm ebenfalls Vorwürfe, weil ich wiederum glaube, dass er für die Entwicklung verantwortlich ist. Gut, ich habe Fehler gemacht, weil ich einfach gut sein wollte, und dann ist alles aus der Bahn geraten. Aber er ist ja zuvor schon nicht zurechtgekommen und eine bessere Idee hatte er ja auch nicht.« Sie merkte, wie Angst und Wut langsam die Oberhand gewannen, denn ihre Kehle war auf einmal wie zugeschnürt. Heiße Tränen brannten in ihren Augen. »So ist das eben. Ihr seid eine Art Notgemeinschaft.« Joachims Stimme war ruhiger geworden und ein wenig mitfüh-

lend. Johanna nickte. Aus Sorge, gleich wieder in Tränen auszubrechen, sagte sie lieber nichts. Aber Joachim kam einen Schritt auf sie zu und nahm sie behutsam in den Arm. »Wenn das hier alles vorbei ist, gehst du dann mit mir essen?« Sie nickte wieder, ihr Gesicht an seiner Brust, und spürte den rauen Stoff seines Jacketts an ihrer Wange. Der Geruch von feuchter Kleidung stieg ihr in die Nase. Sie schloss einen Moment die Augen. »Regnet es draußen immer noch?« Johanna versuchte ein Lächeln, das gründlich missglückte, weil sie noch immer mit den Tränen kämpfte.

»Ja.« Joachims Stimme hatte einen leicht belustigten Tonfall angenommen. Er hielt sie an den Schultern fest und sagte: »Hör zu. Wenn dir hier alles zu viel wird, rufst du mich an, okay? Ich bin bei Flo, und meine Handynummer hast du ja. Ich verspreche dir, dass ich so lange bei ihm bleiben werde, bis alles ausgestanden ist. Ich muss mir doch schließlich meinen Frisör warm halten.« Der letzte Satz sollte lustig klingen und Johanna zum Lachen bringen. Sie putzte sich die Nase und verzog die Lippen zu einem Lächeln. »Ich danke dir.«

14

Irgendwann war es wieder ruhig in der Wohnung geworden. Joachim hatte Florian nach Hause gebracht, Johanna, Rainer und Diekmann waren zurückgeblieben. Die Spannung war noch greifbarer, doch Johanna konnte nicht genau sagen, woran das lag. Die Szene mit Florian hatte ihr zu schaffen gemacht, und sie hatte ein furchtbar schlechtes Gewissen. Sie hatte Florian bewusst nichts von Markus' Finger erzählt. Es hätte ihn nur gequält, und da sie nicht wusste, was noch alles auf sie zukommen würde, hatten sie stillschweigend beschlossen, ihn weitgehend zu schonen. Diekmann hatte noch ein paar Minuten mit Florian gesprochen, um vielleicht doch noch irgendeinen Hinweis zu finden, aber auch das war fehlgeschlagen.

Sie hatten noch immer keine Spur. Die Uhr tickte.

Es hatte Johanna gut getan, dass jemand da gewesen war, der sich um sie sorgte. Joachim brachte eine Saite in ihr zum Klingen, die sie noch nicht kannte. Sie hatte nun das Gefühl, stärker zu sein als zuvor, ein Gefühl, das ihr Stefan nie hatte vermitteln können. Insgeheim verglich sie die beiden Männer miteinander. Sie waren grundverschieden. Joachim war stark und humorvoll. Er war erwachsen, auch wenn das Kind in ihm ihn davor bewahrte, das Leben zu ernst zu nehmen. Stefan hingegen war nie richtig erwachen geworden. Egoistisch und wie ein trotziger kleiner Junge versuchte er seine Träume und Wünsche in die Tat umzusetzen in dem Glauben, ein Recht darauf zu haben, egal auf wessen Kosten. Im Vergleich zu Joachim war er ein dummer Junge. Stefan hatte sich wahrscheinlich gemeinsam mit ihrer Mutter in seinen Schmollwinkel zurückgezogen. Sie konnte sich geradezu bildlich vorstellen, wie die beiden jammernd sich gegenseitig ihre Wunden leckten und sie, Johanna, für ihre vermeintliche Unreife verdammten. Joachim hingegen war einfach da, wenn sie ihn brauchte. Zähneknirschend musste sie jedoch zugeben, dass ja weder Stefan noch ihre Mutter von der derzeitigen Situation wussten. Aber das war unerheblich. Plötzlich flammte der kindliche Trotz wieder in ihr auf, der von beiden Menschen verlangte, dass sie spürten, wann sie Hilfe brauchte. Im Geiste stampfte sie sogar mit dem Fuß auf.

»Ich glaube nicht, dass heute noch etwas passieren wird.« Diekmanns Stimme riss sie aus ihren Gedanken. Johanna hatte mit einem Mal das Gefühl, Diekmann wolle sie aus ihrem eigenen Wohnzimmer werfen.

Wenn sie ehrlich war, war es ihr aber ganz recht so. Sie hatte ohnehin vorgehabt, sich dieser quälenden Atmosphäre zu entziehen.

»Ja, wahrscheinlich haben Sie Recht. Ich glaube, ich werde jetzt zu Bett gehen.« Johanna reckte sich. Jetzt erst spürte sie, wie schwer ihre Glieder waren, und sie konnte nur noch mit Mühe ein Gähnen unterdrücken. »Ich werde noch Bettzeug für Sie beide holen.«

»Oh, vielen Dank, aber ich habe alles dabei.« Das war das Erste, was Rainer seit geraumer Zeit sagte. Wie um seine Aussage zu unterstreichen, klopfte er mit der Hand auf ein zusammengeschnürtes Bündel, das neben ihm auf dem Fußboden lag. Es sah aus wie ein zusammengerollter Schlafsack. »Tut mir Leid, aber ich bin nicht so gut ausgerüstet wie Rainer.« Diekmann wirkte auf einmal verlegen.

»Kein Problem. Kommen Sie mit, ich gebe Ihnen alles, was sie brauchen.«

Johanna ging ins Schlafzimmer voran. Sie holte Bettzeug aus einem Schrank, das sie extra für Gäste behalten hatte. Es war ältere Bettwäsche mit einem grauenhaften Muster, die bereits an einigen Stellen dünn wurde. Zu ihrem Erstaunen merkte sie, dass sie sich ein wenig dafür schämte. Sie gab Diekmann den Wäschestapel und schloss dann erleichtert aufatmend hinter ihm die Tür. Dann ließ sie sich auf ihr Bett plumpsen und genoss für einen Moment die Stille. Kein Vergleich zur Grabesstille, die im Wohnzimmer geherrscht hatte, und bevor sie noch einen weiteren Gedanken fassen konnte, war sie tief und fest eingeschlafen. Als jemand sie an den Schultern rüttelte, hatte sie das Gefühl, gerade erst die Augen geschlossen zu haben.

»Los, jetzt wachen Sie doch endlich auf. Er ruft wieder an.«

Johanna konnte sich nur mit Mühe orientieren. Die plötzliche Helligkeit um sie herum blendete sie, und sie konnte noch nicht einmal genau sagen, woher die Stimme kam, die sie rief.

»Verdammt noch mal, hoch mit Ihnen!« Die Stimme wurde schärfer. Wie in Trance schwang sie die Beine aus dem Bett und ging, einer Marionette gleich, mit tappenden Schritten ins Wohnzimmer. Das Telefon schrillte unerbittlich und befreite sie endgültig aus ihren Träumen.

»Hallo?«, krächzte sie in den Hörer.

»Das hat aber lange gedauert, mein Kind. Zu lange. Habe ich dich etwa geweckt?«

»Ja … nein … ich muss wohl eingenickt sein.«

»Sieh zu, dass das nicht wieder vorkommt. Ich möchte nicht warten. Denk immer daran, was alles auf dem Spiel steht. Du willst doch nicht, dass ich jemanden für deine Versäumnisse bestrafe, oder?«

»Nein, natürlich nicht. Bitte entschuldigen Sie.«

»Süße Träume, meine Liebe.« Mit einem leisen Kichern verabschiedete sich der Anrufer, und das Knacken im Telefon zeigte Johanna, dass er aufgelegt hatte.

»Was, zum Henker, sollte das denn?« Diekmann klang verärgert, aber auch verwirrt. »Was will dieser verdammte Irre?« Johanna blinzelte, und plötzlich schoss ihr wie ein Blitz ein Ge-

danke durch den Kopf, der sie klar sehen ließ. Sie drehte sich langsam zu Diekmann um und lächelte zu seinem grenzenlosen Erstaunen spöttisch.
»Was er will? Das kann ich Ihnen genau sagen. Er kann die Hände nicht von mir lassen.«

▣

Es war so aufregend. So unwiderstehlich und erregend. Die Lippen im Spiegel öffneten sich leicht und ein heiseres Stöhnen entrang sich der Kehle. Ein fast wollüstiges Gefühl erfasste den Körper, der es kaum noch erwar ten konnte.
Natürlich, es war schon ein wenig gefährlich, aber es hatte sich gelohnt. Sie war da gewesen, die Angst. Man hatte sie gehört. Sie hatte sich tief in ihr Herz gefressen. Ihre Stimme hatte leicht gezittert. Und wie sie gezittert hatte. Es war göttlich. Ein glückliches triumphierendes Lächeln umspielte die Lippen, und die strahlenden Augen schossen förmlich kleine Blitze in den Spiegel ab. Der Körper, der es kaum noch erwarten konnte, sie zu sehen, ihr von Angesicht zu Angesicht gegenüberzustehen, in ihren Augen die Angst, das Verstehen, die Erkenntnis zu lesen, vollführte eine Pirouette. Ihre Schuld würde sie zermalmen, und den Rest würde man auch noch erledigen. Aber das Vorspiel, das süße, erregende Vorspiel hatte begonnen. Es war, als lege man eine heiße Hand auf einen vor Erregung bebenden Körper.
Ja, so war es. Ein unbeschreibliches Gefühl. Es durchströmte den Körper und löste eine Welle der Euphorie aus. Man würde nicht schlafen können vor Aufregung. Das Gesicht im Spiegel verzog den Mund zu einem schelmischen Lächeln. Es war überflüssig gewesen, sie anzurufen, aber man hatte nicht darauf verzichten wollen, hatte ein wenig von einer Angst, die nicht die eigene war, kosten wollen.
Und man würde es genießen, wenn es dann endlich so weit war. Genießen!

▣

Irgendwie klang es kitschig, aber Johanna hatte wirklich sein Herz berührt. Obwohl sie sich erst zweimal getroffen hatten, ging etwas von ihr aus, dass ihn ansprach und bewegte. Im Allgemeinen machte er sich keine solche Gedanken. Seine Beziehungen dauerten nie lange, waren eigentlich meistens schon zu Ende, bevor sie richtig begonnen hatten. Sobald Frauen anfingen, imaginäre gemeinsame Wohnungen einzurichten oder ihn am Wochenende zu ihren Eltern zum Essen einzuladen, sah er zu, dass er davonkam. Er hatte in seinem Freundeskreis schon zu viele Ehekrisen und Kleinkriege anderer Paare miterlebt. Er wollte das nicht.

Die meisten Männer hatten Angst davor, als ewige Junggesellen durch die Welt zu stapfen und sich irgendwann sagen lassen zu müssen, dass sie homosexuell waren. Und die meisten Frauen betrachteten das Ticken ihrer biologischen Uhr als Countdown einer Zeitbombe. Er selbst wollte lieber in dem Ruf stehen, schwul zu sein, als jeden Abend von einer in Schürze gekleideten, frustrierten Ehefrau mehr oder minder liebevoll begrüßt zu werden. Er hatte zu oft erlebt, dass solche Frauen ihre eigene Persönlichkeit komplett aufgaben und sich selbst nur noch über ihren Ehemann und die Kinder definierten. Eine grauenhafte Vorstellung, die ihm kalte Schauer über den Rücken jagte. Nur wenige seiner Freunde hatten ein zweites Mal geheiratet, die meisten waren geschieden. Sein Bruder vegetierte in einer Ehe dahin, die eigentlich nur noch auf dem Papier Bestand hatte. Er hatte eine Frau geheiratet, die er schon seit seiner Schulzeit kannte und die es verstanden hatte, im richtigen Moment schwanger zu werden. Verliebt bis über beide Ohren wurde dann Hals über Kopf geheiratet und ein zweites Kind in die Welt gesetzt, wie es sich für eine brave deutsche Familie gehörte. Heute, zwölf Jahre später, ging er lieber in die Kneipe statt nach Hause, amüsierte sich mit Freunden auf dem Tennisplatz, anstatt zu Hause im Bett. Er kannte sich im

Leben der Nachbarn und auf Tupperpartys besser aus als in seiner eigenen Garage. Seine Frau, frustriert von Mann und Kindern und vermutlich von dem Gefühl, ihre Chance vertan zu haben, lief mit heruntergezogenen Mundwinkeln herum und hatte Nörgeln zu ihrer größten Kunst erhoben. Joachim schüttelte sich automatisch.

Markus und Florian hatten schon eine Zeit lang versucht, ihn mit einer passenden Kandidatin zu verkuppeln. Jedes Mal hatte er höflich mitgespielt und sich dann im rechten Moment vom Acker gemacht. Eigentlich waren ihm diese Heiratsofferten zu viel, und er hatte beschlossen, nicht mehr hinzugehen. Als dann die Einladung kam, bei der er Johanna kennen gelernt hatte, hatte er es nicht bereut, doch zu Florian und Markus gegangen zu sein.

Johanna war eine Frau nach seinem Geschmack. Sie war intelligent und stand auf eigenen Füßen. Florian hatte ihm versichert, dass der derzeitige Mann in ihrem Leben ausgeschaltet und Johanna zu ihrem Glück gezwungen werden müsse. Als er aus ihrem Mund gehört hatte, dass sie nun wieder zu den mehr oder weniger glücklichen Singles gehörte, hatte er sich insgeheim gefreut.

Plötzlich schüttelte er ein wenig erbost den Kopf. Da saß er hier und machte sich Gedanken über sein Liebesleben, während einer seiner Freunde in höchster Gefahr schwebte. Joachim zählte sowohl Markus als auch Florian zu seinen Freunden, obwohl er sich früher immer von Schwulen fern gehalten hatte, als ob es sich bei Homosexualität um eine ansteckende Krankheit handelte. Er musste lächeln. Es war schon etwas dran, dass man mit zunehmendem Alter weiser und ruhiger wurde. Er machte sich einfach Sorgen. Johanna hatte fürchterlich ausgesehen, und als sie sich an ihn geschmiegt hatte, war das ein himmlisches Gefühl gewesen, das er nie wieder missen wollte. Er konnte nur hoffen, dass Diekmann wusste, was er tat.

»Was soll das heißen, er kann seine Finger nicht von Ihnen lassen?« Diekmann sah sie ärgerlich an und sein Gesichtsausdruck zeigte ihr deutlich, dass er sie nicht für zurechnungsfähig hielt. Johanna ging nicht weiter auf seine Frage ein. Sie sah sich suchend im Zimmer um.
»Wie spät ist es?«
Diekmann blickte auf seine Uhr. »Gleich drei. Warum?«
»Komisch. Ich fühle mich, als ob ich jegliches Zeitgefühl verloren hätte.« Sie drehte sich um und ging zu einem Tisch, auf dem Gläser und verschiedene Flaschen mit alkoholischen Getränken arrangiert waren. »Möchte jemand etwas trinken?« Sie sah in die Runde und schwenkte dabei eine Flasche mit Whisky in der Luft herum. Als sie keine Reaktion erhielt, nahm sie ein Wasserglas und goss es halb voll. Sie betrachtete die goldene Flüssigkeit einen Moment lang, schwenkte das Glas in der Hand und nahm schließlich einen kräftigen Schluck. Das Getränk brannte wie Feuer in ihrer Kehle, so dass sie laut nach Luft japsen musste.
»Das hat gut getan.« Sie presste die Lippen fest zusammen und schloss die Augen.
»Sind Sie jetzt unter die Säufer gegangen?« Diekmanns Stimme war gefährlich leise geworden. Sie kannte ihn gut genug, um die verhaltene Wut darin zu erkennen.
»Nein. Ich denke, ich bin gerade dabei, meine Nerven zu beruhigen, denn wenn das, was ich glaube, tatsächlich zutrifft, dann sitzen wir ziemlich in der Patsche.«
»Ach, und was wäre das bitte?« Diekmanns Stimme hatte sich nicht groß verändert, aber Johanna glaubte nun, so etwas wie Langeweile herauszuhören.
»Ich habe ja schon die ganze Zeit darüber nachgedacht, ob unser Mann tatsächlich Markus haben will. Aber mittlerweile bin ich zu dem Schluss gelangt, das der Killer mich will!« Sie wählte ihre Worte sorgfältig und sprach langsam, als ob sie dadurch

die Aussage ihrer Worte abmildern könnte. Für einen Moment schwiegen alle. Rainer hatte von ihrem Gespräch nichts mitbekommen, zumindest tat er so. Auf Diekmanns Gesicht breitete sich Ungläubigkeit aus.

»Noch mal von vorne, bitte.«

»Er will mich. Warum auch immer. Aber das kann man ja vielleicht herausfinden, oder?« Sie warf Diekmann einen Blick zu. Er wirkte jetzt ruhig und beinahe vertrauensselig. Sie selbst fühlte sich auf einmal merkwürdig erleichtert. Bisher hatten sie mit einem Phantom gekämpft, von dem sie nicht wussten, was es eigentlich wollte. Jetzt kämpften sie zwar immer noch mit einem Phantom, aber zumindest für Johanna war klar geworden, dass das Interesse des Killers allein ihrer Person galt. Sie konnte sich noch gut an ihre Kindheit erinnern. Immer hatte sie Angst im Dunkeln gehabt. Angst vor Gespenstern, vor Geistern oder irgendwelchen wilden Tieren, von denen sie glaubte, dass sie sich unter ihrem Bett versteckten. Sobald das Licht brannte, waren die Geister wieder verschwunden, so als hätte sie das Licht fortgespült. Genauso fühlte sie sich im Moment.

»Das kann nicht ihr Ernst sein?« In Diekmanns Ungläubigkeit mischte sich nun eine Spur Entsetzen. »Das würde ja bedeuten, dass …«

»Richtig. Das würde bedeuten, dass ich die Einzige bin, die Markus auslösen könnte.« Johanna nickte. Sie setzte ihr Glas erneut an die Lippen und trank es aus. Es brannte schon nicht mehr so stark wie zuvor. Diekmann schwieg einen Moment und begann rastlos auf und ab zu laufen. »Abgesehen von allen anderen Fragen, stellt sich mir zuallererst die Frage, ob das von Anfang an seine Intention war.«

»Wie meinen Sie das?«

»Na ja, hat er die Frauen vollkommen willkürlich getötet und ist dann erst auf Sie aufmerksam geworden, oder waren diese

Frauen lediglich Mittel zum Zweck, und er hatte von Anfang an Sie im Visier.«

»Wenn er eigentlich mich im Visier hatte, warum hat er dann Markus entführt?« Johanna schürzte die Lippen und schüttelte den Kopf. »Nein, ich glaube, er hat Markus entführt, um seine Macht zu demonstrieren, und er will das ICH«, sie bohrte sich selbst den Zeigefinger in die Brust, »ihn da wieder raushole.«

»Und was weiter?«

»Wir warten jetzt erst einmal auf den nächsten Kontakt.« Sie goss sich das Glas noch einmal voll, dieses Mal ohne zu fragen, ob noch jemand etwas trinken wolle, und nahm einen kräftigen Schluck.

»Glauben Sie, dass das jetzt der richtige Zeitpunkt ist, sich zu betrinken?« Diekmann starrte sie fast angewidert an.

»Nein. Ich trinke mir nur Mut an.«

Sie hatte ihr Bettzeug ins Wohnzimmer auf die Couch geschleppt und das Telefon neben sich auf den Tisch gestellt, weil sie kein Risiko mehr eingehen wollte. Schlafen konnte sie trotzdem nicht. Immer wenn sie gerade eingenickt war, schreckte sie hoch. Diekmann hatte sich sein Bett auf dem Fußboden zurecht gemacht, aber auch er fand keine Ruhe. Wann immer Johanna aufblickte, sah sie ihn entweder auf dem Sessel sitzen oder am Fenster stehen und eine Zigarette rauchen. Rainer dagegen hatte sich in seinen Schlafsack gerollt und schlief den Schlaf des Gerechten. Johanna hatte die Jalousien heruntergelassen und die Fenster geschlossen, damit niemand die Dämmerung mitbekam. Ihre Tages- und Nachtzeiten hatten sich verschoben, und alles, was sie taten, war, auf den nächsten Anruf zu warten.

Als das Telefon schließlich klingelte, schreckten alle drei gleichzeitig hoch. Johanna tastete im Dunklen nach dem Gerät und meldete sich:

»Hallo?«
»Ich sehe, es funktioniert. Schläfst du neben dem Telefon?«
»Ja, ich wollte keine Zeit vergeuden.« Johanna merkte, wie ihr Herzschlag sich trotz ihrer Aufregung wieder beruhigte.
»Sehr gut. Wie geht es dir?«
»Wie geht es Markus?«
»Es ist gut zu hören, dass Markus so besorgte Freunde hat. Wie geht es deiner Familie?«
Der abrupte Themenwechsel ließ Johanna erstarren. Eine steile Falte erschien zwischen ihren Augenbrauen, und sie war plötzlich unfähig zu antworten.
»Wie geht es deiner Familie?«, wiederholte die Stimme, nun schon etwas drängender.
»G-g-gut.« Johannas Kehle war ausgetrocknet, sie fing zu stottern an.
»Deiner Mutter?«
»Es geht ihr gut.« Sie schluckte ein paarmal krampfhaft.
»Und dein Bruder? Wie geht es deinem Bruder?« Die Stimme wurde ein wenig leiser, sprach langsamer und betonte jede Silbe, fast jeden Buchstaben einzeln. Johanna schloss die Augen und vergaß für einen Moment ihre Umgebung. Ihr Bruder – das war es, was sie schon lange zu verdrängen versuchte. Nicht sein Bild, sein Gesicht, sondern die Geschichte, die so lange an ihr genagt hatte – die jetzt wieder in ihr hochkam. Sie sah sein Gesicht vor sich. Lächelnd, nachsichtig. Sie konnte sich nicht erinnern, je ein scharfes Wort von ihm gehört zu haben, und sie konnte die Verachtung, die ihre Mutter ihrem Bruder entgegenbrachte, beinahe körperlich spüren, obwohl es schon so lange her war.
»Wie geht es deinem Bruder?«
Man konnte nun beinahe die Schadenfreude ihres Gegenübers heraushören, unbändige Schadenfreude.
Johanna öffnete die Augen und starrte ausdruckslos vor sich

hin. Sie kniff die Augen zusammen, als versuche sie so, schärfer zu sehen, doch es half ihr nicht dabei, den tranceähnlichen Zustand zu überwinden, in den sie schlagartig verfallen war.

»Mein Bruder ist tot«, sagte sie leise.

»Wie? Ich kann dich nicht hören?«

Johanna räusperte sich. »Er ist tot.« Ihre Stimme klang jetzt kräftiger, und sie versuchte, ihre Worte nebensächlich klingen zu lassen, sachlich und informativ. Zumindest wollte sie nicht offenbaren, wie es in ihr aussah, wollte den Kummer, den Schmerz, die Trauer für sich behalten.

»Ach ja, bitte entschuldige.« Man konnte ein leises Kichern hören. *»Das hatte ich ja ganz vergessen. Hast du damals auch so um ihn gekämpft, wie du jetzt um Markus kämpfst?«* Die Stimme wirkte immer noch sehr belustigt, aber man konnte jetzt auch Gehässigkeit heraushören.

»Antworte!«

»Nein.« Johanna hielt die Augen geschlossen. »Nein, das habe ich wohl nicht.«

»Warum nicht? Wo du doch ein so guter Mensch und verlässlicher Freund bist, oder?«

»Ich … war noch sehr … jung.«

»Nein, du warst egoistisch. Beladen mit Vorurteilen, nicht wahr?«

Die Stimme klang schrill, sprach schnell. Einen Moment lang herrschte Schweigen, dann sprach die Stimme ruhiger und eine Spur sanfter weiter. *»Ich sollte mich nicht so gehen lassen. Aber erzähl doch noch einmal. Wie hat er es getan, dein Bruder?«* Johanna spürte Tränen in sich aufsteigen. Sie fühlte sich, als ob jemand ihr die Kehle zuschnürte. Sie konnte kaum atmen. Die Trauer brannte in ihren Augen. Als sie sich erinnerte, dass die Stimme nicht gern wartete, wischte sie sich eine Träne, die sich von ihren Wimpern gelöst hatte, mit dem Handrücken weg und antwortete: »Er hat sich erhängt.«

»Auf dem Dachboden eures Hauses, nicht wahr?«

Johanna nickte, ohne daran zu denken, dass der Anrufer sie nicht sehen konnte.
»Ja.«
»Und wer hat ihn dort gefunden?«
»Ich. Ich habe ihn gefunden.« Johanna schlug beide Hände vors Gesicht, um die Bilder zu vertreiben, die sich ihr aufdrängten. »Warum tun Sie das?« Ihre Stimme klang leise, aber nicht leise genug. Die Stimme hatte sie genau verstanden.
»Warum ich das tue? Ich will, dass du genauso leidest, wie andere gelitten haben. Du sollst sehen, dass du dich mit Schönheit, Geld, Klugheit nicht schätzen kannst. Du bist nicht anders als wir, und doch schwingst du dich als Herrin über Leben und Tod auf. Ein Wort von dir genügt und die Menschen sterben. Aber jetzt genügt ein Wort von mir und DU wirst sterben.« Die Stille, die diesen Worten folgte, schien endlos zu dauern. Johannas Herzschlag dröhnte in ihren Ohren, das Blut rauschte durch die Adern. Sie glaubte, der Kopf müsse ihr zerspringen. Sie saß auf dem Fußboden und lehnte ihren Kopf gegen die Wand. Von all dem, was die Stimme gesagt hatte, verstand sie nicht das Geringste. Was sollte das bloß bedeuten? Aber irgendetwas war mit ihr geschehen, das sie nicht beschreiben konnte. Etwas, das ihr Innerstes nach außen kehrte. Die Verkrampfungen, die sie anfangs verspürt hatte, hatten sich aufgelöst, und sie wartete nur noch, dass die Stimme ein Ende fand. Dann hörte sie, wie der Anrufer tief Luft holte.
»Schlaf gut, meine Liebe. Erhol dich, solange du noch kannst. Wir haben noch einiges zu tun.«
Klick. Aufgelegt. Es war vorbei. Zumindest fürs Erste.

Eine Weile herrschte entsetztes Schweigen. Rainer winkte Diekmann schließlich zu sich und flüsterte ihm etwas ins Ohr, das Johanna nicht verstehen konnte, aber es war ihr auch egal. Ihr Kopf war vollkommen leer, und sie schaffte es nicht, auch nur einen klaren Gedanken zu fassen. Sie saß noch immer auf dem

Fußboden, hatte aber den Eindruck, über der Szene zu schweben. Wie in einem Theaterstück oder einem schlechten Traum. Eines aber war ihr klar: Aus diesem Traum würde sie nicht so schnell wieder erwachen.
Diekmann hatte sich ihr leise genähert und ging jetzt vor ihr in die Hocke.
»Was, zum Teufel, geht hier vor?« Er hatte seine Hände locker auf ihre Knie gelegt. Die Ruhe, die sie ausstrahlte, schien ihn noch mehr zu verwirren als alles andere. Johanna öffnete langsam die Augen und starrte an ihm vorbei. »Er hat mich getötet.« Ihre Stimme klang heiser und gefasst. Diekmann fasste sie an den Schultern und schüttelte sie leicht. »Reden Sie keinen Unsinn.«
Sie sah ihm jetzt direkt ins Gesicht, etwas verwundert, so als sehe sie ihn das erste Mal. »Er hat mich getötet.« Sie sprach langsam, wie man mit einem Kind spricht, dem man eine schwere Aufgabe erklärt. Diekmann sah sie unverwandt an, dann stand er auf und verschwand aus ihrem Gesichtsfeld. Als sie ihn wieder aus den Augenwinkeln sehen konnte, hatte er ein Glas in der Hand, in dem eine bernsteinfarbene Flüssigkeit schwappte. Ihr stieg sofort das scharfe Aroma von Whisky in die Nase, als er ihr das Glas reichte. Das Glas war halb voll, trotzdem trank sie es in einem Zug leer.
»Ich glaube, er hat die ganze Zeit mich gemeint. Die Morde an den Frauen galten eigentlich mir. Ich war damit gemeint.« Sie ließ ihren Kopf hängen und krümmte leicht die Schultern.
»Sie? Aber woher kennt er sie? Und woher weiß er das von Ihrem Bruder?«
»Es stand damals in allen Zeitungen. Er brauchte es nur nachzulesen. So einfach ist das.« Sie lachte freudlos auf. Diekmann schwieg und strich sich nachdenklich über seine Bartstoppeln.
»Erzählen Sie mir von Ihrem Bruder. Was ist damals genau passiert?«

Johanna stützte sich auf eine Hand, um ihr Gewicht zu verlagern, und änderte ihre Sitzposition, bis sie halb auf der Seite saß.

»Mein Bruder war zehn Jahre älter als ich. Wir hatten ein sehr inniges Verhältnis zueinander, was auch nötig war, bei unserer Mutter. Wir hatten schon als Kinder gelernt, dass wir zusammenhalten mussten. Obwohl mein Vater nur selten zu Hause war, hingen wir sehr an ihm. Meine Mutter war eher verbittert. Sie war mit einem Mann verheiratet, den sie eigentlich nicht liebte, und hatte zwei Kinder, die sie nicht wollte, weil das eine Kind ein Mädchen war und das andere nicht ihren Erwartungen entsprach. Als mein Vater dann starb, waren wir mit einer Mutter allein, die nur wütend war, dass ihr Mann sie mit zwei Kindern zurückgelassen hatte. Mein Bruder und ich, wir sprachen immer über alles und wussten alles voneinander. Dachte ich zumindest. Doch dann kam er vor ungefähr zehn Jahren zu mir und meinte, dass er etwas zu beichten hätte. Er teilte mir mit, dass er schwul sei.« Johanna blickte hoch und lächelte Diekmann traurig an. Er sah die Hilflosigkeit in ihren Augen, und sie tat ihm plötzlich Leid. Dann sah sie wieder zu Boden und malte Kreise mit dem Zeigefinger auf den Teppichboden.

»Ich konnte es nicht fassen und war für einen Moment ziemlich entsetzt. Ich flehte ihn an, zu einem Psychologen zu gehen und sich einer Therapie zu unterziehen. Und dann kommt das Schlimmste: Ich fragte ihn, woran es liege, dass er nicht ›normal‹ sei.« Sie holte tief Luft. »Mit anderen Worten, ich habe mich aller Klischees bedient, die es hierzu gibt. Damit habe ich ihn zerstört. Für mich war er immer ein Fels in der Brandung, jemand, auf den ich mich verlassen konnte, und ich habe dabei nie gemerkt, dass ich eigentlich die Stärkere war. Er zerbrach an meiner Reaktion, fühlte sich von mir verraten. Er zog sich danach sehr zurück. Man könnte sagen, dass wir uns ab diesem Moment beinahe aus dem Weg gingen. Als meine Mutter es herausbekam, nannte sie meinen Bruder einen ›Perversen‹ und ein ›Schwein‹. Ein paar Tage später erhängte er sich.«

Diekmann runzelte die Stirn. »Aber warum?«

»Er hatte allen Mut zusammengenommen, um mir zu erzählen, dass er schwul war. Niemand wusste davon. Er hatte Freundinnen, wie jeder andere Mann auch, teilweise, um den Schein zu wahren, teilweise, weil er glaubte, damit seine Homosexualität ›loszuwerden‹. Aber er schlich sich heimlich in Schwulenkneipen. Das alles habe ich erst später erfahren. Er muss wohl der Meinung gewesen sein, dass er zurechtkommen würde, wenn ich auf seiner Seite stünde. Aber als ich so ganz anders reagierte, als er gehofft hatte, fühlte er sich beschmutzt. Also sah er nur einen Ausweg.«

»Was passierte dann?«

Johanna zuckte mit den Schultern. »Ich weiß nicht mehr genau. Alles, was später folgte, die Beerdigung, das Leben danach, ist wie ein Film an mir vorbeigezogen. Noch heute weiß ich nicht so recht, was eigentlich passiert ist.«

»Sind Sie deshalb Psychologin geworden?«

»Ja, dieses Erlebnis hat mich so schockiert, dass ich Psychologie studieren wollte.« Sie stand langsam auf. Ihre Glieder fühlten sich steif an. Sie streckte sich und ging dann langsam zum Fenster. Ein Blick durch die Lamellen der Jalousie zeigte ihr, dass das Leben draußen seinen gewohnten Gang nahm. Nichts schien sich verändert zu haben, und doch war da jemand, der ihr Leben auf den Kopf stellte und alles, woran sie sich geklammert hatte, zerstören wollte. »Wissen Sie, ich habe mir natürlich unendliche Vorwürfe gemacht. Es hat eine ganze Zeit gedauert, bis ich herausfand, dass nicht meine Einstellung oder meine Reaktion schuld daran waren, dass er sich umbrachte. Er hätte es auch so getan. Ich glaube, ich war nur der Tropfen, der das Fass zum Überlaufen brachte. Er muss zu diesem Zeitpunkt bereits sehr verzweifelt gewesen sein.«

»Hat Ihnen das geholfen, sich nicht schuldig an seinem Tod zu fühlen?«, fragte Diekmann betroffen.
»Nein.« Sie schüttelte den Kopf. »Aber es hat mir ein wenig die Bitterkeit, das Gefühl des Versagens genommen. Wirklich verarbeitet habe ich es nie.«
Sie drehte sich zu ihm um. »Und Sie sehen ja, die Vergangenheit holt einen immer ein. Irgendwann. Irgendwie.«
»Haben Sie sich schon Gedanken darüber gemacht, wer unser Anrufer sein könnte?«
Johanna schüttelte den Kopf.
»Vielleicht ein früherer Freund Ihres Bruders, der glaubt, dass Sie die Schuld an seinem Tod tragen, und der sich nun rächen will?« Diekmann saß immer noch in sicherer Distanz zu ihr auf dem Boden. Johanna fiel auf, dass sie sich tatsächlich sachlich unterhalten konnten, ohne versteckte Vorwürfe, ohne Sarkasmus, ohne Wut.
»Und dieser imaginäre Freund hat dann zehn Jahre gewartet?« Sie schnaubte. »Nein, das glaube ich nicht. Da muss noch etwas anderes dahinter stecken.«
»Vielleicht einer Ihrer Patienten?«
»Darüber habe ich auch schon nachgedacht. Das erscheint mir am wahrscheinlichsten. Selbst wenn ich noch nicht genau sagen könnte, warum.«
»Wo fangen wir an?«
»Könnten Sie mir Ihre Patientenakten überlassen, dann ackern wir sie einfach von vorne bis hinten durch.« Johanna musterte ihn nachdenklich. Sie überlegte kurz. Die Schweigepflicht schoss ihr durch den Kopf. Aber nur einen Moment, schließlich ging es hier um sie und Markus. Sie zog ihr Handy aus der Tasche. »Ich rufe schnell meine Sekretärin an. Sie müssten die Akten dann abholen lassen.«
»In Ordnung.« Diekmann nickte. Bevor er sich auf den Weg in Johannas Büro machte, ermahnte er sie, vorsichtig zu sein und

niemanden hereinzulassen. Er schien tatsächlich besorgt um sie zu sein, aber Johanna wies sich selbst gleich wieder zurecht, da es Diekmann natürlich um Markus ging und nicht um sie selbst.
Sie nickte. »Alles klar. Aber schließlich ist ja Rainer auch noch da.«
»Rainer ist Techniker, kein Polizist. Ach, übrigens, Rainer hat den Anruf zurückverfolgt. Er kam von einem Handy irgendwo im Stadtpark. Wir hatten keine Chance.«
»Im Stadtpark?« Johanna war erstaunt. »Der hat ja einen ganz schönen Aktionsradius.«
Diekmann presste die Lippen aufeinander. »Kann man wohl sagen. Ich gehe davon aus, dass er ein eigenes Auto besitzt, sonst wäre das Ganze nicht zu realisieren. Es wäre zu zeitraubend.«
»Das denke ich auch. Schließlich hält er Markus vermutlich irgendwo außerhalb Hamburgs versteckt.«
Diekmann sah sie erstaunt an. »Wie kommen Sie denn darauf?«
»Wie sollte er sonst jemanden in Markus' Zustand versteckt halten?«
»Schleyer wurde damals auch in einem Wohnblock mitten in der Stadt von den Terroristen gefangen gehalten.« Er spielte auf die tragische, tödlich verlaufende Entführung des damaligen Arbeitgeberpräsidenten in den Siebzigerjahren an.
»Tja, das waren mehrere. Hier handelt es sich um einen Einzeltäter, der sein Opfer allein lassen muss. Wahrscheinlich war Markus bewusstlos, als er ihn transportierte. Glauben Sie, dass man mitten in der Stadt einen Bewusstlosen in eine Wohnung transportieren kann, ohne dass es jemand merkt? Ich denke, wir hätten wenigstens einen anonymen Hinweis erhalten, meinen Sie nicht?«
Diekmann dachte kurz nach. »Vielleicht haben Sie Recht. Ich lasse mir das noch einmal durch den Kopf gehen. Jetzt muss ich

aber los.« Er hob kurz grüßend die Hand, drehte sich um und verschwand. Als die Tür hinter ihm ins Schloss fiel, fühlte sie sich auf einmal ziemlich einsam. Rainer zählte nicht. Er saß auf einem Stuhl, hatte ein Bein hochgezogen und war in ein Buch vertieft. Sie fröstelte. Sie musste irgendetwas tun, eine Stimme hören, die sie tröstete, und vielleicht mit Worten in den Arm nahm. Kurz entschlossen tippte sie eine Nummer in ihr Handy. Es klingelte zweimal und dann hörte sie Joachims tiefe, beruhigende und ein wenig erotische Stimme.
»Wille.«
»Hallo, Joachim. Hier ist Johanna.«
»Johanna, ist etwas passiert?« Seine Stimme klang ehrlich besorgt.
»Nein, nein, es ist alles in Ordnung, ich wollte nur mal deine Stimme hören. Diekmann ist nicht da, und ich fühle mich ein wenig einsam.«
»Soll ich zu dir kommen?«
Johanna zögerte einen Moment, aber schließlich war es ihre Wohnung, und Diekmann konnte nicht darüber bestimmen, wer sie besuchen kam und wer nicht. Außerdem konnte sie ein wenig seelischen Beistand gebrauchen, den sie vom Chef der Mordkommission bestimmt nicht bekam.
»Das wäre super, aber nur, wenn es dir keine Umstände bereitet.«
»Hätte ich es dir sonst angeboten? Ich spreche schnell mit Flo, ob das in Ordnung für ihn ist, und bin gleich da«, sagte er und hatte schon aufgelegt. Sie lächelte. Jetzt konnte sie es kaum erwarten, ihn zu sehen. Ständig sah sie auf die Uhr und eilte zum Fenster, als sie schließlich ein Fahrzeug vor der Haustür halten hörte. Sie konnte sehen, wie Joachim ausstieg und geduckt durch den Regen lief. Es war schon fast dunkel, die Straße glänzte feucht. Als es klingelte, lief sie fast zur Haustür. Aus Joachims nassen blonden Haaren flogen kleine Tropfen.

Er hatte sich anscheinend seit Tagen nicht mehr rasiert, denn die Bartstoppeln bedeckten sein Kinn wie einen hellen Teppich.
»Komm rein.« Sie trat zur Seite und ließ ihn ein. Er zog seine Jacke aus und hielt sie mit spitzen Fingern von sich.
»Sie ist pitschnass. Am besten hänge ich sie ins Badezimmer«, sagte er und sah sie freundlich lächelnd an.
»Gib her. Ich mache das schon.« Sie nahm die triefende Jacke und trug sie ins Bad. Dort hängte sie sie auf die Leine, wo sie wie ein nasser Sack vor sich hin pendelte.
»Kann ich dir etwas anbieten?« Sie ging an Joachim vorbei in die Küche. »Setz dich doch erst einmal. Im Wohnzimmer sitzt Rainer, der Techniker, der mein Telefon überwacht.«
»Habt ihr inzwischen eine heiße Spur?«, fragte Joachim, der ihr gefolgt war, und nun im Türrahmen stand, die Arme vor dem Körper verschränkt. »Du siehst müde aus. Ist auch bestimmt alles in Ordnung mit dir?«
Johanna holte Becher aus dem Schrank und sah der Kaffeemaschine eine Weile zu, wie sie heißes Wasser in die Glaskanne pumpte.
»Um beide Fragen zu beantworten: Nein, und ich weiß nichts.« Sie drehte sich zu ihm um. »Wir haben noch keine Spur, und auf die Frage, wie es mir geht, ich weiß nicht, ob mit mir alles in Ordnung ist. Ich glaube aber nicht. Ich bin einfach ausgebrannt, fühle weder Angst noch Bedauern noch Müdigkeit. Irgendwie lebe ich im Moment in einer Warteschleife. Es fühlt sich an, als ob ich in einer watteweichen Wolke sitze. Mein Kopf ist vollkommen leer. Obwohl ich mich auf diese Sache zu konzentrieren versuche, verliere ich langsam den Blick für das Wesentliche. Ist das nicht scheußlich?« Sie sah ihn an, als erwarte sie eine beruhigende Antwort. Joachim löste sich vom Türrahmen und kam langsam auf sie zu. Er schien seine nächsten Worte sorgfältig abzuwägen. Sein Rasierwasser stieg

Johanna in die Nase, was ihr plötzlich ein Gefühl von Geborgenheit gab.
Sie konnte sich kaum vorstellen, sich jemals wieder einsam zu fühlen. Einen Moment lang schloss sie die Augen und atmete tief seinen Geruch ein.
»Warum hast du Schuldgefühle? Das ist es doch, was dich beschäftigt, oder? Das Gefühl, schuld an dieser Situation zu sein, oder irre ich mich da?«
Sie öffnete die Augen und seufzte tief. »Nein, du irrst dich nicht. Der Killer will mich, das ist bei seinen letzten Anrufen ganz deutlich geworden. Markus ist sein Köder. Er will mich aus der Reserve locken. Aber was ist, wenn er mich hat? Lässt er Markus dann laufen? Tötet er ihn? Und was will er von mir?« Sie zog die Schultern hoch und massierte sich mit einer Hand leicht den Nacken. »Ich weiß nicht mehr, was ich denken soll.« Abrupt wechselte sie das Thema. »Wie geht es Florian?«
»Nicht gut. Ich habe ihm gesagt, dass ich kurz nach Hause fahre, um ein paar Sachen zu holen. Einer seiner Freunde ist bei ihm und kümmert sich um ihn. So habe ich ihn noch nie erlebt. Er ist nicht nur wahnsinnig vor Angst, sondern auch schrecklich wütend.«
Johanna nickte wissend. »Das ist ganz normal. Das ist seine Art, mit der Situation fertig zu werden. Er ist jetzt wütend, irgendwann kommt die Hoffnung, und dann fällt er in ein tiefes Loch. Ich denke, seine Wut richtet sich gegen mich, weil ich nicht bei ihm geblieben bin und er natürlich spürt, dass etwas vor sich geht, wir ihm aber nichts Genaues sagen«, sie machte eine weit ausholende Handbewegung, »und er wird erst erfahren, was passiert ist, wenn alles vorbei ist. Wenn es denn irgendwann vorbei ist«, schloss sie dumpf.
»Euer Mann will *dich?*« Joachim sah Johanna stirnrunzelnd an.
Sie nickte.

»Und warum, bitte schön? Und hat Diekmann irgendwelche Maßnahmen getroffen, um dich zu beschützen?«
»Ich kann dir die ganze Geschichte jetzt nicht im Detail erzählen, aber Diekmann ist immer hier. Er ist nur gerade losgefahren, um etwas zu holen, aber ansonsten ist er immer bei mir. Und er hat natürlich Verschiedenes in die Wege geleitet. Es darf aber erst einmal nicht an die Öffentlichkeit gelangen, vor allem nicht an die Presse. Das könnte Markus' Tod bedeuten.« Sie stellte die Becher und den Kaffee auf ein Tablett.
»Komm, lass uns ins Wohnzimmer gehen.« Er nahm ihr das Tablett ab und ließ sie vorbeigehen. Rainer saß noch immer unverändert auf seinem Stuhl und war in sein Buch vertieft.
»Rainer, trinken Sie einen Kaffee mit uns?« Rainer zuckte zusammen. Er war anscheinend vollkommen in seine Lektüre versunken gewesen. Er lächelte sie scheu an.
»Sehr gern.«
»Darf ich vorstellen? Das ist Herr Wille. Joachim, das ist Rainer. Bitte entschuldigen Sie, ich habe Ihren Nachnamen vergessen.«
»Das ist schon in Ordnung.«
»Ich bin Joachim.« Joachim streckte ihm die Hand entgegen. Dann setzten sie sich gemeinsam an den Couchtisch. Das Ganze hatte etwas Absurdes, und Johanna spürte, wie hysterisches Gelächter in ihrer Kehle aufstieg. Sie holte tief Luft und versuchte sich so gut wie möglich zu entspannen, aber die ganze Situation hatte etwas Irreales an sich. Joachim unterhielt die kleine Kaffeerunde mit Alltäglichem, so dass man beinahe den Eindruck haben konnte, hier säßen nur gute Freunde beisammen. Als Johanna den Schlüssel in der Wohnungstür knirschen hörte, versteifte sie sich automatisch. Diekmann trat mit einem großen Umzugskarton ein, und sein grimmiger Blick bestätigte Johannas Vermutung, dass er es alles andere als lustig fand, schon wieder Joachim hier anzutreffen.

»Guten Tag.« Seine Stimme klang eisig.
»Guten Tag.« Joachim erhob sich und ging mit ausgestreckter Hand auf ihn zu. »Ich glaube, wir kennen uns bereits. Mein Name ist Wille.«
Diekmann rührte sich nicht. Er hatte immer noch den Umzugskarton in den Händen, das Wasser tropfte von seiner Jacke in den Teppich.
»Warten Sie, ich nehme Ihnen etwas ab.« Johanna sprang eilig auf und lief auf Diekmann zu, um den Karton, der schwerer war als erwartet, in Empfang zu nehmen. Sie öffnete ihn und spähte hinein. Es befanden sich eine ganze Menge Unterlagen darin, die Diekmann zusammen mit Jutta ausgesucht hatte. Sie seufzte kaum vernehmlich und bemerkte aus den Augenwinkeln, dass sich die beiden Männer noch immer wie Kampfhähne gegenüberstanden.
»Hatte ich nicht gesagt, dass Sie niemanden hereinlassen sollten?«, sprach Diekmann sie an, ohne den Blick von Joachim zu wenden.
»Nein, das hatten Sie nicht. Außerdem ist Joachim ein Freund, der vorbeikam, um sich nach mir zu erkundigen. Was halten Sie davon, wenn er uns hilft, das hier«, sie deutete mit der Hand auf den Karton, »mit uns zusammen auszuwerten? Das ist nämlich eine ganze Menge.« Diekmann verharrte noch einen Moment in seiner Habachtposition und drehte sich dann zu ihr um. Mit seinen nassen, an den Kopf geklatschten Haaren sah er aus wie ein nasser Hund. Fast tat er Johanna ein wenig Leid, und sie war kurz in Versuchung, ein Handtuch zu holen, um ihm die Haare trocken zu rubbeln. Er legte die Jacke über die Heizung. Diekmann räusperte sich. »Vielleicht haben Sie Recht. Wenn Herr Wille«, er betonte Joachims Namen, »denn bereit ist, uns zu helfen?« Er warf Joachim einen fragenden Blick zu.
»Wenn du mir sagst, wonach ich suchen soll, tu ich alles, was

du willst.« Joachim tat so, als hätte er Diekmanns Worte gar nicht gehört, und blickte lächelnd in Johannas Richtung.
»Also gut, fangen wir an?«, fragte Diekmann und blickte Johanna ebenfalls an. Er schien auch darum bemüht, so zu tun, als sei Joachim gar nicht anwesend.
»Ich schlage vor, dass sich jeder einen Stapel Akten nimmt und sie durchblättert. Die einfachen Patientenakten können wir vergessen. Interessant sind die, in denen ich Patienten in die Psychiatrie eingewiesen habe oder mein Gutachten zu einer Verurteilung geführt hat.«
Eine Weile arbeiteten sie schweigend. Diekmann und Joachim mussten sich zunächst in das System der Akten einarbeiten, bis sie zügiger mit Informationen umgehen konnten. Vor Johannas geistigem Auge erschienen Bilder, Gesichter, tragische Geschichten und Schicksale, denen sie bis zu diesem Moment nicht mehr allzu viel Aufmerksamkeit geschenkt hatte. Die Arbeit der letzten Jahre zog an ihr vorüber. Mit jeder neuen Akte eine andere Lebensgeschichte. Für einen Moment lang schämte sie sich der negativen Gefühle, die sie ihren Patienten oft entgegengebracht hatte. Das hier waren alles Menschen, die ihre Hilfe gebraucht hatten. Sie hoffte inständig, dass ihre Geringschätzung keinen Einfluss auf ihre Arbeit gehabt hatte.
»Was ist mit dem hier? Hermann Streidel. Er hat seine ganze Familie umgebracht und sitzt in der Psychiatrie in Ochsenzoll.« Joachim fuhr mit seinem Finger über den Text, den er gerade gelesen hatte und blickte Johanna fragend an.
»Leg das mal beiseite. Wir sehen uns das nachher näher an.«
Schweigend arbeiteten sie sich weiter durch die Akten. Der Stapel mit den uninteressanten Fällen wurde größer, der Karton zusehends leerer.
»Sylvia Marquardt.« Diekmann hielt die Akte triumphierend hoch, als sei sie der Hauptgewinn, den er mühsam errungen hatte.

»Warten Sie.« Johanna ließ den Hefter, den sie gerade in der Hand gehalten hatte, sinken und dachte nach. »Das ist die Frau, von der ich Ihnen neulich erzählt habe, die zwei Männer abgeschlachtet hat und sie verbluten ließ. Sie ist, so weit ich weiß, zu lebenslanger Haft mit anschließender Sicherheitsverwahrung verurteilt worden.

»Ich habe hier das Gutachten.« Diekmann hatte ein paar DIN-A4-Seiten aus der Akte genommen und wedelte damit in der Luft herum.

»Das scheint mir viel versprechend. Legen Sie das auf den kleinen Stapel, den wir uns genauer ansehen wollen.«

Wieder versanken sie in arbeitsames Schweigen. Nach einer weiteren Stunde legte Johanna seufzend die letzten Ordner auf die jeweiligen Stapel. »So, das war's. Fünf Akten hätten wir also, die infrage kommen könnten und die ihre Kollegen überprüfen sollten.«

Johanna nickte zufrieden. Auf einmal fühlte sie sich unendlich müde. Aber endlich hatte sie etwas tun können. Etwas, das vielleicht half, den Mörder zu finden, bevor er Markus umbrachte. Sie dachte nicht mehr an die Frauen, die er umgebracht hatte, sie dachte nur noch an Markus. Sie wollten keinen Frauenmörder finden, sondern den Mann, der das Leben ihres Freundes bedrohte. Sie reckte sich und gähnte ausgiebig.

»Du solltest dich vielleicht einen Moment ausruhen«, sagte Joachim und sah sie besorgt an.

»Ja, vielleicht hast du Recht.«

»Ich werde in der Zwischenzeit telefonieren«, meldete sich Diekmann zu Wort, raffte die Akten zusammen und verschwand ins Nebenzimmer. Er hatte sein Handy dabei. Keiner von ihnen wollte es riskieren, das Telefon zu blockieren. Johanna machte es sich mit einer Wolldecke auf dem Sofa bequem.

»Solltest du dich nicht lieber ins Bett legen?«, fragte Joachim besorgt.
»Nein. Ich muss rechtzeitig am Telefon sein. Außerdem fühle ich mich nicht so schutzlos, wenn ich hier liege. Ich weiß nicht, ob du das verstehen kannst.« Sie lächelte etwas verlegen. Joachim hatte sich zu ihr auf die Sofakante gesetzt und einen Arm auf die Lehne gelegt. Sie sah ihn an und spürte sofort wieder große Vertrautheit ihm gegenüber. »Ich habe das Gefühl schutzlos ausgeliefert zu sein, wenn ich mich ins Bett lege. Ich würde mich hilflos fühlen, hätte Angst, nichts mehr bewirken zu können. Hier fühle ich mich bedeutend wohler.«
Joachim strich ihr zärtlich über die Wange. »Ich denke, du brauchst vor allem Ruhe. Diekmann ist hier und ich auch. Du brauchst also keine Sorge zu haben.«
»Ich habe aber Angst, wenn auch nicht um mich.«
»Na ja, immerhin bist du doch selbst auch bedroht worden?«
»Aber Markus ist ihm ausgeliefert. Er braucht uns. Und wenn ich Recht habe, bin ich die Einzige, die ihn da rausholen kann. Das macht mir Angst, weil ich noch zu wenig weiß und weil ich nicht versagen will.« Sie griff nach seiner Hand und hielt sie fest. Er erwiderte den Druck. »Es ist lieb, dass du hier bist, aber ich glaube, dass Florian dich dringender braucht.«
»War das etwa ein Rauswurf?« Er lächelte sie belustigt an.
»Nein, aber Flo braucht dich wirklich.« Es tat so gut, nicht allein zu sein. »Also gut.« Joachim beugte sich zu ihr hinunter und küsste sie leicht auf die Lippen. »Aber ich komme wieder.« Er strich ihr noch einmal über die Wange und stand dann auf. Gerade in dem Moment, als Diekmann ins Zimmer trat.
»Darf ich stören?« Hätte Johanna es nicht besser gewusst, hätte sie fast geglaubt, dass Diekmann eifersüchtig war. Zumindest hätte seine Stimme einen Eisbären zum Frieren gebracht.
»Nein, nein. Kommen Sie ruhig rein.« Johanna wollte ihn ein wenig provozieren, aber er bemerkte es nicht einmal. Er hielt

seinen Blick starr auf Joachim gerichtet, als er weiter in das Zimmer trat. »Ich habe die Namen ihrer Patienten aus den Akten an meine Leute durchgegeben. Sie werden recherchieren, was aus ihnen geworden ist und wo sie sich zurzeit aufhalten. In ein paar Stunden wissen wir mehr.«

»Und was ist, wenn keiner von ihnen unser Mann ist?« Johanna hatte sich aufgesetzt und sah Diekmann fragend an. Dieser zuckte mit den Achseln. »Keine Ahnung, wo wir dann weitermachen. Aber lassen Sie uns nicht über ungelegte Eier reden, einverstanden?« Er sah ihr eindringlich in die Augen. Johanna nickte zögerlich. An diese Möglichkeit wollte sie sowieso lieber nicht denken.

»Ich gehe jetzt.« Joachim streifte sich seine Jacke über und lächelte Johanna aufmunternd zu. »Wenn du wieder mal jemandem zum Reden brauchst, ruf mich an. Ich lasse das Handy eingeschaltet.«

»Danke, Joachim, das hat mir gut getan. Grüß Florian bitte von mir.« Joachim nickte Diekmann zu, bevor er die Wohnung endgültig verließ. Erst als die Haustür ins Schloss fiel, schien sich Diekmann wieder zu entspannen. Er schaute noch einmal über die Schulter in den Flur, um sich zu vergewissern, dass Joachim auch wirklich gegangen war, und wandte sich dann Johanna zu. Bevor er jedoch etwas sagen konnte, legte Johanna los: »Ich glaube immer stärker, dass der Entführer und der Killer ein und dieselbe Person sind.« Sie sah, wie Diekmann nickte. »So wie es aussieht, will er eigentlich mich. Er scheint von irgendwelchen Rachegedanken besessen zu sein. Aber, sonderbarerweise sahen die Frauen, die er getötet hat, mir überhaupt nicht ähnlich. Ich bin gut zehn bis fünfzehn Zentimeter größer als die Ermordeten und trage mein Haar kurz. Demnach waren diese Morde keine Ersatzhandlungen.«

»Aber was will er dann?« Diekmann hatte sich ein wenig vorgeneigt und die Hände ineinander verschränkt. Johanna kannte ihn mittlerweile gut genug, um zu wissen, dass er sich konzentrierte und ihr genau zuhörte. »Das ist eine gute Frage. Ich kann es Ihnen nicht sagen.« Sie kaute angestrengt auf ihrer Unterlippe. »Er will eine Konfrontation, bevor er mich tötet. Er will ein Duell, seine Kräfte mit mir messen. Warum er aber diese Frauen getötet hat und nicht sofort mich, ist mir ein Rätsel.« Die Motivation des Mörders war Johanna vollkommen unklar. Es gab keine Botschaft, keinen Hinweis, den der Mörder hinterlassen hatte, keinen Gegenstand, den er vom Tatort entfernt hatte. Er war ein Phantom, ein Schatten, der vorüberging. »Er hat seine Opfer nicht verletzt oder verstümmelt. Er hat sie weder gequält noch gefoltert. Im Prinzip sind sie alle einen sanften Tod gestorben.«

»Und was ist mit Maike Behrens?«, warf Diekmann ein.

Johanna lächelte. »Das hört sich jetzt vielleicht brutal an, aber ich glaube, dass er diese Frau sozusagen auf Vorrat entführt hat, um rechtzeitig ›nachlegen‹ zu können. Verstehen Sie, was ich meine? Ich glaube, er hat alle vier Frauen vollkommen willkürlich ausgesucht. Sie waren nicht derselbe Typ, das Einzige, was die Frauen gemeinsam hatten, war ihre außergewöhnliche Schönheit. Er hatte es auf keinen bestimmten Typ Frau abgesehen. Hauptsache, sie waren schön.« Unruhe machte sich in ihr breit. Aber sie war auf dem rechten Weg, das fühlte sie genau. Sie schwiegen einen Moment, und als Diekmanns Handy klingelte, zuckten beide zusammen. Diekmann meldete sich und hörte aufmerksam zu. Sein Blick verdunkelte sich zusehends.

»Ich verstehe. Danke. Bitte bleibt noch eine Weile in Bereitschaft … ja, ich weiß, dass es spät ist. Trotzdem. Holt euch bitte Feldbetten und schlagt sie im Büro auf, bestellt den Pizzaservice, ich bezahle auch, und bleibt dort.« Diekmann klappte das Handy zu und starrte durch Johanna hindurch an die Wand.

»Von den fünf Personen, die wir herausgefiltert haben, befinden sich noch zwei in stationärer psychiatrischer Behandlung,

einer Ihrer Patienten sitzt im Knast, der vierte wurde aus dem Gefängnis entlassen und geht mittlerweile einer geregelten Arbeit nach. Aber bei einem Patienten gibt es eine Besonderheit.«
Johanna kniff die Augen zusammen, bis nur noch zwei Schlitze sichtbar waren.
»Dieser eine Patient hat sich vor knapp einem Jahr im Knast erhängt.«
»Und wer ist das gewesen?«
»Sylvia Marquardt.«
Johanna fühlte sich, als ob ihr jemand einen Eimer mit eiskaltem Wasser über den Kopf goss. Sie hörte ihr eigenes Herz plötzlich laut und deutlich schlagen. Gleich würde es zerspringen. Irgendetwas musste man ihr angesehen haben, denn Diekmann trat näher und betrachtete sie prüfend.
»Alles in Ordnung mit Ihnen?«
Johanna nickte. »Ja, alles klar.«
»Erzählen sie von dieser Frau, Johanna.«
Sie holte tief Luft und versuchte, ihre Schultern zu entspannen. »Da ist nicht viel zu erzählen. Sylvia Marquardt hat damals zwei Männer in einer Bar aufgegabelt, ist mit ihnen nach Hause gegangen und hat sie dann regelrecht abgeschlachtet, indem sie ihnen die Hoden und den Penis mit einem Messer abschnitt. Sie sind verblutet.« Wenn sie an die Tatortfotos von damals dachte, lief ihr noch immer ein kalter Schauer über den Rücken.
»Aber hat denn niemand die Schreie dieser Männer gehört?«
»Sie hatte sie an die Bettpfosten gefesselt und geknebelt. Den Männern hatte sie es als prickelndes Sexspielchen verkauft. Sie haben bereitwillig alles mitgemacht, was sie ihnen gesagt hat. Und als sie dann erst gefesselt waren, hatten sie keine Chance mehr.«
»Was für eine Frau war Sylvia Marquardt?«
»Gute Frage. Ich glaube, das kann ich Ihnen noch immer nicht

genau sagen. Sie war ruhig, sehr höflich und zuvorkommend während des gesamten Verhörs, ja, sie war einfach freundlich. Mitunter konnte sie aber auch provozierend sein. Sie sprach völlig emotionslos über ihre Taten, ja, sie lächelte sogar, als sie über die ›Dummheit dieser Kerle‹ berichtete. Sie war sehr hübsch. Klein und zierlich, und sie hatte Ausstrahlung, so dass man fast versucht war, sie in die Arme zu nehmen.«

»Und Sie erstellten damals das Gutachten?«

»Ja. Professor Trautmann hat es gegengezeichnet, aber das Gutachten wurde von mir erstellt. Zwei Psychiater wurden für ein Gegengutachten hinzugezogen, aber sie kamen zu dem gleichen Schluss wie ich. Sie war völlig normal und zurechnungsfähig. Ihre Anwältin plädierte zwar auf nicht schuldfähig, aber sie kam damit nicht durch. Sylvia Marquardt hat lebenslänglich bekommen.«

»Und welches Motiv hatte sie?«

»Kein erkennbares. Ich hatte den Eindruck, es machte ihr einfach Spaß, zu töten.«

»Und was war mit ihren Angehörigen?«

»Da gab es niemanden, das heißt, es gab niemanden, der sich um sie kümmerte. Ihr Vater war schon seit langem tot, und mit ihrer Mutter war sie zerstritten. Außerdem lebte diese mittlerweile in Frankreich. Die Polizei hat sie dort aufgestöbert, aber sie wollte nichts von ihrer Tochter wissen. Der Grund für das Zerwürfnis von Mutter und Tochter wurde nie bekannt. Auch über die Reaktion ihrer Mutter hat Sylvia keinerlei Gefühl gezeigt. Sie sprach auch nicht über sie. Und sonst gab es niemanden. Sie war ein Einzelkind und wie es schien, allein auf der Welt.«

Diekmann überlegte einen Moment. »Vielleicht sollten wir mal mit ihrer Anwältin sprechen. Es war doch eine Anwältin, oder?«

Johanna nickte. »Ja, das war eine sehr kämpferische Person, die mit allen Mitteln versuchte, Sylvia vor dem Gefängnis zu bewahren.«

»Gut, ich werde meine Leute bitten, sie zu kontaktieren. Wissen Sie noch, wie sie hieß?«

»Nein, aber das müsste doch in den Akten vermerkt sein.«

»Richtig. Ich mache mich schnell auf den Weg. Denken Sie bitte daran, in der Zwischenzeit niemanden reinzulassen. Ich werde mich regelmäßig bei Ihnen melden. Einverstanden?«

»Einverstanden.«

Johanna hatte sich mittlerweile daran gewöhnt, mit ihren Sorgen und Nöten allein zu sein. Wenigstens war Rainer da, auch wenn er kaum zählte. Mit einem dankbaren Lächeln schaute sie zu ihm hinüber. Er schwieg die meiste Zeit; eigentlich war ihr das auch ganz recht so. So hatte sie Gelegenheit, Ordnung in ihren Kopf zu bringen, zu entwirren, was ihr ungeordnet durch den Kopf schoss. Sie kuschelte sich tiefer in ihre Wolldecke, lehnte den Kopf zurück und schloss die Augen. Erst jetzt spürte sie den pochenden Schmerz hinter ihrer Stirn. Zuerst überlegte sie noch, sich eine Tablette zu holen, der Schmerz würde auch so vergehen, aber schließlich lullte sie das leise Rascheln von Rainers Zeitung langsam in den Schlaf. Tiefer und tiefer senkte sich eine warme weiche Decke über ihren Geist.

15

Sommer 1996

Die beiden Frauen saßen sich gegenüber. Die eine ruhig, ein wenig belustigt, die andere nervös und beinahe grimmig. Die eine entspannt zurückgelehnt, die andere vornübergebeugt, die Arme kampflustig auf dem Tisch. »Frau Marquardt, haben Sie einen Freund?«
Die leicht lächelnde junge Frau beugte sich vor und drückte die Zigarette im Aschenbecher vor sich aus. »Nennen Sie mich ruhig Sylvia und … Nein, ich habe keinen Freund.« Sie blickte ihrem Gegenüber fest in die Augen, lehnte sich entspannt zurück und faltete die Hände ruhig in ihrem Schoß. Nichts deutete darauf hin, dass sie das Monster war, das zwei Männer schauderhaft zugerichtet hatte. Dann beugte sie sich wieder vor und sagte: »Wie heißen Sie mit Vornamen? Darf ich Sie das fragen?«
Johanna nickte zögerlich und nannte ihren Vornamen.
»Johanna? Ein schöner Name. Ein altmodischer Name. Haben Sie einen Freund?«
Johanna musste ein paar Minuten verstreichen lassen, bevor sie in die freundlichen Augen der jungen Frau blicken konnte. Es war nichts Böses in ihnen zu erkennen, und doch war diese Frau die Bosheit in Person. Nichts Hinterhältiges ging von ihr aus, und doch hatte sie zwei Menschen eiskalt in den Tod gelockt.
»Kommen Sie schon. Sie wollen doch, dass ich Ihnen vertraue. Dann müssen Sie auch mir vertrauen. Also, haben Sie einen oder nicht?« Sylvia sah Johanna herausfordernd an.
»Nein, warum fragen Sie?«
»Ich möchte mir ein Bild von Ihnen machen, so wie Sie sich eines von mir machen wollen.«

Johanna schwieg einen Moment. Sie spürte, dass Sylvia sehr geschickt vorging und dass sie es schnell schaffen würde, sie zu manipulieren, wenn sie nicht aufpasste. Sie durfte nicht zu viel von sich offenbaren.

»Wie steht es mit ihrer Familie, Sylvia?«

Sylvia zuckte mit den Schultern. »Was soll mit ihr sein?«

»Wo sind Ihre Eltern?«

Wieder ein Achselzucken. »Keine Ahnung.«

»Leben Sie noch?«

»Meine Mutter schon. Glaube ich zumindest.« Plötzlich wirkte sie wie ein störrischer Teenager, den man beim Rauchen erwischt hatte.

»Welches Verhältnis hatten Sie zu Ihrem Vater? Oder lebt Ihr Vater noch?«

»Was für ein Verhältnis hat man schon zu seinem Vater?«, entgegnete Sylvia Marquardt.

»Sagen Sie es mir.« Johanna beobachtete fasziniert das Mienenspiel der anderen Frau. War sie eben noch ernst und verstockt erschienen, blühte sie jetzt förmlich auf. Ihr Gesicht wurde weich, die Augen funkelten vor Vergnügen, und das hübsche Barbiegesicht verzog sich zu einem kleinen spöttischen Lächeln.

»Sie schwitzen unter den Armen. Das sieht nicht schön aus.«

Der Schweiß lief Johanna tatsächlich in Strömen den Körper herunter. Der nasse Stoff ihres Hosenanzuges klebte unangenehm auf ihrer Haut, und ihr eigener Schweißgeruch stieg ihr penetrant in die Nase. Sie verfluchte sich, weil sie sich wie auf einem Prüfstein fühlte und diese Frau ihr gegenüber sie nach Strich und Faden verhöhnte.

»Wir sollten besser Schluss machen für heute.« Schnell raffte sie ihre Unterlagen zusammen und stand auf. Sylvia Marquardt blieb einfach sitzen. Unbeweglich, lächelnd, vollkommen entspannt.

»Bleiben Sie einfach ruhig, Johanna. Wir werden uns schon noch besser kennen lernen, und dann werden auch Sie entspannter. Leben Sie wohl.« Sylvia sah sie nicht an, als sie mit ihr sprach. Ungläubig starrte Johanna diese Frau einen Moment an. Eine Mörderin. Jetzt erst verstand sie, wie Sylvias Opfer in ihren Bann gerieten. Diese Frau hatte nicht nur die Kraft, andere zu manipulieren, sondern sie strahlte auch etwas aus, dem man sich nur schwer widersetzen konnte.

▣

Das Klingeln des Handys brachte Johanna mit einem Schlag in die Gegenwart zurück. Sie musste tatsächlich eingenickt sein, obwohl die Szene, die sie geträumt hatte, schrecklich real gewesen war. Sie konnte sich, als wäre es gestern gewesen, an jedes Detail erinnern, sogar an Sylvias Geruch. Schlaftrunken griff sie nach dem Handy, das neben ihr auf der Decke lag.

»Hallo?«

»Diekmann hier. Ich habe den Namen. Die Anwältin von Sylvia Marquardt hieß Susanne Gebauer. Klingelt es da bei Ihnen?«

Für einen Moment tauchte vor Johannas geistigem Auge eine große, etwas plumpe Frau auf. Sie konnte sich noch an das mausbraune Haar erinnern, an ein schlecht sitzendes Kostüm und an ihre Streitsucht. Aber da war noch etwas anderes. Ihr fiel ein, dass sie den Eindruck gehabt hatte, die Anwältin empfinde beinahe zärtliche Zuneigung für ihre Mandantin, so sanft war sie mit ihr umgegangen.

»Ja, dunkel.«

»Gut. Ich bin gleich bei Ihnen. Wir werden einiges zusammen durchgehen müssen.« Diekmann legte auf, bevor sie etwas erwidern konnte.

»Das zehrt sicher ganz schön an den Nerven, nicht wahr?«,

meldete sich plötzlich Rainer zu Wort. Es war das erste Mal, dass er von sich aus ein Gespräch begann, und für eine Sekunde war Johanna sprachlos.
»Ich denke, dass Sie sich keine Sorgen machen müssen, Herr Diekmann wird schon alles regeln. Da bin ich sicher.« Innerlich seufzte Johanna. Schon wieder ein Mitglied der Diekmann-Fangemeinde. Plötzlich hatte sie eine Idee, und sie ohrfeigte sich innerlich selbst, dass sie nicht schon viel eher darauf gekommen waren.
»Sagen Sie, Rainer, können Sie feststellen, wie die Stimme in natura klingt? Ich meine, können Sie diese Stimme vielleicht entzerren oder etwas herausfiltern?«
Er lächelte ein wenig verlegen. »Das habe ich schon versucht, mit den begrenzten Mitteln, die ich hier zur Verfügung habe. Aber ich fürchte, ich bin Ihnen keine große Hilfe. Das ist eine harte Nuss.«

▣

Diekmann hatte einige arbeitsame Stunden hinter sich. Er hatte in der Ermittlungsakte den Namen der Anwältin gefunden und ihre Adresse ausfindig gemacht. Dann war er persönlich hingefahren. Hinter der Adresse verbarg sich ein kleines Häuschen am Stadtrand. Obwohl ein unbekannter Name am Türschild stand, klingelte er. Eine junge Frau, Mitte zwanzig, mit strähnigem Haar und müden Augen, öffnete ihm.
»Ja, bitte?« Ihr war anzuhören, dass sie nicht gerade auf Besuch erpicht war. Nur mühsam bemühte sie sich um einen höflichen Tonfall.
»Guten Tag, mein Name ist Diekmann, Polizei Hamburg, Mordkommission. Ich bin auf der Suche nach einer Frau Susanne Gebauer.«
»Die wohnt hier nicht mehr.« Die junge Frau schien erleichtert zu sein, dass Diekmann kein Vertreter war, der ihr einen neuen

Staubsauger verkaufen wollte. Im Hintergrund hörte Diekmann Kindergeschrei, das in hysterisches Weinen überging. »Ruhe dahinten«, brüllte die junge Frau, und beinahe augenblicklich verstummte das wütende Geheule.
»Können Sie mir dann vielleicht sagen, wo Frau Gebauer jetzt wohnt?«
»Nein, und ich interessiere mich auch nicht dafür.« Ihre Geduld schien erschöpft. »Wir haben das Haus vor ungefähr einem Jahr von ihr übernommen.«
»Heißt das, Sie sind Frau Gebauers Mieter?«
»Sie haben es erfasst.«
»Dann würde ich sie darum bitten, mir die Kontonummer Ihrer Vermieterin mitzuteilen.«
Die junge Frau zögerte merklich. Plötzlich schien sie misstrauisch. »Sie haben mir noch gar nicht Ihren Ausweis gezeigt.«
»Das stimmt. Bitte entschuldigen Sie.« Diekmann kramte in seiner Tasche und fischte seinen Dienstausweis heraus. Die junge Frau beäugte ihn skeptisch. Mehrmals wanderte ihr Blick zwischen Diekmann und seinem Foto auf dem Ausweis hin und her. Endlich gab sie ihm die kleine Ausweiskarte wieder zurück.
»Also gut. Warten Sie einen Moment.« Im Hintergrund war wieder bestialisches Geheul zu hören. Sie trat einen Schritt zurück und schloss die Tür vor seiner Nase. Ein paar Minuten später reichte sie ihm einen kleinen Zettel heraus.
»Hier. Das ist das Konto. Und hier steht ihre Adresse. Das scheint aber nur ihre Büroanschrift zu sein, denn wenn man da abends anruft, geht nie jemand dran. Brauchen Sie sonst noch etwas?«
»Nein, vielen Dank, sie haben mir sehr geholfen.« Kaum hatte er seinen Satz beendet, schlug sie auch schon die Tür zu, und er konnte gerade noch hören, wie sie ihre Kinder anschrie. Langsam drehte er sich um und ging zu seinem Wagen. Die vergan-

genen Tage machten sich langsam körperlich bemerkbar, seine Glieder schmerzten und die Augen brannten. Außerdem hatte er das Bedürfnis, endlich seine Kleider zu wechseln. Auch geschlafen hatte er kaum, so sehr nahm ihn die ganze Sache gefangen. Er wollte auf dem schnellsten Weg ins Präsidium zurück, um noch ein paar Angaben zu überprüfen, und dann zu Johanna Jensen zurückzukehren.

Irgendwie fing er plötzlich an, sie zu bewundern. Jetzt, wo sie zu wissen glaubte, was der Killer wollte, jetzt, wo ihr eigenes Leben in Gefahr war, wurde sie ruhiger, gelassener. Ruhiger als er. Sie schien plötzlich nichts mehr anfechten zu können. So paradox es klang, aber sie schien sich fast auf den nächsten Anruf des Mörders zu freuen, so als bräuchte sie die Kommunikation mit ihm, weil es ihr das Gefühl gab, etwas tun zu können. Ganz im Gegensatz zu ihm. Er fühlte sich wie gelähmt, konnte einfach nur dabeisitzen und abwarten.

Er dachte noch einmal an das Gespräch zurück, das er gerade eben mit dieser jungen Frau geführt hatte. Sie sagte, dass sie das Haus vor einem Jahr von Susanne Gebauer übernommen hatten. Das passte gut zusammen. Vor knapp einem Jahr hatte sich Sylvia Marquardt im Gefängnis erhängt. Das konnte doch kein Zufall sein. Diekmann stellte sich nach wie vor die Frage, wie das alles zusammenhing. Er machte sich im Geist eine Notiz, nachzufragen, wann die Anwältin ihre Mandantin zuletzt im Gefängnis besucht hatte.

Im Präsidium angekommen, beschloss er, die paar Stockwerke zu seinem Büro zu Fuß zu gehen. Als er oben angekommen war, war er vollends wach und außer Puste. Mit hochrotem Kopf traf er auf eine seiner besten Mitarbeiterinnen. Julika war blass und schien in letzter Zeit auch nicht viel Schlaf bekommen zu haben.

»Gut, dass ich Sie treffe, Julika, könnten Sie bitte das hier schnell für mich überprüfen?«

Er reichte ihr den Zettel, den er bekommen hatte. »Ich brauche das wirklich so schnell wie möglich.«
»Aber das mit der Kontonummer kann eine Weile dauern. Sie wissen doch, dass der Staatsanwalt erst zustimmen muss, Herr Diekmann.«
»Wie Sie das machen, ist mir egal, nur bitte machen Sie es, und zwar am besten sofort.«
Julika seufzte, drehte sich um und verschwand in ihrem Zimmer. Diekmann betrat ebenfalls sein Büro und öffnete den Schrank. Er hatte hier immer eine komplette Garnitur Kleidung hängen, falls er einmal gezwungen war, über Nacht im Büro zu bleiben. Er beförderte die alten Klamotten, die er seit Tagen trug, mit einem Tritt in den Schrank und kleidete sich mit einem Seufzer der Erleichterung neu an. Dann ging er denselben Weg zurück, den er gekommen war und steckte beim Hinausgehen noch einmal den Kopf in Julikas Zimmer.
»Julika, ich fahre jetzt wieder. Wenn was sein sollte, mein Handy ist eingeschaltet.«
»Ist gut, Chef.« Sie hatte den Telefonhörer zwischen Kinn und Schulter geklemmt und winkte ihm kurz zu.

▣

Johanna und Rainer hatten versucht, ein Gespräch in Gang zu bekommen, doch schon nach kurzem wieder aufgegeben, da keiner von beiden sich richtig auf die Konversation konzentrieren konnte. Johanna dachte nach.
Das Bild der Anwältin wurde immer deutlicher, und sie fragte sich, ob an den damaligen Gerüchten etwas dran gewesen war. Man munkelte damals, dass die Anwältin und ihre Mandantin lesbisch gewesen seien und ein Verhältnis miteinander hatten. Aber sie wusste nur zu gut, dass viele solcher Behauptungen nichts als dummes Geschwätz waren. Gerade bei der Polizei

kochte die Gerüchteküche auf Hochtouren. Sie erinnerte sich an die funkelnden Augen der Anwältin, die wie eine Furie darauf bestanden hatte, dass ihre Mandantin nicht schuldfähig sei. Dann dachte sie an Sylvia, die nur dagesessen und gelächelt hatte; und sie selbst hatte damals das Gefühl gehabt, dieser Mörderin nicht gewachsen zu sein.

Plötzlich schoss ihr ein Gedanke durch den Kopf. Vielleicht war Sylvia Marquardt überhaupt nicht tot. Vielleicht war sie ja der geheimnisvolle Anrufer. Johanna schüttelte den Kopf. Das war doch Blödsinn, die Fantasie ging mit ihr durch. Sie rubbelte sich mit den Händen über ihr Gesicht, um die Blutzirkulation anzukurbeln. Als sie spürte, wie ihr das Blut in die Wangen schoss und sich die Wärme in ihr ausbreitete, fühlte sie sich etwas wohler. Inzwischen war sie sich fast sicher, dass diese ganze ominöse Geschichte etwas mit Sylvia Marquardt und ihrem Tod zu tun hatte. Hoffentlich würde Diekmann schon mehr wissen, wenn er wiederkam. Vielleicht hatte er inzwischen schon mit der Anwältin sprechen können.

Als sie hörte, wie der Schlüssel in der Haustür herumgedreht wurde, blickte sie ihm erwartungsvoll entgegen. »Und?«, fragte Johanna und versuchte in seinem Gesicht eine Antwort auf ihre Frage zu lesen.

»Die Anschrift der Anwältin, die wir in den Akten gefunden haben, ist mittlerweile überholt. Sie hat ihr Haus an eine junge Familie vermietet. Ich habe allerdings eine Kontonummer und eine neue Adresse bekommen, die ich gerade überprüfen lasse. Das ist alles. Und hier?« Er sah sich um, als erwarte er Joachim wieder hier anzutreffen.

»Alles so weit ruhig.«

Diekmann ließ sich schwer in die Polster des Sofas fallen: »Es ist zum Auswachsen. Ich habe das Gefühl, wir jagen einem Phantom hinterher. Bisher haben wir immer geglaubt, dass es sich um einen männlichen Anrufer handelt. Das war vermutlich ein ganz entscheidender Fehler. Jetzt haben wir plötzlich diese Anwältin. Aber was machen wir, wenn das auch ein Fehlschlag wird?«

Johanna hielt die Augen starr auf den Tisch gerichtet. »Diesmal sind wir auf der richtigen Spur. Ich fühle es.«

»Weibliche Intuition, oder woher nehmen Sie auf einmal Ihre Sicherheit?«

»Kann man so sehen, ja. Ich habe versucht, mich ganz genau zu erinnern. Ich habe mich an ihre Augen erinnert, an ihr Gesicht, an ihre ganze Erscheinung. Sie hat um ihre Mandantin gekämpft wie eine Löwin um ihr Junges. Sie wollte Sylvia um jeden Preis vor dem Gefängnis bewahren, und ich hatte mitunter sogar den Eindruck, dass ihr jegliches Unrechtsbewusstsein fehlte. Zumindest ihrer Mandantin gegenüber. Ich weiß«, sie winkte ab, obwohl Diekmann gar nichts gesagt hatte, »ein guter Anwalt muss für seinen Mandanten einstehen, aber *das* ging mir doch manchmal ein bisschen zu weit.« Johanna seufzte und stellte den Becher ab. »Wenn ich ehrlich bin, hatte ich sogar manchmal das Gefühl, sie ist verrückt.«

»Was? Und das sagen Sie hier so einfach?«

»Ich weiß. Ich kann das nicht genau erklären. Aber ich hatte tatsächlich ein wenig Bammel vor ihr.«

»Hat Sie Ihnen gedroht?«

»Nein.« Johanna schüttelte den Kopf, »zumindest nicht mit Worten. Aber sie hatte etwas Autoritäres an sich, das ich kaum beschreiben kann. Wissen Sie, damals munkelte man, die beiden Frauen hätten etwas miteinander. Ich habe das seinerzeit als dummes Gewäsch abgetan, aber heute bin ich mir nicht mehr so sicher.« Johanna malte mit dem Finger kleine Kreise auf die polierte Tischplatte und grübelte weiter. – »Wir sollten uns noch mal hinlegen und Kraft schöpfen, solange wir nichts anderes tun können«, schlug Diekmann vor. »Wir wissen ja nicht, ob und wenn ja, was als Nächstes passieren wird.«

Johanna legte sich zurück und zog sich die Decke bis zum Kinn. Sie spürte genau, dass es nicht mehr lange dauern würde.

Sommer 1996

»Darf ich Johanna zu Ihnen sagen? Ich fände das nur gerecht. Schließlich sagen Sie auch Sylvia zu mir.«
»Sicher. Woher wissen Sie, dass ich Johanna heiße?«
»Sie haben es mir selber gesagt, wenn Sie sich recht erinnern.« Sylvia Marquardt lächelte spöttisch. Johanna war wütend und verlegen zugleich. Sie musste aufmerksamer sein, durfte sich keine Fehler oder Schwächen mehr erlauben. »Außerdem sprach einer der Polizisten Sie mit diesem Namen an. Ist er Ihr Freund?«, fuhr Sylvia Marquardt noch süffisanter lächelnd fort. Man konnte deutlich spüren, dass diese Frau hinterhältig und gemein sein konnte.
»Sie wissen doch, dass ich keinen Freund habe. Aber ist das jetzt wirklich wichtig?«
»Was? Ob Sie einen Freund haben oder nicht?«
»Nein, was gerecht ist und was nicht.« Johanna versuchte die ganze Zeit, Sylvia anzusehen. Sie durfte einfach nicht vergessen, dass sie einer Mörderin gegenübersaß. Aber diese Frau faszinierte sie. Sylvia schwieg einen Moment, dann fragte sie: »Glauben Sie an Gott?«
Was sollte das jetzt.
»Sie haben meine Frage nicht beantwortet«, fuhr Johanna sie an.
»Die Frage, ob Sie an Gott glauben, ist aber doch fast eine Antwort auf Ihre Frage nach Gerechtigkeit, oder? Sehen Sie.« Sylvia drehte die Handflächen zur Decke und blickte nach oben, »ich denke, in jedem von uns ist Gott. Und Gott ist gerecht oder nicht. Gott belohnt und Gott straft.« Sie lächelte spöttisch.

»Haben Sie die beiden Männer im Namen Gottes bestraft?«
»Himmel, nein.« Diese Frage schien Sylvia Marquardt wirklich zu amüsieren, »ich habe nicht bestraft. Ich habe es nur getan.«
»Was haben Sie getan?«
»Getötet?« Sylvias Antwort war mehr eine Frage als eine Feststellung. Sie schien sich ehrlich zu amüsieren über Johannas Verhör.
»Warum?« Johanna versuchte auf den leichten Tonfall dieser Frau einzugehen. Aber es fiel ihr schwer, und ihr Mund wurde trocken. Wieder stieg Furcht in ihr auf, Furcht vor der Kraft dieser Frau. Sie war krank. Ganz eindeutig. Aber sie ließ nicht zu, dass man ihr zu nahe kam, etwas über ihre Vergangenheit, ihre Familie oder ihre Motivation erfuhr. Immer wenn die Fragen zu persönlich wurden, wich sie aus. »Warum?«, wiederholte Johanna. Sylvia zuckte die Schultern. »Es hat sich so ergeben. Es war spannend, zu sehen, wie weit sie gehen würden, um mit einer Frau zu ficken. Aber wie Sie sehen, die Kerle würden alles tun. Deswegen haben Sie es nicht anders verdient.« Plötzlich änderte sich ihr Tonfall und wurde eine Nuance tiefer, fast anzüglich: »Haben Sie schon mal mit einer Frau gefickt?« Johanna brach der kalte Schweiß aus. Sie hatte das Gefühl, in die Defensive gedrängt zu werden und die Kontrolle zu verlieren. Doch Sylvia hörte noch nicht auf.
»Oder ficken Sie Ihren Freund?«
»Ich sagte schon einmal, ich habe keinen Freund! Außerdem geht es hier ja wohl nicht um Sex, oder?«
»Es geht immer um Sex. Das ganze Leben lang. Man kann sich nicht wehren. Sex ist Bestandteil des Lebens.« Für einen Moment verlor sich Sylvias Blick in der Ferne. Doch dann zuckte ihr Kopf, und sie sah schnell hoch, als ob sie sich vergewissern wollte, wo sie war. »Ich habe den Spieß einfach umgedreht, damit die Kerle mal wissen, wie das ist. So einfach ist das. Also, glauben Sie nun an Gott.«

»Meinen Sie, Gott will, dass wir töten?«
»ER ist gerecht und ER lässt uns Spiele spielen. Spiele, bei denen immer die anderen die Regeln bestimmen. Sie haben geschrien, wissen Sie.« Wieder stahl sich ein leichtes bösartiges Lächeln in ihr Gesicht. »Sie waren geknebelt«, widersprach Johanna. Sie kämpfte gegen Übelkeit, aber sie wusste, dass sie sich auf dieses Spiel einlassen musste. Ein Spiel, in dem Sylvia die Regeln bestimmte. »Stimmt. Ich habe sie geknebelt, aber ich konnte sehen, dass sie schreien wollten. Sie stöhnten und weinten wie Kinder. Hätten sie gekonnt, sie hätten um ihr Leben gefleht. Ich bin sicher, sie haben gebetet. Meinen Sie nicht?«
»Ich bin mir sicher. Ihr Spiel hat Ihnen also gefallen?«
Sylvia lehnte sich langsam zurück, streckte die Beine aus und verschränkte die Arme hinter dem Kopf. Ihre veilchenblauen Augen fixierten Johannas Blick, dann antwortete sie genüsslich mit Ja.

▣

Johanna schreckte hoch. Wieder konnte sie sich nicht daran erinnern, eingeschlafen zu sein. Hatte sie etwas geweckt oder war es nur die Erinnerung an eine schreckliche Vergangenheit. Sie setzte sich auf und sah sich um. Diekmann saß noch immer in einem Sessel. Aber er hatte sich ausgestreckt, den Kopf angelehnt und schien zu schlafen. Rainer saß ausnahmsweise nicht auf seinem Stuhl. Er hatte es sich in seinem Schlafsack bequem gemacht und schnarchte leise. Johanna lehnte sich wieder zurück und starrte an die Decke. Langsam, ganz langsam kehrte die Erinnerung an die vergangenen Ereignisse zurück. Sie versuchte sich zu entspannen, atmete tief und gleichmäßig. Ihr Herzschlag beruhigte sich, aber das Gefühl blieb das gleiche wie damals. Dieses Unbehagen, das ihr den Schweiß aus den Poren trieb und ihr die Kehle abschnürte. Sie wusste nicht

mehr, wann sie dieses Gefühl zum ersten Mal wahrgenommen hatte, aber es stand ganz deutlich in Zusammenhang mit ihrem Bruder und Sylvia Marquardt.
Sie hatte ihren Bruder insgeheim verurteilt, auch wenn es ihr schwer fiel, sich das einzugestehen. Mit dieser Schuld lebte sie noch heute. Damals hatte sie leicht ge- und verurteilt und über Dinge geurteilt, die sie nicht verstand und die sie auch nicht verstehen wollte. Sie hatte ihre Entscheidung getroffen, er hatte sich das Leben genommen. Auch bei Sylvia hatte sie eine Entscheidung getroffen. Sie fragte sich, ob Sylvia noch leben würde, wenn sie damals anders gehandelt hätte. Sie hatte schon damals gewusst, dass sie falsch handelte, aber sie hatte sich über ihre Moral, über das Gesetz und über ihr Gewissen hinweggesetzt. Doch danach hatte sie sich geschworen, dass so etwas nie wieder passieren durfte, und hatte dann versucht, die Sache zu vergessen. Jetzt musste sie feststellen, dass sie die Erinnerung an all diese Ereignisse nur jahrelang erfolgreich verdrängt hatte. Das Gefühl der Schuld war stärker denn je.
Sie schlug die Decke beiseite und stand leise auf. Auf Zehenspitzen schlich sie zum Fenster und schaute durch die Lamellen der Jalousien nach draußen. Es war zwar schon dunkel, aber auf der Straße herrschte immer noch reger Betrieb. Sie selbst, Diekmann und wahrscheinlich auch Rainer hatten endgültig jegliches Zeitgefühl verloren. Sie lebten nur noch für den nächsten Augenblick. Als sein Handy klingelte, war Diekmann sofort wach. Er griff danach und hörte regungslos zu.
Julika war am Apparat.
»Die Kontonummer, die mir die junge Frau gegeben hat, lautet auf den Namen von Susanne Gebauer«, berichtete er anschließend, »unter ihrer Adresse ist ein Büroservice gemeldet, bei dem sie hin und wieder persönlich erscheint, um ihre Post abzuholen. Die gleiche Adresse hat sie auch bei der Bank angegeben.«

»Musste sie sich denn dort nicht ausweisen?«, fragte Johanna.
»Das hat sie bis heute nicht getan, und man hat sie schon mehrfach angemahnt deswegen. Da aber auf dem Konto ständig Bewegung ist, will man es ihr auch nicht sperren.«
»Kann man sie nicht zu diesem Büroservice locken und dort festnehmen?«
Diekmann hob den Kopf, so dass Johanna sehen konnte, wie frustriert er war. »Und mit welcher Begründung? Wir haben doch nichts als eine Vermutung. Und wenn sie es wirklich ist, dann wird sie uns nicht gerade auf die Nase binden, wo Markus ist. Was wird dann aus ihm? Können Sie mir das sagen?«
Er war laut geworden. Mit einem Satz war er aus dem Sessel gesprungen und begann wie ein Tiger im Käfig auf und ab zu laufen. »Außerdem wird sie vermutlich wissen, wann die Post kommt, denn angeblich handelt es sich immer nur um amtliche Schreiben. Wir müssen jetzt rausfinden, wo sie wohnt oder wo sie Markus versteckt, zum Teufel. Aber warten Sie«, er war stehen geblieben und rieb sich mit der Hand die Stirn, »ich habe eine Idee. Wir werden jetzt schnell in Flensburg überprüfen lassen, ob irgendwo in Deutschland ein Auto auf ihren Namen gemeldet ist.« Noch bevor er den Satz zu Ende gesprochen hatte, begann er wild Nummern in sein Handy zu tippen. Schon kurze Zeit später drehte er sich wieder zu Johanna um und sagte: »So, und jetzt können wir nur noch warten.«
»Darin haben wir ja schon Übung, oder?«, bemerkte Johanna trocken.
Für einen Moment sahen sie sich in die Augen. Beide schienen zu wissen, was der andere gerade dachte. Als das Telefon erneut klingelte, zuckte Diekmann zusammen. Diesmal war es Johannas Festanschluss. Nach dem dritten Klingeln nahm sie den Hörer ab.
»Hallo, mein Kind. Ich dachte, wir sollten noch ein paar Sachen klären, bevor wir uns sehen.« Auch wenn die Stimme immer noch künst-

lich klang, hatte sie jetzt, wo Johanna fast sicher zu wissen glaubte, wer dahinter steckte, ihren Schrecken für sie verloren.
»Sie wollen mich sehen?«
»Hatte ich dir das nicht neulich schon gesagt? Ja, natürlich will ich dich sehen. Wir sollten uns kennen lernen, findest du nicht? Ich meine, ich kenne dich ja bereits, aber hast nicht auch du das Bedürfnis, mich endlich kennen zu lernen?«
»Natürlich.« Johannas Stimme klang vollkommen ruhig. Sie hörte Diekmann scharf einatmen und konnte aus dem Augenwinkel sehen, wie Rainer fieberhaft auf seiner Tastatur herumhämmerte. Sie hatte gar nicht bemerkt, dass er wieder wach geworden war.
»Das dachte ich mir. Deshalb sollten wir uns unbedingt treffen. Aber vorher musst du mir noch von dir erzählen.«
»Was genau wollen Sie wissen?«
»Wie geht es dir, wenn du daran denkst, dass du ein Menschenleben auf dem Gewissen hast?«
»Ich habe niemanden getötet.« Johannas Nackenhaare sträubten sich, und wieder spürte sie den Sog, den diese körperlose Stimme auf sie ausübte.
»Das habe ich auch nicht gesagt. Zumindest hast du es nicht mit deinen eigenen Händen getan. Trotzdem, wie fühlst du dich?«
»Ich habe viel darüber nachgedacht. Was ich damals getan habe, war falsch, das weiß ich jetzt.«
Aus dem Lautsprecher klang ein gespenstisches Lachen. *»Jetzt? Erst jetzt? Hast du keine Albträume?«*, fragte die Stimme scharf.
»Was wollen Sie von mir?«
»Gerechtigkeit? Rache? Was meinst du?«
»Aber was hat Markus mit alledem zu tun? Und was hatten die Frauen damit zu tun?«
»Was? Das weißt du immer noch nicht?« Wieder erklang blechernes, grausames Gelächter.
Johanna lief es eiskalt den Rücken herunter.

»Irgendwie musste ich dich ja aus der Reserve locken, und da es mit den Frauen nicht klappte, blieb nur noch eine Variante.« Johanna war ganz still geworden. Es war also wahr. Die Frauenmorde hatten ihr gegolten. Doch *warum?* Immer noch war ihr nicht klar, worauf dieses Scheusal am anderen Ende der Leitung hinauswollte.
»Aber Markus hat niemandem etwas getan. Warum ziehen Sie ihn da mit hinein?«
»Die Frauen haben auch niemandem etwas getan, und dennoch habe ich sie mit hineingezogen.«
»Aber warum?«
»Warum nicht? Denk nach? Warum habe ich das wohl getan?«
»Sie haben mich damit gemeint. Sie haben es getan, weil Sie eigentlich mich töten wollen.«
»Du hast beinahe Recht. Ich will dich töten, aber nicht auf diese Weise. Ich wollte dir einfach nur ein Zeichen geben, mit dir in Kontakt treten, aber du hast leider nicht reagiert. Im Gegenteil, im Fernsehen hast du sogar von einem Kranken gesprochen, der für diese Morde verantwortlich sein sollte. Aber ich *bin verantwortlich, genauso wie* du! *Und* ich *habe diese Frauen ausgewählt, weil sie* dich *erinnern sollen an das, was* du *getan hast, du Miststück!«* Die Stimme des Killers war nun so schrill geworden, dass sie zu kippen drohte.
Johanna bekam Angst. So hasserfüllt, wie sich ihr Gegenüber anhörte, konnte Markus in akuter Lebensgefahr schweben. Sie musste dringend etwas unternehmen.
»Es tut mir Leid. Ich habe es nicht sofort verstanden, ich möchte es aber gerne verstehen.«
»Das solltest du auch. Du bist die Frau, die ich will, du bist diejenige, die die Leiden der armen Frauen und meiner Sylvia am eigenen Leibe erfahren soll. Du allein bist der Schlüssel zu allem, und du wirst mit deinem Leben dafür bezahlen.«
»Und was passiert mit Markus?«
Am anderen Ende herrschte Schweigen, nur das Atmen des Mörders war zu hören. Gleichmäßig, ruhig.

»Sein Leben gegen dein Leben. Komm zu mir und er wird leben. Markus bedeutet mir ebenso wenig wie diese Frauen.« Die Stimme am anderen Ende der Leitung wurde allmählich wieder ruhiger. Johanna atmete insgeheim auf, und der Schweiß, der ihr plötzlich auf der Stirn gestanden war, trocknete langsam.
»Denk darüber nach«, flüsterte es an ihrem Ohr, *»ich gebe dir bis morgen Zeit.«* Johanna legte das Telefon behutsam auf den Tisch zurück. Sie hatte keine Zweifel mehr über die Identität des Mörders und dachte mit leichtem Schaudern an den Fanatismus und den Hass, der ihr damals aus diesen brennenden Augen entgegengeschlagen war. Was sie die ganze Zeit über schon geahnt hatte, war nun Gewissheit geworden.
»Ich habe die Nummer und den Anschlussinhaber. Es ist ein Handy«, meldete sich Rainer triumphierend. Diekmann und Johanna drehten sich überrascht um. Rainer agierte so unauffällig, dass man seine Anwesenheit immer wieder vergaß.
»Einen Moment noch ... der Name der Person ist ... aber das gibt's doch nicht ...!«
»Was ist denn. Jetzt reden Sie schon«, herrschte ihn Diekmann an.
»Die Person, die das Telefon angemeldet hat, heißt Sylvia Marquardt.«
Johanna war nicht besonders überrascht. »Das habe ich mir fast gedacht. Das passt genau in das Bild, das ich mir von ihr gemacht habe. Sie hat Sylvias Identität angenommen.«
»Wer ist *sie?* Susanne Gebauer? Vielleicht könnten Sie mir freundlicherweise mal erklären, was, zum Teufel, hier eigentlich vor sich geht? Was war das vorhin? Ich hatte das Gefühl, Sie beide kennen sich schon seit Jahren.« Johanna fröstelte. Langsam machten sich Müdigkeit und Erschöpfung vehement bemerkbar. Diekmann stand vor ihr, die Hände wie ein keifendes Waschweib in die Hüften gestützt. Wenn die Situation nicht so ernst gewesen wäre, hätte Johanna hysterisch aufgelacht.

»Ich habe Ihnen schon einmal von Sylvia erzählt, vor ein paar Tagen, als wir zusammen Mittag gegessen haben, erinnern Sie sich?« Da Diekmann nicht reagierte, sprach sie weiter. »Nachdem sie damals verhaftet worden war, wurde ich beauftragt, mit ihr zu sprechen. Ich sollte mir ein Bild von ihr machen, klären, ob sie schuldfähig war oder nicht. Erinnern Sie sich, das war die Frau, die zwei Männer bestialisch gequält und bei lebendigem Leibe abgeschlachtet hat, indem sie ihnen Penis und Hoden abschnitt und sie ihnen in den Mund stopfte. Dann hat sie zugesehen, wie sie langsam verbluteten. Es muss schrecklich gewesen sein. Ich habe mir den Tatort nie angesehen. Aber ich hatte ein paar Sitzungen mit ihr, und es stellte sich schnell heraus, dass sie schwer traumatisiert war. Obwohl sie so gut wie nie von ihrer Kindheit oder ihren Eltern sprach, war klar, dass ihr Trauma aus dieser Zeit herrührte. Sie war als Kind von ihrem Vater sexuell missbraucht worden, zumindest vermutete ich das aufgrund ihrer hasserfüllten Bemerkungen über Sex oder sexuelle Beziehungen. Irgendwann hat sie dann Rache genommen, obwohl der Vater damals schon längst tot war und sie sich von ihrer Mutter distanziert hatte. Wir haben damals versucht, ihre Mutter ausfindig zu machen, doch sie weigerte sich, ihre Tochter zu sehen. Ich denke, ihre Mutter wusste von dem Missbrauch und hat, wie viele Frauen in dieser Lage, ihre Tochter verstoßen, weil sie ihr die Schuld daran gab. Viele Frauen sehen nämlich tatsächlich in der misshandelten Tochter Konkurrenz und verstoßen sie. Das konnte ich damals, obwohl ich wusste, dass es so sein konnte, schwer verstehen.«
Diekmann sah Johanna noch immer stirnrunzelnd an, sein Ärger war jedoch verschwunden. Er unterbrach sie nicht, nickte ihr hin und wieder zu, fortzufahren. »Sie war eindeutig krank, aber sie war auch eiskalt und konnte Menschen manipulieren; auch ich erlag anfangs ihrer Ausstrahlung. Sie hatte etwas, das man nur schwer erklären kann. Wahrscheinlich wusste sie von

frühester Kindheit an, wie sie sich durchschlängeln konnte, was sie tun musste, damit die Menschen das taten, was sie wollte.« Sie machte eine Pause, da sie nicht genau wusste, wie sie den Rest der Geschichte erzählen sollte. Es gab nichts, was ihr Verhalten entschuldigen würde. Diekmann konnte seine Ungeduld nur mühsam zügeln. Johanna seufzte und schlang die Arme fester um ihren Oberkörper.

»Ich erstellte ein falsches Gutachten. Die Berichte, die ich schon vorher angefertigt hatte, ließ ich verschwinden und schrieb neue. Das endgültige Gutachten wurde dann von Professor Trautmann und den Gegengutachtern gegengezeichnet und Sylvia wurde verurteilt.« Sie schloss die Augen und machte sich auf ein Riesendonnerwetter gefasst. Diekmanns Stimme klang rau, als er fragte: »Was genau bedeutete das?«

»Ich attestierte ihr geistige Gesundheit und erklärte, dass sie zwar gefühlskalt, aber auf jeden Fall schuldfähig sei. Den von mir vermuteten Missbrauch erwähnte ich mit keinem Wort.« Für einen Moment lastete unheilvolles Schweigen über der kleinen Gruppe. Dann packte Diekmann Johanna plötzlich an den Schultern und riss sie zu sich herum, so dass sie beinahe gefallen wäre. Er schüttelte sie. Sein schmerzhaft verzerrtes Gesicht zeigte nicht nur Ärger, sondern auch Entsetzen. »Sind Sie wahnsinnig? Sie haben eine kranke Frau, ohne mit der Wimpern zu zucken, in den Knast geschickt, obwohl sie vermutlich mehr als irgendjemand sonst eine Therapie gebraucht hätte. Was sind sie bloß für eine Psychologin?«

»Was hätten Sie denn getan? Sie wäre in die Psychiatrie gekommen und nach ein paar Jahren wieder entlassen worden. Sie war in meinen Augen viel zu verstört, um noch therapiert zu werden, und ich war mir sicher, und das bin ich heute noch, dass sie nach ihrer Entlassung weitergemordet hätte. Verdammt noch mal, sie hat den Männern ihre Eier und ihre Schwänze abgeschnitten. Was, zum Henker, hätte ich denn tun sollen?« Sie hatte sich losgerissen und funkelte ihn wütend an. »So war ich wenigstens sicher, dass sie mindestens fünfzehn Jahre weggesperrt blieb. Außerdem, was soll Ihr Getue? Sie sind es doch, der uns Psychologen und Psychiater dafür verurteilt, dass wir Leute in die Klapsmühle bringen.« Sie bohrte ihm den Finger in die Brust und schubste ihn. »Sie sind es doch, der uns dafür verantwortlich macht, wenn Mörder nach ihrer Entlassung zu Wiederholungstätern werden. Und Sie sind es doch, der hier als Einziger zu wissen glaubt, was man mit Straftätern machen sollte. Sie sind verbohrt, borniert und ungläubig engstirnig.« Ihre letzten Worte klangen verächtlich, und man merkte ihnen an, dass sie ihrer aufgestauten Wut auf ihn und auf sich selbst freien Lauf ließ. »Sie mit Ihrer Selbstgerechtigkeit, wissen Sie was? Sie kotzen mich an. Ist doch alles nur Heuchelei und verlogenes Gerede.« Für einen Moment herrschte Schweigen. Johanna und Diekmann standen sich wie zwei Kampfhähne gegenüber. Sie konnte aus dem Augenwinkel sehen, dass Rainer zu einer Salzsäule erstarrt war. Es sah so aus, als hätte er zu atmen aufgehört. Diekmann brach als Erster das Schweigen.

»Es tut mir Leid. Ich fürchte, ich habe nicht das Recht, Sie zu verurteilen. Sie haben im Prinzip nur das getan, was ich immer gefordert habe. Solche Verbrecher gehören meiner Meinung nach in den Knast und nicht ins Krankenhaus.« Er machte einen Versuch, versöhnlich zu lächeln. »Sylvia Marquardt ist aber doch im Gefängnis gestorben. Heißt das, wir haben es tatsächlich mit ihrer Anwältin Susanne Gebauer zu tun?«

»Mir tut es auch Leid. Ich glaube, die Pferde sind gerade mit mir durchgegangen«, nahm Johanna Diekmanns Entschuldigungsversuch an, »ich fürchte, unser Anrufer *ist* Susanne Gebauer.«

Johanna wandte sich ab und entfernte sich ein paar Schritte von Diekmann. Sie fühlte sich erschöpft, ihr ganzer Kör-

per schien förmlich in sich zusammenzufallen. Alle Kraft war plötzlich aus ihr gewichen, und bleierne Müdigkeit übermannte sie.
»Wir müssen uns jetzt gut überlegen, wie wir weiter vorgehen.« Diekmann hatte sich wieder beruhigt, und Johanna merkte, dass er die Situation zu entkrampfen versuchte. Er bemühte sich um einen ruhigen Tonfall. Gleichzeitig hatte sie das Gefühl, dass sich die Spannung zwischen ihnen endlich wie in einem reinigenden Gewitter entladen hatte, und plötzlich bekam Johanna ein schlechtes Gewissen. Lange hatte sie mit dem Schicksal gehadert, und als endlich jemand kam, der ihre Ängste und ihre Zweifel beim Namen nannte, war sie ausgerastet. Er hatte ja Recht, es war ihre Schuld, dass sie jetzt alle hier standen und um das Leben von Markus kämpften.
»Haben Sie eine Idee?«, fragte Johanna, den Tränen nahe. Und sie drehte sich auch nicht um, als Diekmann ihr die Frage zurückgab, sondern antwortete: »Ich denke, wir sollten auf den Deal eingehen, den sie uns anbietet. Ich bin fast sicher, dass sie Markus nichts tun wird. Ich werde zu ihr gehen. Natürlich vertraue ich darauf, dass Sie zum rechten Zeitpunkt wie der Ritter in der schimmernden Rüstung angaloppiert kommen und mich retten werden. Was meinen Sie?«
»Ist das Ihr ganzer Plan?«
»Haben Sie einen besseren?«, fauchte Johanna zurück, und ihre Stimme klang schon wieder bissig.
»Na ja, vielleicht sollten wir jetzt erst einmal überprüfen, ob die gute Frau auch ihre Wohnung oder ihr Auto auf den Namen ihrer ehemaligen Mandantin angemeldet hat. Das wäre zumindest ein kleiner Hoffnungsschimmer.« Johanna hatte ihren Kopf an die Wand gelehnt und die Arme vor den Körper verschränkt. Ihr Kopf fühlte sich vollkommen leer an, und alles, was sie spürte, war ein dumpfer Schmerz tief in ihrem Innern, der immer stärker wurde. »Sie sollten etwas essen.« Diekmanns

Stimme klang erstaunlich sanft. Er stand jetzt genau hinter ihr, und sein Atem streifte beim Sprechen ihr Haar.

»Ich kann jetzt nichts essen, aber einen Whisky könnte ich vertragen.« Sie hörte, wie er sich umdrehte und zu dem kleinen Schrank ging, wo sie ihre alkoholischen Getränke aufbewahrte. Kurze Zeit später hielt er ihr ein Glas hin, das bis zum Rand mit der bernsteinfarbenen Flüssigkeit gefüllt war.

»Hier, vielleicht hilft Ihnen das, zur Ruhe zu kommen. Wenn ich die Frau richtig verstanden habe, wird das morgen ein harter und langer Tag für Sie.«

»Ja, da mögen Sie Recht haben.« Johanna nahm das Glas von Diekmann entgegen, trank einen kräftigen Schluck und spürte augenblicklich, wie der Alkohol ihre Muskeln entspannte und sich wohlige Wärme in ihrem Körper ausbreitete. Sie lächelte. Ihre alkoholgefährdeten Patienten warnte sie immer vor dieser entspannenden Wirkung des Alkohols. Aber trotz des Whiskys ging ihr Sylvia Marquardt nicht mehr aus dem Sinn.

16

Sommer 1996

»Kennen Sie Ihre eigenen Geister und Dämonen, Johanna?« Es war einer der seltenen Momente, in denen Sylvia ernst war. Ihre Stirn war gerunzelt, und sie blickte auf das, was sie in den Händen hielt. Es war eine Rose, die sie aus ihrer Zelle mitgebracht hatte. Die unteren Blütenblätter hatten sich geöffnet und das zarte Herz der Blume freigelegt. Die oberen, porzellanartigen Blätter versuchten es noch zu schützen, aber es war nur eine Frage der Zeit, wann auch sie aufgeben und das Herz dem Verfall preisgeben würden. Sylvia strich so zärtlich über die Blume, als wolle sie sie trösten.

»Was ist mit Ihren?«, fragte Johanna.

»Sie sind immer da. Schon als Kind waren sie mir vertrauter als mein eigenes Ich. Sie waren da, um mich zu quälen und zu trösten«, entgegnete Sylvia versonnen.

»Können Dämonen denn trösten?«

»Wenn sie verhindern, dass man verrückt wird, schon. Was ist mit ihren Dämonen?«

»Ich habe keine, glaube ich.«

»Komisch. Meine sind immer bei mir.« Sylvia war nachdenklich geworden und völlig in der Betrachtung des zarten Gebildes in ihren Händen versunken.

»Waren Sie auch bei Ihnen, als sie die beiden Männer töteten?« Johanna wusste, dass ihre Frage brutal klang, aber sie wollte Sylvia aus der Reserve locken. Sylvias Lippen verzogen sich zu dem spöttischen Lächeln, das Johanna schon so gut kannte.

»Natürlich. Sie haben sogar applaudiert.«

»Sprechen Ihre Dämonen mit Ihnen?«, versuchte Johanna weiter in ihre Patientin zu dringen.
Sylvias Lächeln wurde stärker, ihre Stimme klang sanft, als sie sagte: »Ich höre keine Stimmen, falls Sie das meinen. Nein, ich höre nur auf meine innere Stimme, die mir genau sagt, was ich tun soll.«
»Haben Sie Schuldgefühle?«, fuhr Johanna fort.
»Nein.« Sylvia schüttelte ihre honigblonde Mähne. »Es gibt keinen Grund, etwas zu bereuen. Bereuen Sie es, dass sie hier mit mir sitzen?«
»Nein, das tue ich nicht.«
»Aber Sie hassen es. Sie wollen nicht mit mir zusammen sein. Sie verstehen mich nicht. Sie denken immer nur an diese Männer«, sie machte eine wegwerfende Handbewegung, »an diese Männer, die nur bekommen haben, was sie verdienten.«
»Ist das denn wirklich Ihre tiefste Überzeugung, Sylvia?«
»Ja, und es ist schade, dass ich nur diese beiden gekriegt habe. Aber glauben Sie mir, es ist nicht aller Tage Abend, ich komme wieder«, sie lachte leise, »und ich werde Ihr Dämon sein.«

▣

Sylvia hatte Recht behalten. Sie war tatsächlich Johannas Dämon geworden. Inzwischen war beinahe ein neuer Tag angebrochen. Johanna war so sehr in ihre Gedanken versunken gewesen, dass sie gar nicht gemerkt hatte, wie die Zeit vergangen war. Das Telefon klingelte wieder, und die ihr mittlerweile wohl bekannte Stimme meldete sich:
»Guten Morgen, mein Kind. Ich finde, wir sollten keine Zeit mehr verschwenden. Findest du nicht auch?« Es hörte sich so an, als wolle die Stimme sie zu einem vergnüglichen Sonntagsausflug mit guten Freunden einladen. *»Hast du dich entschieden?«*
»Ja, das habe ich, ich werde kommen.«

»Gut. Dann tu genau das, was ich dir sage. Und ich glaube nicht, dass ich noch extra betonen muss, dass wir keine Polizei benötigen, oder?«

»Nein, natürlich nicht«, bekräftigte Johanna schnell.

»Wenn ich recht sehe, hat dein Polizistenfreund das Haus ohnehin vor zwei Stunden verlassen«, kicherte die Stimme höhnisch.

Johanna schreckte hoch und sah sich hektisch im Zimmer um. Rainer nickte ihr lächelnd zu, aber von Diekmann war keine Spur zu sehen. Anscheinend war sie so vertieft gewesen, dass sie nicht mitbekommen hatte, wie er fortgegangen war. Sie versuchte, die in ihr aufsteigende Panik niederzukämpfen und gelassen zu bleiben. Sie schluckte. »Ja, scheint so.«

»In zehn Minuten setzt du dich in dein Auto und fährst in Richtung Eidelstedt. Alle weiteren Anweisungen später. Und keine Polizei! Hast du verstanden? Wenn ich etwas Verdächtiges sehe, ist unser Deal geplatzt und Markus tot. Verstanden?«

Johanna nickte, ohne daran zu denken, dass man das Telefon nicht sehen konnte. Doch der Anrufer hatte bereits aufgelegt, ohne ihre Antwort abzuwarten. Johanna hielt das Telefon noch einen Moment ans Ohr und hörte das Besetztzeichen. Sie war sich jetzt absolut sicher. Der Anrufer konnte nur Susanne Gebauer, Sylvias ehemalige Anwältin, sein. Johanna legte langsam den Hörer hin und stand auf. Es war so weit. Jetzt konnte sie nur noch beten.

▣

Als Diekmann die Wohnung verließ, hatte er zuerst vorgehabt, Johanna Bescheid zu sagen, aber sie hatte so abwesend gewirkt, dass er beschlossen hatte, unbemerkt zu verschwinden. Vielleicht war es sogar besser so. Der Killer würde sich bei ihr melden, und er würde sie zwar nicht beobachten können, aber er würde sie trotzdem nicht verlieren. Das hoffte er zumindest. Ein eisiger Schauer lief ihm über den Rücken. Wenn irgendetwas schief ging, waren vermutlich beide tot. Markus und Jo-

hanna. Aber daran wollte er jetzt nicht denken. Seine Leute hatten herausgefunden, dass einer Sylvia Marquardt ein Haus in der Nähe von Bargteheide gehörte. Diekmann zweifelte keinen Augenblick daran, dass Susanne alias Sylvia dort auch Markus gefangen hielt. Er ging davon aus, dass sie Markus nicht zu dem Treffen mit Johanna mitnehmen würde. Das wäre zu gefährlich, und wenn Markus sich tatsächlich in einer Art Dämmerzustand befand, weil er mit Drogen ruhig gestellt worden war, dann würde sich der Killer mit ihm bestimmt nicht belasten wollen.
Diekmann hatte alles genau durchdacht. Wenn sie sicher waren, dass sich niemand in dem Haus befand, würden sie es stürmen. Johanna würde von einem seiner Beamten beobachtet, der ihr, sobald sie das Haus verließ, in sicherem Abstand folgen würde. Es war ein riskantes Unternehmen, aber es war ihre einzige Chance. Wenn es schief ging, war er erledigt. Schnell wischte er die Gedanken wieder wie eine lästige Fliege beiseite.

⧈

Als sie den Hörer auflegte, zitterte sie am ganzen Körper. Endlich war er da, der Moment, und sie würde ihn auskosten. Sie würde Johanna zappeln lassen, ihr sagen, dass sie nicht anders handeln konnte, dass sie sich alles selbst zuzuschreiben hatte. Immer wieder musste sie an Sylvia denken, der einzige Mensch in ihrem Leben, der sie so genommen hatte, wie sie war, und den sie selbst rückhaltlos geliebt hatte. Sie waren eine Einheit gewesen, auch hinterher, trotz der Gefängnismauer. Sie hatten sich ohne Worte verstanden und immer gewusst, was in dem jeweils anderen vorging. Sie war es auch gewesen, der Sylvia alles erzählt hatte. Ihr, Susanne, hatte sie von den Männern erzählt, die sie ausgesucht hatte, und sie um ihr Urteil gebeten. Sie hatte Sylvia sogar ihre Hilfe angeboten, doch sie wollte es alleine machen. Aber hinterher hatte sie ihr alles erzählt und dabei kein Detail ausgelassen. Sie wusste genau, wie Sylvia die beiden Männer überrumpelt

und gequält hatte und diese dann in Todesangst um ihr Leben gebettelt hatten. Nächtelang hatten sie sich die Szenen wieder und wieder ausgemalt, ein paar Trips geschmissen, Joints geraucht und sich stundenlang voller Leidenschaft geliebt.
Es war nur natürlich gewesen, dass Susanne als Anwältin Sylvias Verteidigung übernommen hatte. Kein anderer Anwalt wäre in der Lage gewesen, sie so zu beschützen wie sie. Kein anderer hätte sie verstanden. Sie hatte gekämpft – und sie hatte verloren. Alles hätte so gut geklappt, wenn nicht diese Psychologin gewesen wäre. Wieder stieg die Wut in ihr hoch und schnürte ihr den Hals zu. Sie sah noch die versteinerten Gesichter der Polizisten vor sich. Sie hatte ihre Verachtung gespürt, ihren Ekel gerochen, was sie maßlos erregt hatte. Sie hatte gesehen, dass die Männer sich die Bilder der Toten kaum ansehen konnten, ohne an ihre eigenen Schwänze zu denken. Doch sie hatte sich diese Bilder immer gerne angesehen. Sie hatte sie sogar kopiert und zu Sylvia in den Knast geschmuggelt, um ihr die einsamen Nächte zu versüßen.
Aber dann kam diese Psychologin, die Sylvia nie verstanden hatte und die Angst vor ihr gehabt hatte.
Dabei war sie sich so sicher gewesen, dass Sylvia in ein Krankenhaus eingeliefert und nach ein paar Jahren nach Hause zurückkehren würde. Aber diese Frau hatte alles zerstört. Sie hatte Sylvia auf dem Gewissen. Sie ganz allein hatte sie mit ihrem falschen Bericht getötet, als ob sie ihr selbst den Bademantelgürtel um den Hals gelegt und sie vom Stuhl gestoßen hätte. Sie hatte alles zerstört, woran Susanne und Sylvia geglaubt hatten.
Sie hatte nicht nur Sylvia das Leben genommen, sondern auch ihr, Susanne, die Zukunft geraubt. Sie drehte sich um und sah auf die Straße hinaus. Diese Wohnung war ihre beste Idee seit langem gewesen, auch wenn sie sich in letzter Zeit kaum noch ohne Verkleidung aus dem Haus getraut hatte. Aber es hatte sich gelohnt. In diesem Moment konnte sie sehen, wie Johanna in ihren Wagen stieg.

Johanna zitterte und ihre Knie waren weich, als sie in ihren Wagen stieg. Die Angst schnürte ihr so den Hals zu, dass sie glaubte, keine Luft mehr zu bekommen. Als sie im Auto saß, atmete sie ganz bewusst gleichmäßig ein und aus. Der Schock darüber, dass Diekmann im entscheidenden Moment nicht an ihrer Seite und auch telefonisch nicht zu erreichen war, ließ Übelkeit in ihr aufsteigen.
Sie legte das Handy neben sich auf den Beifahrersitz und vergewisserte sich zum hundertsten Mal, dass es auch eingeschaltet war. Sie ging davon aus, dass Susanne Gebauer sich telefonisch bei ihr melden würde. Sie war jetzt überzeugter denn je, dass der Killer die ehemalige Anwältin von Sylvia Marquardt war. Etwas anderes konnte sie sich nicht mehr vorstellen.
Sie startete den Motor und versuchte sich von nun auf den Verkehr zu konzentrieren. So wie es aussah, wurde sie nicht verfolgt. Sie wusste nicht, ob sie sich darüber freuen sollte oder nicht. Insgeheim hatte sie aber doch gehofft, dass Diekmann irgendwo in der Nähe wartete und sie nun verfolgte, auch wenn das gefährlich war. Sie umklammerte das Lenkrad fester und gab etwas mehr Gas. Als ihr Handy klingelte, legte sie eine Vollbremsung hin und knallte dabei beinahe gegen den Bordstein. Das Hupen der Autofahrer hinter ihr registrierte sie kaum, so schnell riss sie das Handy an sich. Beim ersten Versuch, den richtigen Knopf zu treffen, fiel ihr das Handy aus der Hand. Schnell angelte sie es vom Boden und meldete sich.
»Ja?« Sie betrachtete sich im Spiegel. Ein bleiches, verzerrtes Gesicht blickte ihr entgegen. *»Du weißt, dass ich es hasse, zu warten.«*
»Bitte entschuldigen Sie, mein Handy war heruntergefallen«, keuchte sie atemlos.
»Ist schon gut. Beruhige dich und fahr weiter Richtung Autobahn. Dann überquerst du die Kieler Straße, hältst dich links und biegst noch einmal

links ab. Hast du verstanden? Ich gebe dir genau zwanzig Minuten Zeit. Nicht eine Minute länger. Solltest du dich verspäten, wird es kein Treffen mehr geben und Markus wird sterben.«

»Ich werde da sein. Aber falls es Stau gibt, dann …«

»Zwanzig Minuten, keine Sekunde länger. Das ist mein letztes Wort.«

Ein Knacken in der Leitung verriet, dass Susanne Gebauer aufgelegt hatte. Johanna warf das Handy auf den Beifahrersitz und umklammerte das Lenkrad so fest, dass die Knöchel ihrer Finger weiß hervortraten. Verbissen starrte sie durch die Windschutzscheibe und trat das Gaspedal durch, um es sofort erschrocken wieder los zu lassen. Sie konnte es sich nicht leisten, wegen überhöhter Geschwindigkeit von der Polizei angehalten zu werden. Zum Glück war der Verkehr noch nicht besonders stark. Es war noch zu früh für den Berufsverkehr. Nur einige Taxen, Lieferwagen und Polizeiautos waren unterwegs. Sie hatte das Gefühl, jede Ampel sprang just in dem Moment auf Rot, in dem sie sich näherte. Der Schweiß rann ihren Rücken hinunter, und sie klebte förmlich mit der Nase an der Windschutzscheibe, so verkrampft fühlte sie sich. Alle Versuche, sich zu entspannen, scheiterten. Die Angst beherrschte sie vollkommen. Wenn sie ehrlich war, verschwendete sie kaum noch einen Gedanken an Markus, sie hatte nur noch Angst um sich selbst. Sie hatte keine Ahnung, wie sie das alles überleben sollte. Denn eines war klar, Susanne Gebauer wollte ihren Tod und war wild entschlossen, dieses Vorhaben eigenhändig durchzuführen.

▣

»Haben wir sie?« Durch das Echo im Handy konnte Diekmann seine eigene Stimme den Bruchteil einer Sekunde später verhallen hören. Sie klang hohl.

»Ja, wir verfolgen das Signal. Es gibt auch keinen Grund, warum wir sie verlieren sollten. Sie weiß nichts von dem Sender.«

Rainers Stimme klang sachlich. Ihn schien das alles nicht weiter anzufechten.
Diekmann holte tief Luft und trank noch einen Schluck der lauwarmen Kaffeebrühe, die er sich von McDonald's geholt hatte. Er saß schon seit Stunden im Auto. Dicht genug an Johannas Wohnung, aber weit genug entfernt, um von möglichen Verfolgern nicht entdeckt zu werden. Obwohl er fror, war er schweißnass, sein Hemd klebte am Körper. Er hatte keine Ahnung, wie es weitergehen würde. Noch konnte er Johanna nicht hinterherfahren, er wusste nicht, ob und wie Johannas Feindin sie beobachten würde. Seine Leute waren in Bereitschaft, und er verließ sich voll und ganz auf Rainer, der ihm den Startschuss zur Verfolgung geben würde. Er trank den letzten Rest Kaffee aus seinem Styroporbecher und warf ihn dann aus dem Fenster. Nervös klopfte er seine Jacke nach einer Schachtel Zigaretten ab. Obwohl die Zigaretten, die er herausangelte, völlig zerdrückt waren, steckte er sich eine an und inhalierte tief. Er musste husten. Er konnte sich kaum vorstellen, dass er früher einmal fast vierzig Stück von diesen Dingern pro Tag geraucht hatte. Dann starrte er die Fahrzeugdecke an und versuchte sich zu beruhigen. Es gab nichts, was er tun konnte, außer Abwarten. Schon um Markus willen durfte er sich zu keiner überstürzten Handlung hinreißen lassen. Einen kleinen Erfolg konnten sie zumindest bisher verzeichnen. Sie hatten in der Nähe von Hamburg eine Kate in einem kleinen Dorf ausfindig gemacht, die angeblich Sylvia Marquardt gehörte. Seine Mitarbeiter hatten die ganze Nacht gebraucht, um das herauszufinden, aber bei einem der Grundstücksämter im Umland hatten sie schließlich Erfolg gehabt. Die kleine Hütte – Haus konnte man das kaum nennen – war vor ungefähr einem Jahr von einer Sylvia Marquardt gekauft worden. Auf den gleichen Namen war auch ein dunkler Kombi zugelassen. Das musste das Auto sein, in dem Markus verschleppt worden war. Ein

Trupp des mobilen Einsatzkommandos wartete in der Nähe der Hütte auf seinen Einsatzbefehl. Dann würde alles sehr schnell gehen. Ob Markus sich tatsächlich in dieser Hütte befand, wusste niemand, sie konnten es nur hoffen. Aber wahrscheinlich war dies hier die einzige Chance, die sie hatten. Denn Sylvia würde – so weit glaubte er sie inzwischen zu kennen – Markus' Aufenthaltsort nicht verraten, selbst wenn sie sie lebend erwischten. Und das wäre Markus' sicherer Tod. Er schloss die Augen und zählte langsam bis zehn.

▣

Johanna blickte ständig auf die Uhr. Die Zeit zerrann ihr zwischen den Fingern. Sie hatte noch fünf Minuten, als sie an der Kreuzung angelangt war, in der die Kieler Straße auf den Sportplatzring traf. Als die Ampel grün zeigte, bog sie weisungsgemäß zweimal links ab und blieb stehen. Sie stellte den Motor ab und wartete. Sie befand sich in einer kleinen Stichstraße, in der einige Mehrfamilienhäuser standen. Parallel dazu verlief die Autobahn, was sie am Vorbeirasen der Autos hören konnte. Die Straße war nicht besonders lang, und sie stellte sich so hin, dass sie alles genau übersehen konnte. Noch eine Minute. Sie holte tief Luft und versuchte sich auf ihren Herzschlag zu konzentrieren, so dass sie das Taxi, das langsam heranrollte, zunächst nicht bemerkte. Sie schrie beinahe auf, als jemand leise an ihre Scheibe klopfte, und erblickte einen älteren Mann, der einen Zettel in der Hand hielt. Ein Blick in ihren Rückspiegel zeigte ihr, dass hinter ihrem Fahrzeug ein Taxi stand. Langsam und mit zitternden Fingern drehte sie ihre Scheibe herunter.

»Ja, bitte?« Ihre Stimme klang heiser und sie räusperte sich.

»Sind Sie«, der Mann hielt den Zettel ein Stück von seinen Augen entfernt, um ihn besser lesen zu können, »Johanna?«

»Johanna Jensen, ja.«
»Ich soll Sie hier abholen.« Er betrachtete ratlos ihr Auto und versuchte sich sein Erstaunen darüber, dass jemand, der in einem Auto saß, ein Taxi brauchte, nicht anmerken zu lassen.
»Einen Moment.« Johanna drehte die Scheibe wieder hoch und stieg mit wackeligen Beinen aus. Sie versuchte den Taxifahrer anzulächeln, der sie neugierig beobachtete. Er schien sie für betrunken zu halten. Mit unsicheren Schritten folgte sie dem Fahrer zu seinem Auto und setzte sich hinten hinein. Er fuhr los, ohne den Taxameter einzuschalten. Johanna betrachtete ihn argwöhnisch, kam aber zu dem Schluss, dass es sich um einen normalen Taxifahrer handelte, der eine Fahrt ausführte, die ihm aufgetragen worden war. Er fuhr den Weg, den Johanna gerade gekommen war, zurück auf die Kieler Straße. Bevor Johanna sich richtig orientieren konnte, waren sie auf der Autobahn in Richtung Norden unterwegs.

▣

»Verdammt. Ich habe sie verloren«, schrie Rainer auf.
»Was?« Diekmann saß kerzengerade auf seinem Sitz. »Was soll das heißen?«
»Dass ich sie verloren habe, verdammt. Der Kontakt reißt ab.«
»Wie konnte das denn passieren?«
»Ich weiß es nicht. Irgendetwas scheint das Signal zu überdecken.«
»Kriegen Sie das wieder hin?« Diekmann spürte, wie ihm der Schweiß nun in Strömen herablief, und er fuhr sich mit der Hand über das Gesicht. Er bemerkte, dass sein ganzes Gesicht schmierig war. Er hatte sich so lange nicht rasiert, dass die Bartstoppeln nicht einmal mehr hart waren, sondern sich wie weicher Flaum anfühlten.
»Ich versuche es. Das kann aber einige Zeit dauern, und es

kann leider auch sein, dass ich das Signal gar nicht mehr finde.« Rainer klang verzweifelt.
»Mann, tun Sie endlich was, in Gottes Namen!«, schrie Diekmann ins Mikrofon. Wenn diese Aktion schief ginge, waren Johanna und Markus tot. Er betrachtete seine Hände und sah, wie sie zitterten. Sein ganzer Körper fing an zu beben. Er war den Tränen nahe, und er fühlte sich plötzlich wie ein hilfloses kleines Kind, das nach seiner Mutter suchte, nachdem es beim Einkaufen verloren gegangen war. Er erinnerte sich an ein Gebet, das er in seiner Konfirmandenzeit gelernt hatte, und begann die Fragmente, die er noch zusammenbekam, vor sich hin zu murmeln.

▣

Der Taxifahrer fuhr verschiedene Umwege und Schleifen, so dass Johanna davon ausging, dass ihm die Route von seinem Auftraggeber genau vorgegeben worden war. Schließlich hielt er vor einem verwahrlosten Gelände. Und wenn Johanna sich nicht täuschte, befand es sich bereits hinter der Landesgrenze in Schleswig-Holstein.
»So, da wären wir.« Der Fahrer drehte sich leicht um und lächelte Johanna an. »Was macht das?« Sie fingerte nervös in ihrer Handtasche herum, auf der Suche nach ihrem Portemonnaie.
»Ist alles schon erledigt. Ich wünsche Ihnen noch einen schönen Tag.«
Da er keine Anstalten machte, ihr beim Aussteigen behilflich zu sein, zog Johanna am Türgriff und stieg zögernd aus. Sie sah sich um und stellte fest, dass es sich um ein verlassenes Fabrikgrundstück handeln musste. In etwa hundert Meter Entfernung sah sie einen verfallenen alten Backsteinbau, das Gelände drumherum war übersät mit verrosteten Eisenteilen und kleinen Mauersteinen. In der Ferne konnte sie einige Neubauten

erkennen, die jedoch zu weit weg waren, um ihr Trost oder Hoffnung zu spenden. Das Grundstück lag ruhig vor ihr. Nichts schien darauf hinzuweisen, dass außer ihr noch jemand hier war. Nichts störte den Frieden der Landschaft bis auf das Zwitschern einiger Vögel, die hier ein Zuhause gefunden hatten. Aber es war eine trügerische Ruhe, und Johanna war klar, dass sie im Inneren des Gebäudes erwartet wurde. Der Dunst des Morgens hatte sich ein wenig gehoben, aber so wie es aussah, würde es wieder ein verhangener und verregneter Tag werden. Sie setzte sich langsam in Bewegung und stolperte, ohne den Blick auf den ausgetrampelten Pfad vor sich zu richten, auf ein verwittertes Holztor zu, das in rostigen Angeln hin und her schwang. Sie blieb einen Moment stehen, wartete ab. Das Tor war geöffnet, so dass sie einen Blick in das Innere des Gebäudes werfen konnte, aber alles, was sie sehen konnte, war ein dunkles, finsteres Loch, das nichts von dem preisgab, was sie darin erwartete.

▣

»Was tun Sie da eigentlich?«, bellte Diekmann in sein Mikrofon. Er kratzte sich unaufhörlich am Kinn. Es war schon ganz wund und knallrot, der Schweiß brannte an diesen Stellen wie Feuer.

»Ich kann nicht hexen.« Rainers Stimme klang mittlerweile ebenfalls ungeduldig.

»Das sollten Sie aber, schließlich geht es hier um zwei Menschenleben.« Diekmann konnte sich kaum noch beherrschen. Er rutschte unruhig auf seinem Sitz hin und her, am liebsten wäre er ausgestiegen. Sein Körper fühlte sich an, als ob er unter Strom stünde. Wenigstens hatte das Zittern inzwischen weitgehend aufgehört. Und auch seine Müdigkeit war endgültig verflogen; er wünschte sich, er könnte irgendetwas tun, damit das Gefühl, zu spät zu kommen, aufhörte.

»Es wird noch eine Zeit dauern. Ich finde den Störfaktor einfach nicht. Gedulden Sie sich noch einen Moment, bitte.« Rainer versuchte beruhigend auf seinen Chef einzuwirken, aber Diekmanns feines Gehör hörte jede Nuance Ungeduld und unterdrückten Ärger heraus. Seine Gedanken schweiften ab. Bizarrerweise musste er an seine Putzfrau denken und an das Chaos, das sie vor ein paar Tagen in seiner Wohnung vorgefunden hatte. Er wusste nicht mehr, wann er zuletzt in seiner Wohnung gewesen war, zumindest hatte er in den letzten Tagen keine Unordnung machen können, so dass die angedrohte Kündigung seiner Zugehfrau vermutlich erst einmal abgeschmettert war. Ein Auto fuhr laut hupend an ihm vorbei, und er erwachte wieder aus dieser Art Tagtraum. Er setzte sich aufrecht hin und beobachtete konzentriert durch den Außenspiegel die Fahrzeuge, die mit hoher Geschwindigkeit an ihm vorbeibrausten. Einige fuhren so schnell, dass der Fahrtwind an seinem Auto rüttelte. Sein Blick schweifte ab zu dem Schild, das diese Gegend als Dreißiger-Zone auswies. Wieder ließ er sich ablenken, ohne es zu wollen. Er schaffte es einfach nicht, seine Gedanken zu sammeln. Erst als Rainer ihn ein zweites Mal anrief, schrak er aus diesem merkwürdigen Zustand hoch.

»Herr Diekmann, sind Sie noch da?«

»Ja. Sprechen Sie.«

»Ich hab das Signal, aber es bewegt sich nicht mehr. Es ist zum Stillstand gekommen.« In Rainers Stimme schwang Panik mit. Diekmann hatte das Gefühl, seine Haare stünden ihm zu Berge. Für einen Moment setzte sein Herz aus, dann traf er eine Entscheidung.

⧈

Johanna ging langsam durch das Tor. Es dauerte einen Moment, bis sie sich an die Dunkelheit gewöhnt hatte. Sie stand auf nacktem Zementboden. So wie es aussah, handelte es sich um eine ehemalige Maschinenfabrik. Sie erblickte lange eiserne Bänke, die wie Wäschemangeln aussahen, verschiedene verrostete Werkzeuge lagen herum und aus einem kleinen gläsernen Kabuff an der Rückseite des Raumes waren große Glasstücke herausgebrochen. Einige scharfe Kanten ragten noch aus dem brüchigen Fensterkitt. Sie sah nach oben zur Decke und bemerkte, dass auch hier ein Teil weggebrochen und in die große Halle hinabgestürzt war, so dass man das Dach sehen konnte. Eine große schmutzige, ölig glänzende Pfütze hatte sich am Boden gebildet. Die ganze Halle wirkte, als hätte man überraschend aufgehört, darin zu arbeiten. Niemand schien sich in der Zwischenzeit darum gekümmert zu haben, das Inventar wegzuräumen. Man hatte alles dem langsamen Verfall anheim gegeben.

»Du bist pünktlich. Ich mag das«, hallte die Stimme durch das Gebäude, aber so sehr Johanna auch suchte, sie konnte niemanden entdecken. Sie drehte sich einmal um ihre eigene Achse, die Stimme schien von überall gleichzeitig zu kommen. Sie fasste ihre Tasche fester und sah sich weiter fieberhaft um.

»Gib dir keine Mühe, du wirst mich sehen, wenn ich will, dass du mich siehst. Wir sollten uns erst einmal unterhalten, nicht wahr?«

Johannas analytischer Verstand gewann langsam wieder die Oberhand, und sie glaubte nun, dass Susanne Gebauer gern über ihre Taten sprechen wollte, weil sie bisher keine Gelegenheit dazu gehabt hatte. Also versuchte sie, sie aus der Reserve zu locken.

»Warum haben Sie all diese Frauen umgebracht?« Sie blickte unablässig nach oben, in der Hoffnung, irgendwo einen Hinweis zu entdecken.

»Wie sollte ich dich sonst herausfordern?«

»Sie wollten mich herausfordern?«, fragte Johanna erstaunt.

»Ja, ich weiß eine Menge über dich. Ich *habe meine Hausaufgaben ge-*

macht. Ich wusste, dass du bei der Polizei arbeitest und bei bestimmten Fällen zur Beratung hinzugezogen würdest.«
Johanna hatte so etwas bereits vermutet, aber als sie es aus dem Mund dieser Frau hörte, war sie trotz allem erschüttert.
»Sie haben diese Frauen allen Ernstes getötet, nur um mich auf die Szene zu bringen?« Sie hörte selbst, wie ungläubig sie klang. Ihr Entsetzen darüber, dass sie praktisch schuld am Tod der Frauen war, vertrieb für einen Moment sogar ihre Angst.
»Das war der eine Grund.« Die Stimme klang nun sanft und freundlich. *»Aber es gab noch einen weiteren. Sylvia war so schön«*, die Stimme nahm einen schwärmerischen zärtlichen Tonfall an, *»und du hast sie aus dem Leben gerissen. Ich habe sie geliebt. Dann hast du dieses Gutachten geschrieben, und all deine Kollegen haben es sogar noch bestätigt. Aber Sylvia war zu zart für das Gefängnis. Zu empfindsam.«* Die Stimme begann zu zittern, und Johanna spürte, dass Susanne Gebauer kurz davor war, die Fassung zu verlieren. *»Wir hatten eine wunderbare Beziehung, die man schwer beschreiben kann. Sie hat mit diesen Männern doch nur gemacht, was sie verdient haben. Sie haben sie immer nur benutzt.«* Der Ton war bitter geworden, und Johanna erkannte, dass Susanne davon sprach, wie Sylvia als Kind missbraucht worden war. *»Die toten Frauen waren auch schön, so schön wie meine arme Sylvia, hast du das denn nicht gemerkt? Und auch diese Frauen hast eigentlich du getötet. Du hast sie wie Sylvia einfach aus dem Leben gerissen.«*
Johanna war für einen Moment sprachlos. Sie ließ ihre Tasche fallen und fuhr sich mit beiden Händen entsetzt durch ihr kurzes Haar. Sie zog an einigen ihrer Strähnen, als hoffe sie, endlich aus dem Albtraum zu erwachen.
»Aber diese Frauen haben Ihnen nichts getan!« Ihre Stimme klang erstickt.
»Nein, natürlich nicht«, antwortete Susanne Gebauer. *»Sie haben mir auch nichts bedeutet. Es ging um Sylvia, um dich und um mich. Verstehst du das denn nicht?«* Ihre Stimme klang nun wie die einer Lehre-

rin, die einem besonders begriffsstutzigen Kind das Einmaleins beizubringen versuchte.
»Aber, wie um alles in der Welt, sind Sie vorgegangen? Erklären sie es mir bitte. Was war zum Beispiel mit Maike Behrens?«
Die Frau lachte leise und verächtlich. *»Ich habe mir die Namen nicht gemerkt. Sie waren so unwichtig. Mit der einen habe ich zusammen in einem Verein Sport getrieben. Unter falschem Namen natürlich. Eine andere habe ich in einem Kochkurs kennen gelernt. Die Dritte habe ich aufgegabelt, als sie mit einem dünnen Abendkleid durch den Regen ging. Sie hat geweint, und ich fuhr gerade mit dem Taxi durch die Nacht. Du musst nämlich wissen, dass ich nicht mehr als Anwältin praktiziere, sondern Taxi fahre. Als ich sie ansprach und ihr anbot, sie nach Hause zu bringen, ließ sie sich arglos darauf ein, vermutlich weil ich eine Frau war.«*
Das Lachen, das ihren eigenen Worten folgte, war amüsiert und verächtlich zugleich. Sie zählte ihre Taten so beiläufig auf, als ob sie eine Einkaufsliste vorlas. Johanna erinnerte sich blitzartig an die Diskussion, die sie mit Flo und Markus geführt hatte.
»Und was war mit der vierten Frau?«, fragte sie.
»Lass mich überlegen.« Johanna hatte den Eindruck, dass die Frau näher gekommen war. *»Ach, die klingelte an der Haustür und wollte für behinderte Kinder sammeln.«* Johanna sah im Geiste die Bilder der toten Claudia Beckmann vor sich. Sie konnte sich gut vorstellen, wie diese junge Frau mit der Sammelbüchse von Tür zu Tür gegangen und vertrauensvoll in die Wohnung einer Frau eingetreten war, aus der sie dann nicht mehr herauskommen sollte.
»Woher hatten Sie das Medikament?«
»Ach das«, die Frau lachte ein glockenhelles, vergnügtes Lachen, *»das bekommt man überall. Am Hauptbahnhof zum Beispiel. Ich war ziemlich verärgert, als ihr diesen Idioten, diesen kranken Einfaltspinsel festgenommen habt. Ich war sehr wütend. Das war nicht richtig von euch.«*
Jetzt wollte Johanna alles wissen. Das Bild von Gudrun Speng-

ler kam ihr in den Sinn, die Frau, die als einzige Fesselungsspuren an den Handgelenken aufgewiesen hatte. »Was haben sie mit Ihrem letzten Opfer gemacht?«, fragte sie.
»Ach Gott, war das die, die ich heulend aufgegabelt habe? Nun, die sah genauso aus, wie ich es mir vorgestellt hatte, und weil ich Angst hatte, dass ich so schnell kein passendes Exemplar mehr auftreiben würde, habe ich sie sozusagen auf Vorrat mitgenommen. Natürlich musste ich sie erst einmal eine Weile aufbewahren. Ja, ja«, die Stimme seufzte, als hätte sie an einer schweren Bürde zu tragen, *»es war schon ein Jammer. Sie hat leider kleine Verletzungen davongetragen und so mein perfektes kleines Werk zerstört. Hat es dem Gesamtbild sehr geschadet?«* Die Stimme wandte sich fragend an Johanna. Sie konnte die Gefühlskälte dieser Frau kaum noch ertragen, die mit ihrer Besorgnis um das »Gesamtbild« geradezu grotesk auf sie wirkte.
»Sie sind krank«, sagte Johanna leise und voller Abscheu. Susanne Gebauer lachte leise. *»Weißt du, was mir besonders Spaß gemacht hat? Ich war dir einmal so nahe, dass ich dich anfassen konnte. Erinnerst du dich noch? ›Wieschen, wieschen‹?«*
Johanna stockte der Atem, als Susanne Gebauer ihre Stimme verstellte. Sie klang jetzt hoch und ein wenig unsicher, und sie konnte sich erinnern, diese Stimme und diese Worte schon einmal gehört zu haben, aber wo genau war das gewesen? Plötzlich fiel es ihr wie Schuppen von den Augen! Die Putzfrau im Präsidium!
»Sie, Sie waren die Putzfrau!« Vor ihrem geistigen Auge erschien wieder die unförmige Gestalt, die mit Kopftuch und unsauberem Lappen in ihrem Büro herumgefuhrwerkt hatte. An die Gesichtszüge dieser Frau konnte sie sich aber trotz allem nicht mehr erinnern.
»So, genug geplaudert.« Susanne Gebauer klatschte in die Hände. Johanna hörte Schritte auf sich zukommen. Sie stand mit dem Rücken zu den gebrochenen Glasfenstern und blickte nach draußen zum Tor, das unverändert offen stand. Als die Stimme

plötzlich hinter ihr auftauchte, fuhr sie erschrocken herum. *»Es wird Zeit, mein Kind. Auf diesen Moment habe ich lange gewartet.«*

⊡

Als Markus die Augen aufschlug, sah er mehrere vermummte Gestalten über sich gebeugt. Sie sagten kein Wort, sondern rüttelten nur an seiner Schulter. Der Nebel in seinem Kopf lichtete sich ein wenig, aber nicht genug, um die Situation zu erfassen. Es war nicht die gleiche Maske wie sonst, es waren verschiedene. Bisher war es immer nur eine gewesen. Sie zerrten ihn plötzlich hoch und versuchten ihn auf die Füße zu stellen, doch sie wollten ihm nicht gehorchen und sackten immer wieder unter ihm weg. Er spürte, wie seine Beine hinter ihm her schleiften, als er weggetragen wurde, aber es kümmerte ihn nicht weiter. Er schloss die Augen und ließ das Kinn auf die Brust sinken.

Unerträglicher Gestank weckte ihn wieder, und er fragte sich, ob er der Einzige war, der ihn wahrnahm. Er versuchte den Kopf zu heben, um sehen zu können, aus welcher Richtung der Gestank kam. Doch sein Versuch, den Kopf zu heben, misslang, aber er konnte durch seine halb geöffneten Augen Licht sehen. Es tat so weh, dass er die Augen wieder schloss. Erst als er geohrfeigt wurde, drehte er den Kopf herum und hörte ganz entfernt, wie sein Name gerufen wurde. Lange hatte er ihn nicht mehr gehört – es klang beruhigend.

⊡

Susanne Gebauer hatte plötzlich eine Pistole in der Hand und zielte damit auf Johannas Magen. Wie gebannt starrte Johanna die Waffe an und fragte sich, wie diese Frau wohl so ohne weiteres an eine Waffe gekommen war. Sie hatte immer schon die

abgedrehtesten Gedanken gehabt, wenn sie sich in Gefahr gefühlt hatte.
»Keine Angst, ich will dich nicht erschießen. Ich habe etwas viel Schöneres mit dir vor. Du sollst Sylvia folgen, und zwar detailgetreu. Wenn du dich aber wehren solltest, muss ich dich leider erschießen.«
Johanna betrachtete die Frau. Sie war noch plumper, als sie sie in Erinnerung hatte, aber die Augen war die gleichen. Durchdringend, beinahe irr, blickte sie Johanna an. Das Haar war mittlerweile grau geworden und hing strähnig an ihrem Kopf herunter. Es war dünn und machte einen ungepflegten, schlampigen Eindruck. Susanne Gebauer hatte den Kopf geneigt und sah sie lächelnd an. Trotz allem schien Ruhe von ihr auszugehen. Johanna zweifelte keinen Moment, dass diese Frau sich ebenfalls das Leben nehmen würde, sobald sie Johanna getötet hatte. *»Ich denke, wir gehen jetzt.«* Sie begann zu flüstern und legte einen Finger an die Lippen, als befürchte sie, jemanden zu wecken. Johanna löste sich aus ihrer Starre und rammte mit einem verzweifelten Aufschluchzen ihren Kopf in den Magen der anderen Frau. Sie hörte, wie die Frau ächzend aufstöhnte und dann nach Atem rang. Als sie den Schuss hörte, ließ sie sich mit geschlossenen Augen zu Boden fallen und wartete auf den Schmerz.
Eine tröstliche Dunkelheit umfing sie.

»Na, alles in Ordnung?« Wie aus weiter Ferne hörte Johanna Fußgetrappel und eine Kakophonie aus Stimmen. Sie öffnete die Augen und sah Diekmanns ernstes Gesicht. »Was ist los?«, fragte sie, und versuchte sich auf einem Arm zu stützen, der sofort unter ihrem Gewicht nachgab. Diekmann legte beide Arme um ihren Oberkörper und zog sie hoch. Er schleifte sie zu einer Wand, lehnte sie vorsichtig dagegen und ließ sich mit einem Seufzer der Erleichterung neben ihr nieder. Sie starrten auf das Durcheinander vor ihnen. Uniformierte Polizisten sicherten mit gezogenen Pistolen den Eingang, eine Person, um die sich ein Ring von Menschen versammelt hatte, lag auf dem Boden.

»Was ist hier los?«, fragte Johanna matt. Diekmann sah sie nicht an, als er antwortete. »Ich habe Susanne Gebauer erschossen.«

»Sie?« Johanna konnte es nicht glauben. Irgendwie fehlte ihr ein Teil ihrer Erinnerung.

»Ja, ich kam gerade noch rechtzeitig, als Sie mit ihr in einen Kampf verwickelt waren. Das war ziemlich knapp, ist Ihnen das bewusst?«

Johanna wusste, was er meinte. Um ein Haar wäre er zu spät gekommen. »Und was ist mit Markus?«, hakte sie weiter nach.

»Er steht unter Drogen, kommt aber wieder in Ordnung.«

Beide schwiegen eine Zeit lang und sahen dem Treiben um sich herum zu. Polizeifotografen machten Bilder von der Leiche, nachdem um Susanne Gebauer kleine Nummernschilder aufgestellt worden waren. Danach wurde der Umriss ihres Körpers mit Kreide auf den Boden gemalt. Irgendjemand drückte Johanna einen Plastikbecher mit Kaffee in die Hand.

»Wie haben Sie mich gefunden?«, fragte sie Diekmann ungläubig.

»Wir hatten Ihnen einen Sender installiert.«

»Einen Sender?« Sie sah ihn erstaunt von der Seite an.

»Ja. Rainer hat ein Sender in das externe Bedienungsgerät ihrer Zentralverriegelung gesetzt. Sie wissen schon, das Ding, das an ihrem Autoschlüssel hängt. Leider hatten wir sie einige Zeit verloren.«

»Ich bin in einem Taxi gefahren.«

Diekmann nickte. »Die Funkgeräte haben dort wahrscheinlich unser Signal überlagert.« Irgendwie fand Johanna es tröstlich, dass Diekmann die ganze Zeit über da gewesen war. Zumin-

dest beinahe. Sie wusste nur nicht, warum man es ihr nicht vorher gesagt hatte. »Mussten Sie sie denn erschießen?«
Diekmann sagte lange Zeit gar nichts. Dann sah er sie an. »Mussten Sie denn das Gutachten fälschen?«
Johanna betrachtete den Becher in ihrer Hand und nahm einen Schluck von dem heißen Getränk. »Ja, das musste ich.«
»Sehen Sie«, sagte Diekmann gedankenverloren.
Die Stimmung in der Halle entspannte sich zusehends. Ruhig und routiniert machten die Beamten ihren Job.
»Susanne Gebauer konnte nicht anders, wissen Sie«, meldete sich Johanna noch einmal zu Wort. Noch immer saßen sie an der Wand gelehnt. Diekmann hatte die Beine angezogen und seine Hände locker um seine Knie gefaltet. Johanna schlürfte in kleinen Schlucken ihren Kaffee, den Sanitäter, der sie ansprach, nahm sie kaum wahr. Sie winkte ab, und zu ihrer Erleichterung verschwand er wieder. Irgendjemand kam und legte ihr eine Decke um die Schultern. Sie lächelte mechanisch zum Dank und konzentrierte ihren Blick dann wieder auf die Leiche, die ein paar Meter von ihr entfernt lag.
Als Diekmann wieder zu sprechen ansetzte, klang seine Stimme rau. »Ich weiß, wir hatten keinen guten Start. Lassen Sie uns noch einmal von vorne beginnen.« Er räusperte sich und hielt ihr seine Hand entgegen. »Mein Name ist Sven.«
Johanna sah ihn an und ergriff seine Hand. »Ich bin Johanna.«